教你打官司 丛书

保险保障权益纠纷

姚 琦 刘洪蛟 编著

山西出版集团 山西教育出版社

图书在版编目（CIP）数据

保险保障权益纠纷/姚琦，刘洪蛟著. —太原：山西教育出版社，2011.6
（教你打官司）
ISBN 978 -7 -5440 -4210 -9

Ⅰ. ①保… Ⅱ. ①姚…②刘… Ⅲ. ①保险法 - 案例 - 分析 - 中国 Ⅳ. ①D922.284.5

中国版本图书馆 CIP 数据核字（2009）第 205390 号

保险保障权益纠纷

责任编辑 魏雪萍
复　　审 邓吉忠
终　　审 樊爱香
装帧设计 刘志斌
印装监制 贾永胜

出版发行 山西出版集团·山西教育出版社
（太原市水西门街馒头巷 7 号 电话：4035711 邮编：030002）
印　　装 山西人民印刷有限责任公司
开　　本 850×1168 1/32
印　　张 12
字　　数 384 千字
版　　次 2011 年 6 月第 1 版山西第 3 次印刷
印　　数 14001—21000 册
书　　号 ISBN 978 -7 -5440 -4210 -9
定　　价 21.00 元

如发现印装质量问题，影响阅读，请与印刷厂联系调换。联系电话：0358 -7641044

序 言

俗话说："无规矩不成方圆。"法律虽然抽象，但离我们的生活并不遥远。法律规则在现代社会人与人的交往中发挥着重要的作用，尤其是在预防和减少纷争、维护自身权益方面。我国正处在经济迅速发展、法制日臻完善的时期，法律的制定和修订也比较快，因此，对于普通百姓而言，我们不仅需要了解基本法律理念，还需要了解最新的、与我们生活密切相关的法律知识。

本套"教你打官司"丛书本着"为你打官司支招，为你赢官司献计"的宗旨，以通俗易懂的方式向读者宣讲法律知识，传播法治理念，让百姓明白自己有哪些权益是受法律保护的，应当怎样运用法律武器维护自己的合法权益。

本丛书共23册，各册的内容体系不是严格按照学术分类或是法律部门进行划分，而是以"与百姓的生活密切相关"为标准，将大量的法律概念、法律原理融入一个个典型而精彩的案例中，让读者在不知不觉中学到法律知识。每册书均采用以案说法的形式，运用简明通俗的语言、根据最新的法律规范深入浅出地解说法律问题。每个案例都由"事情是这样的"、"律师专线"、"法律规范"和"专家释惑"四个部分构成。其中"事情是这样的"旨在简要介绍法律问题的事实背景；"律师专线"是从律师实务的角度指明所涉法律问题，判断问题处理得对错与否，为当事人妥善解决此类问题提出相应的建议与技巧，比如所涉纠纷的核心问题是什么、有效解决问题的措施是什么、该向什么部门反映等；“法律规范”是摘录与案件有关的核心法条，为读者指明解决问题所援引的法律依据；“专家释惑”则是对与案件有关的法律知识进行更专业的阐释与介绍。有些案例还附有“联系本案”的内容，为读者防范或处理相关问题进行提醒。

衷心希望本丛书能成为普通百姓学习基本法律知识的得力助手，使大家不再觉得法律陌生而遥远，为我们认知和维护自身权益略尽绵薄之力。

兰　花

2009 年 7 月于中国政法大学

目　录

第一编　保险合同一般原理

第二编 财产保险合同纠纷案例

第三编　人身保险合同纠纷案例

第一编　保险合同一般原理

1. 保险是什么？

案例 1　某家具厂诉保险公司案

事情是这样的

2003 年 9 月 8 日，某保险公司与某家具厂签订了保险代理协议。协议约定，保险公司为某家具厂的 300 名职工分别办理家庭财产综合保险。保险期限、保险费、保险金额均约定明确。其中有如下约定：第一，家具厂以保险储金形式支付保险费；第二，保险公司以固定的赔付率对家具厂承担责任，并在家具厂向其交足保险储金时，保险公司先行给付家具一定赔付率的赔款，协议期满时，保险公司将保险储金及剩余赔付率的款项一并返还家具厂；第三，保险单与本协议不符时以协议为准。

协议签订后，家具厂按约定向保险公司办理了 300 名职工家庭财产综合保险投保手续，保险公司向家具厂签发了保险单，具体内容如下：投保人为家具厂，被保险人总数 300，每人保险费 1 000 元，保险费以保险储金形式一次交付 20 万元，保险期限为 1 年。同时，保险公司以固定的赔付率对家具厂承担责任，该固定赔付率按所交保险储金的 15% 确定，即保险赔款总计为 3 万元；保险合同签订时，家具厂按约定获得保险公司支付的先行赔款 5 000 元。

一年协议期满，家具厂要求将保险储金及剩余赔付率的款项一并返还家具厂，而保险公司认为这不是保险，仅同意返还保险储金减去已支付的赔款的差额部分。双方争执不下，家具厂诉至法院，要求保险公司将保险储金20万元和按剩余赔付率计算的款项2.5万元返还给家具厂。

法院审理后认为，保险公司与家具厂之间确立的不是保险合同关系，而是非法借贷关系，双方签订的合同无效，判决保险公司将家具厂支付的20万元减去先行支付的5 000元共计19.5万元返还给家具厂。

律师专线

本案中，保险公司与家具厂之间是否建立了保险法律关系是问题的关键。按照我国《保险法》的规定，保险是指投保人根据合同约定，向保险人支付保险费，保险人对于合同约定的可能发生的事故因其发生所造成的财产损失承担赔偿保险金责任，或者当被保险人死亡、伤残、疾病或者达到合同约定的年龄、期限时承担给付保险金责任的商业保险行为。本案中，保险公司与家具厂之间签订的协议，主要内容是：家具厂支付给保险公司一笔资金，合同期满时，保险公司除返还家具厂该笔资金外，还按固定赔付率向家具厂支付“赔款”。但这笔“赔款”实际是该笔资金的利息，而不是保险法意义上的赔款。因此，保险公司与家具厂之间建立的并不是保险法律关系，而是一种借贷关系。

法律规范

中华人民共和国保险法

（1995年6月30日第八届全国人民代表大会常务委员会第十四次会议通过，2002年10月28日第九届全国人民代表大会常务委员会第三十次会议修正，2009年2月28日第十一届全国人民代表大会常务委员会第七次会议修订）

第二条　本法所称保险，是指投保人根据合同约定，向保险人支付保险费，保险人对于合同约定的可能发生的事故因其发生所造成的财产损失承担赔偿保险金责任，或者当被保险人死亡、伤残、疾病或者达到合同约定的年龄、期限时承担给付保险金责任的商业保险行为。

专家释惑

要理解什么是保险，必须分析保险的构成，也就是保险得以成立的基本条件。保险的构成要件主要有以下几点：

1. 必须以特定的危险为对象

有发生特定事故的危险，是建立补偿损失的保险制度的前提。“无危险则无保险”，因此，危险的存在是保险的第一要件。但并不是任何危险都是保险制度上的危险，保险制度上的危险必须是：(1)危险发生与否不确定。即存在某种危险因素，可能发生危险。(2)危险发生的时间不能确定。某些特定事故的发生是肯定的，但何时发生难以预料，如人何时生病、何时死亡。(3)危险所导致的后果不确定。如发生台风造成的损失程度，在灾害发生前是难以确定的。(4)危险的发生对被保险人来说，必须不是故意的。如果危险的发生是被保险人故意造成的，也不属于保险危险。

2. 必须以对危险事故所致损失进行补偿为目的

保险的机能在于补偿损失，进而确保社会经济生活的安定。这种补偿是通过支付货币的方式来实现的，因此，保险事故所造成的损失，必须是在经济上能够计算价值的。

可见，保险是以可能而不确定的事故或危险的发生为前提的。本案中，保险公司和家具厂约定保险公司以固定的赔付率对家具厂承担责任，即在签订合同时就明确了“赔偿金”的数额，不符合保险的构成，因此，保险公司与家具厂之间建立的不是保险法律关系。

提醒

保险合同是射幸合同，在合同有效期间，如无保险事故发生，被保险人只付出保险费而得不到保险公司的任何给付，即保险合同的后果是不确定的。

2. 填写投保申请书后发生的保险事故，保险公司都会赔吗？

案例 2 张某诉保险公司案

事情是这样的

2006 年 4 月 1 日，原告张某同被告某保险公司商谈签订家庭财产保险合同，张某将他的住房投了保。张某于上午 9 点钟同保险公司业务人员李某按约定在张家洽谈，在李某的指导下张某填写了投保申请书并交给李某由李某带回保险公司，再由保险公司签发保险单。下午 4 点钟，张某住房起火，全部烧毁，损失达 4 万元，但是张某并没有立即通知保险公司。4 月 2 日保险公司令李某将其签发的保险单送至张某处，发现张某住房已经被烧毁。保险单约定保险期限自 2006 年 4 月 2 日 0 时至 2007 年 4 月 2 日 24 点，保险费 100 元，保险危险包括火灾。此时，张某将保险费立即交给李某，并要求保险公司承担赔偿责任。保险公司以保险事故发生在保险期限之外为由拒不理赔，张某经多次交涉都无果，只好向法院提交一纸诉状将该保险公司告上法庭，对簿公堂。

张某觉得很委屈，当初李某多次上门推销保险商品，还拍胸脯保证该保险公司绝对信誉可靠，出险后按约理赔。自己明明已经同李某商谈好，并于 4 月 1 日填写了投保单并签字，李某当时表示这样就行了。根据《保险法》第 13 条第 1 款规定，投保人提出保险要求，经保险人同意承保，保险合同成立。可见保险合同为诺成合同、非要式合同，这意味着张某同李某协商完毕并填写投保单之后，李某接受了，就表示保险公司作出了承诺的意思表示，保险合同已经成立了，保险期限理应从 1 日就开始。被告在事后签发的保险单擅自将时间改为 4 月 2 日，是一种违约行为和无效行为。

保险公司则并不认同张某的说法，认为本公司发放投保单为要约邀请，张某填写投保单只不过是向本公司发出要约，根据合同法的理论，要约只有在接受者承诺时才能成立合同。此外，根据保险业的惯例，保险公司要将投保单带回审核确定是否承保，而保险单或保险凭证的签发视为保险人的同意。投保单只有在保险人签章之后才能被视为保险合同。因此，本案中2日签发的保险单才是保险合同，根据该合同，保险责任开始于2日，故而保险公司不应承担张某的损失赔偿责任。

法院同意了保险公司的意见，认为保险合同是否成立，其内容以保险单为准。保险公司的保险单修改了投保单上的时间，是对张某的反要约，而张某支付保险费，接受保险单是对此的承诺，因此保险合同成立。而火灾发生在保险合同规定的保险期限之前，保险公司不应赔付，张某自担损失。

律师专线

在本案中，张某填写投保单相当于发出了要约，如果保险公司完全同意按投保单承保，即为承诺，则合同成立，保险合同内容与投保单一致。但是保险公司修改了保险期限，根据《合同法》第30条的规定，承诺应该与要约内容一致，修改合同履行期限属于实质性的变更要约内容，成为新的要约，因此保险公司4月2日签发的保险单相当于新的要约，而张某成为受要约人。张某交付保费，接受保险单的行为视作承诺，因为根据《合同法》第22条的规定，承诺应当以通知的方式作出，但根据交易习惯或要约表明可以通过行为作出承诺的除外，可见张某的行为构成对保险公司反要约的承诺。由此来看，保险公司同张某之间成立了保险合同，但是该合同内容应以保险单为准。保险责任开始于4月2日，而火灾发生于1日，因此保险公司不赔付是有道理的。投保人在投保时千万要认真阅读保险条款，特别是其中保险期限条款，以此为鉴！

注意

这里要明确的一点，就在于承诺应该与要约内容一致，在任何合同的订立中，包括在保险合同的订立中，这一点都是应当注意的。

法律规范

中华人民共和国合同法

（1999 年 3 月 15 日第九届全国人民代表大会第二次会议通过）

第二十二条　承诺应当以通知的方式作出，但根据交易习惯或要约表明可以通过行为作出承诺的除外。

第三十条　承诺的内容应该与要约的内容一致。受要约人对要约的内容作出实质性的变更的，为新的要约。有关合同的标的、数量、质量、价款或报酬、履行期限、履行地点和方式、违约责任和解决争议方法等的变更，是对要约内容的实质性变更。

中华人民共和国保险法

（1995 年 6 月 30 日第八届全国人民代表大会常务委员会第十四次会议通过，2002 年 10 月 28 日第九届全国人民代表大会常务委员会第三十次会议修正，2009 年 2 月 28 日第十一届全国人民代表大会常务委员会第七次会议修订）

第十三条　投保人提出保险要求，经保险人同意承保，保险合同成立。保险人应当及时向投保人签发保险单或者其他保险凭证。

保险单或者其他保险凭证应当载明当事人双方约定的合同内容。当事人也可以约定采用其他书面形式载明合同内容。

依法成立的保险合同，自成立时生效。投保人和保险人可以对合同的效力约定附条件或者附期限。

专家释惑

本案涉及的问题较多，主要是保险合同的成立以及保险合同的形式等。

1. 该案中保险合同何时成立？

合同的成立是当事人通过要约和承诺就交易内容达成一致的过程，要约是希望和他人订立合同的意思表示，该意思表示应当符合下列规定：（1）内容具体确定；（2）表明经受要约人承诺，要约人就受该意思表示拘束。而人们观念中，有个同要约容易混淆的概念就是“要约邀请”。要约邀请是希望他人向自己发出要约的意思表示。寄送的价目表、拍卖公告、招标公告、招股说明书、商业广告等为要约邀请。商业广告的内容符合要约规定的，视为要约。承诺是受要约人同意要约的意思表示，《合同法》第22条规定，承诺应当以通知的方式作出，但根据交易习惯或要约表明可以通过行为作出承诺的除外。第30条规定，承诺的内容应该与要约的内容一致。受要约人对要约的内容作出实质性的变更的，为新的要约。有关合同标的、数量、质量、价款或报酬、履行期限、履行地点和方式、违约责任和解决争议方法等的变更，是对要约内容的实质性变更。英美法系上，关于要约和承诺的关系有个原则称为“镜像原则”，意思是说要约和承诺的内容就像是同一事物与其在镜子中的成像一样严格相符。

根据合同的成立是否以交付标的物为要件，可以将合同分为诺成合同和实践合同。诺成合同又称为“不要物合同”，是指以当事人的意思表示一致为成立要件的合同。实践合同又称为“要物合同”，指除当事人意思表示一致外，还需要交付标的物才能成立的合同。根据合同是否以特定的形式为要件，可将合同分为要式合同和不要式合同。要式合同是指必须采取法律规定或当事人约定的形式才能成立的合同，一般是指书面形式。《保险法》第13条的规定，投保人提出保险要求，经保险人同意承保，保险合同成立。保险人应当及时向投保人签发保险单或者其他保险凭证。保险单或者其他保险凭证应当载明当事人双方约定的合同内容。当事人也可以约定采用其他书面形式载明合同内容。

该案中的一个问题就是对张某填写投保单而发出的投保要约，保险公司到底作了承诺没有？投保书是投保人向保险人详述投保意思的书面说明，其表达的内容包括保险标的、危险种类、保险金额、投保人的姓名和地址以及与该项危险有关的一切资料，从而成为保险人决定承保与否的根据。惯例上，保险人就投保人提出的投保书，对其在投保书上所填写的内容审核后，同意或认可，即为承诺。假若保险人未予以认可，例如对于投保人填写的内容加以更改，则保险合同并未当然成立。因此，此时保险人更改后同意实为新的要约，需要投保人同意后才能成立保险合同。保险人收到投保人要约，必须在合理期限内作出承诺，否则视为拒绝承保。但如果投保人预付保险费，而保险人经过合理期限后仍未表示同意，但又不退还保险费的，可以认为保险人默示的承诺，保险合同成立。本案中，李某对张某表示填完投保单就行了，这一表示究竟是否为保险公司的承诺呢？如果是保险公司的承诺，则保险合同于4月1日就成立了，此时就必须澄清另外的一个问题，即次日保险公司开出的保险单写明保险期限为4月2日是否违约；如果不是承诺，则保险公司次日送给张某的保险单则可能构成反要约，案件的处理结果将与上述相同。

笔者认为李某当时这一表示并不意味着保险合同的成立，李某作为保险公司的业务人员，在履行公司职责时，其行为的后果自然由保险公司承担，李某的表示含义很模糊，但我们应该注意到李某并没有以保险公司的名义在投保单上确认签章，所以李某的表示不意味着保险公司的承诺，而次日的保险单则为反要约，张某对此也表示同意并支付保险费接受保险单，从而保险单所载的内容完整地反映了双方之间的合同内容。火灾发生在4月1日下午，不属于保险期限内，所以不应承保。法院的处理并无不当。

2. 保险合同的形式释疑

该案引出另外一个值得我们深思的问题就是，保险合同的形式有哪些？

如前所述，保险合同为非要式合同，保险合同的内容和形式是神和体的关系，保险合同的表现形式可以是多种的，既可以是口头的，也可以是书面的。《保险法》第13条表明立法支持将保险合同的内容以书面形式固定下来，以使其明确可见，但不否定保险合同可以以其他形式订立。实践中一般是采取书面形式，表现为经确认的投保单、签发的保险单或保险凭证、暂保单等。（1）投保单。如前所述，投保单并不当然为保险合同，只有经保险人签章确认后才能成为保险合同内容的表现形式。（2）保险单。保险单是保险合同常用的形式，所载的内容与保险合同内容一般一致，但它仅是保险合同成立的凭证之一，并不是保险合同成立的前提条件，如果保险合同成立在前，则保险单是保险合同的证明。（3）暂保单。又称为临时保单，是指保险人或其保险代理人虽然同意承保，但又不能立即出具保险单或其他保险凭证而临时向投保人开出的保险凭证。暂保单不同于保险单，但它在有效期限内，于保险单做成交付之前具有同保险单相同的效力。暂保单的期限一般较短，保险人向投保人签发保险单后，暂保单所载的各项条件应当归并于保险单，暂保单自动失效。（4）保险凭证。又称为小保单，是内容和格式简化了的保险单，效力与保险单相同。（5）其他保险凭证。包括经公证的保险协议等。总的来说，我们不能拘泥于书面形式，而要把握保险合同的实质。

提醒

假若案情与此稍有不同，例如李某有以保险公司名义签章的权利并在投保单上代表保险公司签章确认，则案件结果将变得更为复杂。这也涉及保险合同是否成立的问题。从形式来看，保险公司在投保单上签章确认，合同就应该成立了。但是该合同显然没有约定保险期间，也就是说，从合同中无法得知保险责任的开始时间，欠缺该保险期间条款，能否成立保险合同呢？《保险法》

第18条规定了保险合同应具备的法定事项，包括保险人名称和住所；投保人、被保险人名称和住所，以及人身保险的受益人的名称和住所；保险标的；保险责任和责任免除；保险期间和保险责任开始时间；保险金额；保险费以及支付办法；保险金赔偿或给付办法；违约责任和争议处理；订立合同的年、月、日。但是《保险法》并没有说明如果欠缺其中某些条款，保险合同是否能够成立。笔者认为合同的成立是双方意思表示一致的结果，只要就实质性的事项达成一致就可以成立合同。至于哪些是实质性的事项，值得人们争议，或许这就是法学研究的魅力所在。保险期间条款的欠缺应该无损于合同的成立，保险人承担责任的开始时间也并非因此不可得知，如果仅漏掉了保险责任的开始时间及保险期间的话，则保险合同订立之日视为保险责任开始之日。按这样理解的话，保险合同应该在4月1日成立，而且保险人的保险责任自合同成立时开始，保险公司第2天开来的保险单则违反了保险合同；至于4月1日的火灾，保险公司理应赔偿。

3. 代理人与保险代理人是一码事吗？

案例3 陈永红等诉中保财产保险有限公司湖南省临武县支公司案

事情是这样的

1995年，胡清平、邝双红等人合伙购买了一台扬州6970W41座卧铺客车（车号湘L 95210）挂靠于湖南郴州汽车运输总公司临武分公司（以下简称“临武分公司”），营运路线为临武至广州，并于同年6月1日与被告临武分公司签订了承包经营合同书，承包期为3年，该合同条款中无代办保险的约定。1997年1月15日，临武分公司在中保财产保险有限公司湖南省临武县支公司（以下简称“临武财产保险公司”）为该车办理了车损险、第三者责任险、附加险的投保手续，临武财产保险公司并向被告临武分公司出具了0005001号投保单。根据该保险单约定，第三者责任险赔偿限额为人民币5万元，随后，临武财产保险公司依据该保险单向临武分公司出具了0167404号机动车辆保险证，但临武财产保险公司工作人员在填写保险证明时，将第三者责任险赔偿限额错写为22.5万元，而被告临武分公司的工作人员（经办人）侯忠诚未将保险证与保险单进行核对即交给该车原承包人之一陈建斌。1997年4月1日，该车原合伙人内部决定转让该车，由胡清平受让后，又与陈永红、邝双红合伙。

1997年5月28日，经双方协商同意，原承包经营合同书自1997年5月27日中止，临武分公司以其下属单位“113车队”名义于同日与陈永红、胡清平、邝双红签订了客车租赁承包合同。该合同第5条约定：“租赁承包期间，由甲方（临武分公司）统一为乙方（陈永红、胡清平、邝双红）到保险公司代办车辆全部保险，其费用在代征费用中分月收回。”合同签订后，被告临武分公司未重新给该车办理投保手续，而只将原随车携带的机动车辆保险证转移给原告方，未向陈永红等人说明车辆投保的真实具体情况。陈永红在签订租赁承包合同时，曾就该车保险事项询问被告方原任经理方程岭，方答复：公司已为该车投了最高保险，你们可以看保险证。陈永红见保险证上第三者责任险限额是22.5万元后，与临武分公司签订了租赁承包合同。

1997年7月18日，该合伙聘请的司机彭建学驾驶该车在广东省阳山县107国道2140KM+80M处与河南省原阳县一货车相撞事故发生后，陈永红等人及时向临武分公司及临武财产保险公司报告了事故情况，二公司均派员参加了事故处理。陈永红等人向临武财产保险公司索赔时被告知，依据0005001号保险单第三者责任险赔偿限额为人民币5万元，原告陈永红等人即向被告临武分公司提出异议。1998年7月10日，经广东省阳山县交警部门调解，由原告陈永红等人赔偿交通事故受害人经济损失共计人民币 167 084.93 元。事后，临武财产保险公司依据第三者责任险赔偿限额 5 万元向陈永红等人理赔 4 万元，造成合伙经济损失计人民币 93 667.94 元。

陈永红等人向法院提起了诉讼。法院经审理认为，原、被告双方签订的客车租赁承包合同是双方当事人真实意思的表示，是有效合同。依据该合同第 5 条约定，由被告为原告代办车辆全部保险，被告即成为原告的投保代理人，代理人（被告）应当认真履行代理职责，向被代理人（原告）如实报告所受委托事务的情况，维护被代理人的合法权益。在本案中，原、被告双方签订客车租赁承包合同后，被告临武分公司在未重新办理投保手续的情况下，也未向原告陈永红等人报告该车投保的真实、详细情况，致使原告陈永红等人对车辆投保情况发生重大误解，并造成经济损失 93 667.94 元。由于被告临武分公司未认真履行代理职责给原告陈永红等人所造成的经济损失应予赔偿，被告保险公司提出的“不予赔偿”的答辩意见不符合法律规定。最后，法院判定由临武分公司赔偿原告陈永红、胡清平、邝双红经济损失计人民币 93 667.94 元。

临武分公司不服一审判决，提起上诉，二审法院经审理认为上诉人临武分公司与被上诉方陈永红等人签订的客车租赁承包合同第 5 条约定由上诉人（甲方）统一为被上诉方（乙方）到保险公司代办车辆全部保险（车损险、第三者责任险、附加险），但并未限定具体保险金额。该公司已履行了代办车辆全部保险手续职责，即为该车办理了车损险、第三者责任险、附加险的手续。至于保险单与保险证记载的第三者责任险保险额不一致，是保险公司工作人员的笔误造成，且保险证不是索赔的依据，索赔依据应是保险合同以及交纳各项保险费的依据。从 1996 年起，该公司为该车及同类车投的第三者责任险均是 5 万元。此车从 1995 年购买起，被上诉人胡清平一直是该车的合伙人之一，故对此投保情况应是知道的。一审认定临武分公司未向陈永红等人报告该车投保的真实、详细情况，致使陈等人对车辆投保情况发生重大误解的理由不充分，事实上，被上诉人亦是按5万元限额交纳第三者责任保险费的，故判决由临武分公司赔偿陈永红、胡清平、邝双红的经济损失93 667.94元缺乏事实依据、适用法律错误，且显失公平，二审法院判定撤销原判。

律师专线

比较上述两个案例，可以发现后一案中所称的代理人与前案中的保险代理人有较大的不同，后者中的代理人是投保人的代理人，是一般民事法律意义上的代理；而前案中的保险代理人是保险人的代理人。二者的功能作用和地位都存在很大差别，也有相同之处。

注意：保险代理与一般代理法律关系有相同之处，表现在下列方面：

1. 代理人根据与被代理的保险公司订立的代理协议取得代理权。

2. 代理人应在授权范围内行使权力。

3. 代理人不得同时为投保人和保险人双方代理，也不得在进行保险业务时，由保险人的代理人身份转变为投保人的代理人。作为保险代理人，在商定保险合同时常须调查危险状况，询问投保人，甚至代投保人填写投保单。这种行为如有过失时，就发生到底是以投保人代理人身份的行为，还是以保险人代理人身份的行为。这两种不同情况，法律结果是不同的。所以在实务上，一般不将保险代理人的上述行为看成是投保人的代理行为。

保险代理人与被代理人的法律关系也有与一般代理关系不同之处。主要表现在以下几个方面：

1. 保险代理人的权利有时可超过代理合同的规定。保险代理人的权利除由代理的保险人约定外，还可依有关保险法律规定取得。除法律明文授权外，也可以有法律默许的权利。

保险代理人在运用代理权时如超越其授权范围，被代理人得知后给予追认，或虽未追认，也未加拒绝，即可被认为保险人在事实上赋予代理人这种权利。被代理的保险人，不得以自己并未明示授权而否认代理行为的法律效果。

2. 保险代理人知道的事情，都假定是被代理的保险人所知道的，因此将有关被保险危险的任何情况告知代理人，都假定为已告知保险人，不管保险代理人是否将此情况转告保险人。只要保险人出立保险单，就不能以不了解被保险危险情况而拒绝承担保险责任。虽然这里可能有保险代理人的过错。

3. 保险人对代理人权限的限制，非经通知，不得对抗善意第三人。保险人如将对代理人权限的限制仅在代理合同中列明，就无法对抗“善意”的第三人。

4. 保险代理人须对保险人承担忠实和谨慎的责任，保险人如因代理人超越代理权而受到损失时，有权请求保险代理人赔偿损失。

法律规范

中华人民共和国保险法

（1995 年 6 月 30 日第八届全国人民代表大会常务委员会第十四次会议通过，2002 年 10 月 28 日第九届全国人民代表大会常务委员会第三十次会议修正，2009 年 2 月 28 日第十一届全国人民代表大会常务委员会第七次会议修订）

第一百一十七条　保险代理人是根据保险人的委托，向保险人收取佣金，并在保险人授权的范围内代为办理保险业务的机构或者个人。

保险代理机构包括专门从事保险代理业务的保险专业代理机构和兼营保险代理业务的保险兼业代理机构。

第一百二十五条　个人保险代理人在代为办理人寿保险业务时，不得同时接受两个以上保险人的委托。

第一百二十七条　保险代理人根据保险人的授权代为办理保险业务的行为，由保险人承担责任。

保险代理人没有代理权、超越代理权或者代理权终止后以保险人名义订立合同，使投保人有理由相信其有代理权的，该代理行为有效。保险人可以依法追究越权的保险代理人的责任。

中华人民共和国民法通则

（1986 年 4 月 12 日第六届全国人民代表大会第四次会议通过）

第六十三条　公民、法人可以通过代理人实施民事法律行为。

代理人在代理权限内，以被代理人的名义实施民事法律行为。被代理人对代理人的代理行为，承担民事责任。

依照法律规定或者按照双方当事人约定，应当由本人实施的民事法律行为，不得代理。

专家释惑

我国在保险业务上也实行代理制度。在我国恢复国内保险业务初期，大多数中国人民保险公司的保险代理人是兼职的，如由银行、企业财务部门的干部兼任，后逐步发展专职的代理人，如在乡、镇设立保险代办所等。

在我国，保险代理关系主要适用《民法通则》和《保险企业管理暂行条例》等法律、法规。根据上述规范，保险代理人开展保险业务，必须事先向工商行政管理部门登记注册，向税务机关领取税务登记证后方可营业。保险代理人应有固定的处所，明确的业务范围和代理业务的种类，并在指定的地区开展保险代理合同所规定的保险业务。保险代理人还必须依法与保险人就代理权限、双方权利与义务等签订保险代理合同。

4. 保险经纪人能为你提供什么帮助？

案例 4　旧厂房台风受损案

事情是这样的

上海市某企业，台风期间发生保险事故，其一幢常年未使用的旧厂房遭暴风、暴雨袭击致使厂房建筑结构受损。事故发生前，该企业在保险经纪人的安排下向保险公司投保了财产一切险，其遂据该保单向保险公司提出索赔，保险公司理赔人员在查勘过程中发现，该幢建筑物的屋顶、梁、柱、壁有破损及倾斜的现象，的确存在一定的损失。但通过进一步调查，保险公司的理赔人员发现该幢建筑物在事故发生前已出现轻微的破损及梁、柱倾斜的情况，该企业在发现上述情况后，采取了临时的加固措施，并准备加以修复。保险公司在得知上述情况后，即提出厂房受损的近因是厂房的“年久失修”，不属责任范围，据此予以拒赔。

在事故发生后，该企业即向保险经纪人提出协助索赔的请求。保险经纪人也参与了上述事故的处理，在得知保险公司的拒赔决定后，又进行了进一步的调查分析，认为保险公司的拒赔处理并不合理。在和该企业沟通后，向保险公司提出拒绝接受其拒赔处理的决定。保险经纪人的主要意见是：

1. 若厂房结构完好，则不可能造成如此大的损失，因此“年久失修”的确是事故的一个近因；

2. 若受损厂房未经受暴风、暴雨，即使“年久失修”，也不会造成如此大的损失，因此认为暴风、暴雨也是事故的一个近因；

3. “年久失修”和“暴风、暴雨”都是该事故的近因，都对最终损失的发生有独立的影响，两个近因并不相互依存；

4. “年久失修”和“暴风、暴雨”造成的损失无法区分；

5. “年久失修”不属责任范围（不能认为是“意外事故”），但也不属列明的除外责任，“暴风、暴雨”则很明确地属列明的责任范围。两个近因，一个是责任范围内，另一个也并非除外责任，且两者造成的损失无法区分，则保险公司应该对全部损失承担赔偿责任。

保险公司在接到经纪人提出的意见后仍坚持拒赔，该企业遂向法院提起诉讼，法院受理后，由经纪人代表该企业出庭。在法庭上，经纪人依据保险相关法规、保险条款以及保险的原理及过往案例据理力争，迫使保险公司最终接受经纪人提出的索赔要求，同意进行调解。最终保险公司按照企业的实际损失进行了赔付。

律师专线

由于保险事故的定责是一项对专业知识要求较高的工作，一般客户难以掌握。上述案件中，经纪人作为受损企业的保险顾问，利用了自身对专业知识的熟悉，对保险公司的不合理的定责处理，能及时提出不同意见，维护了客户的利益，避免了保险公司利用其专业技术上不平等的优势地位造成客户的损失。

法律规范

中华人民共和国保险法

（1995 年 6 月 30 日第八届全国人民代表大会常务委员会第十四次会议通过，

2002年10月28日第九届全国人民代表大会常务委员会第三十次会议修正，2009年2月28日第十一届全国人民代表大会常务委员会第七次会议修订）

第一百一十八条　保险经纪人是基于投保人的利益，为投保人与保险人订立保险合同提供中介服务，并依法收取佣金的机构。

第一百二十八条　保险经纪人因过错给投保人、被保险人造成损失的，依法承担赔偿责任。

专家释惑

保险经纪人是基于被保险人的利益，为被保险人寻找最合适的保险人签订保险合同，而向承保的保险人收取佣金的人。在购买保险时选好保险代理人是很重要的一个环节。一位优秀的保险代理人，就像是客户的家庭财务顾问，不但能为客户提供个人需要的保险计划，而且能为之提供优质的售后服务；而一个不称职的保险代理人，非但不能提供以上服务，还有可能误导客户。保险经纪人的任务是为投保人寻找保险人，商谈保险条件，但并不代投保人订立保险合同，除非投保人特别约定。保险经纪人在进行保险合同洽谈中必须维护投保人及被保险人的利益，运用其知识及技术，以最优惠的条件取得最充分、最合理的保险保障，并应尽到善良管理人的注意。保险经纪人虽然是为投保人的利益而活动，但他却向承保的保险人收取佣金，因为保险业务的主要来源是经纪人的活动。保险人的展业有赖于经纪人。所以从经纪人上述特点可以看到，经纪人是保险人与被保险人双方的补充人。

保险经纪人的法律地位与保险代理人的地位不同。经纪人是投保人的代表，在投保人的授权范围内，经纪人的行为可以约束投保人，而不能约束与投保人订立合同的保险人。经纪人所已知的，假定其为投保人所知，而不能推定为保险人所得知，除非经纪人已将所知告诉保险人。投保人如因经纪人的过失而招致损害，经纪人在法律上须负赔偿责任。

保险经纪人在保险市场上起到很大的作用，他们既是保险企业和投保客户的媒介，又以保险咨询专家的身份向投保客户提供保险方案，为他们争取在比较有利的条件下获得保险保障。

我国规定，从事保险经纪业务的人员必须参加保险经纪人员资格考试；凡具有大专以上学历的个人，均可报名参加保险经纪人员资格考试；保险经纪人员资格考试合格者，由中国保险监督管理委员会核发保险经纪人员资格证书；资格证书还只是对有保险经纪能力人员的资格认定，不能作为执业证件使用。保险经纪人员执业证书才是保险经纪人员从事保险经纪活动的唯一执照。已取得资格证书的个人，必须接受保险经纪公司的聘用，并由保险经纪公司代其向中国保险监督管理委员会申领并获得保险经纪人员执业证书后，方可从事保险经纪业务。

注意

选择保险经纪人对不熟悉保险的投保人来说有很多好处：

1. 经纪人有条件为投保人进行最广泛的选择。与代理人不同，经纪人可以基于保户的利益，在各个保险公司精心选择对保户最合适的险种：有时一个家庭的寿险计划可能分别涉及几个保险公司中的几个险种，而一个电站可能面临几十个方面的复杂风险，经纪人可以为客户精心选择一系列能满足其保险需求的保险公司。还有最重要的一点，保户通过经纪人投保与通过代理人投保，其所付保费是完全一样的，也就是说保户得到以上服务却用不着多花一分钱。

2. 经纪人有资格为保户提供最周到的服务。按照有关法律规定，经纪人可以为客户提供全方位的服务，他可以为客户提供全面的风险评估方案和风险管理计划，可以为客户制订投保方案，办理投保手续，一旦出险，经纪人还可以为客户代办检验和索赔。总之，经纪人的服务贯穿了保险的全过程，涵盖了保险的方方面面。

3. 经纪人对保户负有明确的责任。《保险法》明确要求经纪人必须“基于投保人的利益”进行工作。同时明确规定：“因保险经纪人在办理保险业务中的过错给投保人、被保险人造成损失的，由保险经纪人承担赔偿责任。”总之，经纪人受保户委托，为保户服务，必须为保户负责，通过经纪人投保，保户可以免去后顾之忧。

4. 经纪人可以为客户提供随叫随到的本地化服务。按国际惯例，客户走到哪里，保险经纪人就要伴随到哪里，为客户提供本地化服务是保险经纪人的显著特征和重要的职责。我国已经开业的保险经纪公司均是全国性的保险经纪公司，可以在国内除了港澳台以外的地区开展财产险、寿险、再保险等经纪业务。根据中国保监会2001年97号文件，在注册地以外开展保险经纪业务的常驻人员和业务开展情况实行备案制度，这就为当地客户服务提供了政策支持。

5. 签订了保险合同后发生意外，就能获得赔偿吗？

案例5　李某诉保险公司求偿案

事情是这样的

2006年5月30日，天气格外晴朗又正值周末，海边城市显得十分宁静，正是出外游玩钓鱼的好日子。张某跟妻子李某说了一声，便拎着鱼竿去海边钓鱼了。天色渐渐晚了，可张某一直没有回来，看着做好的饭菜都凉了，李某像有预感似的焦急不安起来。这时，电话铃声突然响了起来，接到电话李某简直不能接受这事实。原来，有人发现张某在海边不慎坠崖身亡，这活生生的人只是出去钓钓鱼，居然就这样离开了人世。张某所在的单位也得知了此事，领导和同事都十分关心，纷纷安慰李某，表示会妥善地处理张某的后事，领导还告诉李某说，正好在前天，也就是5月28号的时候，单位给全体职工投保了人身意外伤害险，保险公司当即签发了保险单并收取了保险费，我们是买了保险的，张某的死应该是属于意外伤害，是可以从保险公司得到保险金的。

几天后，单位的相关人员与受害人的家属到保险公司索赔，保险公司却拒绝赔偿，指出保险单上清楚地列明了，保险期限自同年6月1日起到第二年5月31日止，但李某是在本年5月30日发生意外的，保险事故并非在保险期限内发生，保险合同还没有开始生效，保险公司就不能承担给付保险金的责任，而且保险期限已经在保险单上列明，这一点双方应该已经十分清楚。但单位相关人员也指出，在5月28日时，保险公司就给他们签发了保险单，保险合同已经订立了，保险合同双方当事人就应该开始履行各自的权利和义务，他们也已经交纳了保险费，就有权享受保险公司提供的保险保障，保险公司就应该给付保险金。合同既然已经订立了，任何一方都不能擅自变更或解除合同，保险合同是以投保人支付保险费作为对价换取保险人对风险的承担，是有偿合同。如果保险合同已经签订，保险费也已经交纳，保险事故发生了，保险公司却不承担给付保险金的责任，这样是不公平不合理的，也使保险合同丧失了本身的意义。双方争执不下，张某所在单位只好将保险公司告到了法院。

人民法院公开审理了这起保险索赔案件，在调解无效的情况下，经过合议庭审议，法院作出了这样的判决：2006年5月28日，原告与被告订立的团体人身意外伤害保险合同成立，但保险期限应依合同的约定，即从同年6月1日起至第二年5月31日止，张某发生事故时，虽然保险合同已经成立，但并不在保险期限内，因此，保险公司不承担保险责任。

律师专线

这起保险索赔案件中的关键问题在于，保险合同的成立是否等于保险责任期限的开始或保险合同生效。从法律意义上看，保险合同成立的时间与保险责任开始的时间并不一致，保险责任的开始时间应根据法律或保险合同约定的保险期限而定。保险合同的成立并不表明保险合同生效。保险合同生效，是指保险合同对投保人和保险人开始产生法律约束力，并受国家法律的保护而可以获得强制执行。就一般情况而言，法律对保险合同的生效有规定的，根据法律规定办理；法律没有约定而保险合同有约定的，根据保险合同的约定办理；法律没有规定，而且保险合同也没有约定的，保险合同于保险合同成立时生效。保险合同成立后，保险人从何时开始承担保险赔偿或者给付保险金责任，往往由保险合同约定；保险合同对保险人开始承担保险责任的时间没有约定的，保险人在投保人向其支付保险费时开始承担赔偿或者给付保险金责任；保险合同另有约定的，以其约定为准，这是国际保险立法为保护投保人、被保险人或者受益人的合法权益而作出的一种惯例性规定。一般来说，保险合同依法成立后，具备生效要件才能生效。保险合同生效后，保险责任才能开始。

法律规范

中华人民共和国保险法

（1995 年 6 月 30 日第八届全国人民代表大会常务委员会第十四次会议通过，2002 年 10 月 28 日第九届全国人民代表大会常务委员会第三十次会议修正，2009 年 2 月 28 日第十一届全国人民代表大会常务委员会第七次会议修订）

第十四条　保险合同成立后，投保人按照约定交付保险费；保险人按照约定的时间开始承担保险责任。

专家释惑

本案涉及的问题是合同法中的合同生效以及保险责任期间的确定。

根据合同法的基本理论，已经成立的合同，只有具备法律规定的条件才能发生法律效力。这些条件也就是合同有效的要件。合同只有具备了这些要件才可能在法定或约定的时间生效。

合同的生效要件有一般生效要件与特别生效要件之分。合同的一般生效要件是指合同发生效力普遍应具备的条件，那么保险合同的生效也应当具备。一般要件包括当事人必须具有完全行为能力、标的（合同内容）须适当、意思表示须健全；特别要件则规定在保险法中。《合同法》第9条规定："当事人订立合同，应当具有相应的民事权利能力和民事行为能力。"标的（保险合同内容）合法有两方面的含义：一是不违反法律，二是不违反社会公共利益。所谓不违反法律或公共利益是指保险合同的内容不得与法律和行政法规的强行规定相抵触，也不能滥用法律的授权性规定以达到规避法律规范的目的。合同虽为当事人自愿订立，是当事人自主交易的法律形式，当事人可自由地协商决定合同的内容。但是，当事人的自由不能超出法律的限制，当事人订立合同的目的和约定的合同内容不得违反法律、法规的规定，不得损害社会、国家或他人的利益，否则，该合同无效。另外，当事人在订立合同时意思表示要真实。根据我国《合同法》第52、54条规定，一方以欺诈、胁迫的手段订立合同，损害国家利益的，合同无效；因重大误解订立的合同，当事人一方有权要求变更或者撤销。订立保险合同是当事人为了达到保险保障的目的，为自己设定权利、义务的法律行为。这种行为是有目的、有意识的活动，当事人应当能够明确自己行为的后果，自愿承担相应的法律后果。如果合同的订立不是出于当事人的自愿，而是受到威胁或受到欺骗，那么这样的保险合同属无效合同。

特别生效要件包括：非损失补偿性合同，投保时投保人对保险标的无保险利益的，合同无效；损失补偿性保险合同，保险事故发生时，投保人对保险标的无保险利益的也无效；以被保险人死亡为给付条件的保险，未经被保险人书面同意并认可保险金额，其合同无效。

保险合同具备成立要件及生效要件后，原则上成立生效，通常成立生效之时点应当一致，但如附有附款时，其效力的发生即受附款的限制。所谓附款，常见的有期限及条件，期限有生效期限及终止期限之分，条件有生效及解除条件之分。附生效条件的合同以条件成就时生效；附生效期限的合同，以期限届至时生效，在此之前发生的保险事故，保险人不负保险责任。

提醒

保险合同为射幸合同，所谓射幸合同是指当事人一方或双方的给付义务取决于合同成立后偶然事件的发生，所以保险责任期间的确定对双方当事人均极为重要，我国《保险法》第18条规定保险合同应记载“保险期间和保险责任开始时间”。在保险合同中约定保险期间，包括有约定日历时间和约定条件成就时间，本案中约定“保险期限自同年6月1日起到第二年5月31日止”就属于前一种约定方式，后一种约定方式即在保险合同中指出某一事件的发生时间作为保险期间开始或结束时间。在保险责任期间始期届至前发生的保险事故，保险人不论是否已收取保费或已签发保险单或其他凭证，均可不负保险责任；反之，始期届至后发生的保险事故，保险人不论是否已收取保费或已签发保单或其他凭证，均应负保险责任。

6. 及时、足额交纳保险费很重要吗？

案例6 于某诉保险公司案

事情是这样的

某地个体运输户于某，于2007年12月份将一辆16座面包车向当地保险公司投保车辆损失险和第三者责任险。保险金额为12万元，应付保费2 850元。当保险单填妥向于收费时，于声称钱未带够，因急于出车，要求先将保险单给他，下午再将其余的钱交来，接着在征得经办人同意后，交了保费1 000元，并将保险单带走。

但事后于某并未如约补交保险费，保险经办人曾多次催收，并表示如再拖欠不交，出事后就不负责赔偿，均被其敷衍搪塞，一直未收到余款。到2008年4月，保险车辆在行驶途中翻车，造成6万余元的损失，投保人向保险公司提出索赔。

保险公司拒绝赔偿，称投保人未足额交纳保险费，因此保险合同尚未生效。于某无奈将保险公司诉至法院。

对此案的处理有三个观点：(1) 拒赔；(2) 比例赔付；(3) 全额赔付。

持第一种观点的人认为，于某拖欠保险费，应该拒赔。根据权利与义务对等原则，按照保险公司短期保费计算方法，于某所交纳的1 000元保险费，保险公司只能承担其从投保起前三个月的保险责任。保险标的在起保第五个月出险，由于于某其余保费拖欠没交，所以，保险公司不负赔偿责任。而且由于于某违约在先，保险公司还拥有解除保险合同的权利。

持第二种观点的人认为，保险合同为双务合同，保险人与被保险人既享有权利，又要承担义务，权利与义务是对等的。根据《民法通则》有价有偿的原则，于某交纳了1 000元保险费，履行了一定的义务，理所当然要享有一定的保障权利。保险公司应根据于某履行交纳保费义务的比例承担相应的保险赔偿责任。

第三种观点认为，保险合同成立和生效并不当然以给付保险费为前提条件，也不以保险合同明确约定保险期间为必要，对给付保险费的期限和保险期间没有明确约定的，不影响保险人于保险合同成立并生效时承担保险责任。因此，本案中虽然于某没有交全保险费，但是保险合同早已经成立并生效，保险公司应按约全额赔偿，可以要求于某补交保险费。此外，保险公司对于某欠保费行为没有采取有效的措施，例如及时终止合同，这更是说明保险公司不是将给付保险费和承担保险责任硬性捆绑在一起的，该保险合同自始至终都是成立有效的，保险公司应对于某的损失给予足额赔偿。

最后，法院判决采纳了第二种观点。

律师专线

交纳保险费是投保人的义务，投保人应该按约定交纳保险费，这为《保险法》第 14 条明确规定。为了避免不必要的麻烦，投保人应该及时、足额交纳保险费。

保险合同为双务合同，即双方互享权利、互负义务的合同。保险费作为保险公司承担保险责任的对价，一旦确定保险期间，保险费就作为整个不可分割的保险期间内保险公司所承担的保险责任的对价。本案第一种处理意见认为，按照保险公司短期保费计算方法，于某所交纳的 1 000 元保险费，保险公司只能承担从其投保起前三个月的保险责任。保险标的在起保第五个月出险，因于某其余保费拖欠没交，所以，保险公司不负赔偿责任。这种说法是不当的。

保险合同的成立和生效并不意味保险公司就此开始承担保险责任。保险合同的生效只是意味着双方的权利和义务已经处于激活状态。对于双务合同来说，没有规定一方先履行己方责任的，双方相互享有同时履行抗辩权，即一方当事人在他方未为对待给付前，可以拒绝履行自己的合同义务。但是，保险合同是一种特殊的双务合同，保险人承担的是一种附停止条件的义务，即只有在约定的保险事故发生时，方承担给付保险金的责任。

注意

保险合同原则上不适用同时履行抗辩权，投保人有先给付的义务，如果没有特别约定，在没有交纳保险费之前，保险公司可以拒绝支付保险金。《合同法》第 67 条规定了，合同当事人在此类情形下的先履行抗辩权。本案中，于某没有按期全额交纳保险费，无权要求保险公司全额赔偿。从公平合理、当事人权利和义务对等原则出发，考虑到于某已经交纳部分保险费，判令保险公司支付相应比例的保险金是合理的。

法律规范

中华人民共和国保险法

（1995 年 6 月 30 日第八届全国人民代表大会常务委员会第十四次会议通过，2002 年 10 月 28 日第九届全国人民代表大会常务委员会第三十次会议修正，2009 年 2 月 28 日第十一届全国人民代表大会常务委员会第七次会议修订）

第十四条　保险合同成立后，投保人按照约定交付保险费；保险人按照约定的时间开始承担保险责任。

中华人民共和国合同法

（1999 年 3 月 15 日第九届全国人民代表大会第二次会议通过）

第六十七条　当事人互负债务，有先后履行顺序，先履行一方未履行的，后履行一方有权利拒绝其相应的履行要求。先履行一方履行债务不符合约定的，后履行一方有权拒绝其相应的履行要求。

专家释惑

保险合同成立并不以是否交纳了保险费为前提。根据有关法律规定，保险人向投保人出具保险单或保险凭证就意味着保险合同成立。所以，是否交纳保险费不是保险合同成立的必要条件。在上述案例中即使投保人一点没交保险费，其保险合同也是成立的。

但保险合同成立不等于保险责任开始。保险合同成立并不代表发生保险责任事故就一定能得到赔偿，要看此时保单是否具有效力。保单效力是指被保险人需要严格地遵守和履行保险单的各项规定，是保险公司在所签订的保险单项下承担赔偿责任的先决条件。交纳保险费是投保人的义务。

违反交纳保险费的义务要承担违约责任。违反支付保险费义务表现为：（1）在保险合同期限内完全不支付保险费；（2）在保险合同期限内只支付部分保险费。

案中于某的行为与第二种情形相符。在现实生活中不乏类似于某这样的人，心里很清楚保险的重要性，但投保后不愿交纳保费，心存侥幸，以各种理由拖欠保费。殊不知，其违约行为侵害的不仅仅是保险人的利益，也使自己手中的保险单“有名无实”，损害了自己的利益。

提醒

在签订保险合同时，对保险费的交付时效没作明确规定而留有隐患，在现实类似诉讼中，法院可能按混合过错处理，即投保人有未足额支付保险费的过错，保险人有未书面约定分期缴费的过错。因而，由保险人按所收保费占全额保费的比例，承担相应的保险责任，给予被保险人部分经济补偿。

7. 未按期交纳保险费会有什么后果？

案例 7　约定分期支付保险费，未按期交纳拒赔案

事情是这样的

1999 年 6 月 10 日，李某之妻杨某向某寿险公司投保，寿险公司给杨某发保险单（正本）一份，该保险单载明：保险名称：× × 终身保险，被保险人杨某，女，1956 年 3 月 18 日出生。受益人注：如无指定受益人，法定继承人为受益人，受益人为数人且未确定受益份额的，受益人按照相等份额享有受益权。保险金额 10 000 元。保险责任起止时间：1999 年 6 月 11 日至 2019 年 6 月 10 日，交费期 20 年。交费方式：年交保险费 984 元。同时，寿险公司 × × 终身保险条款第 5 条责任免除规定：“因下列情形之一导致被保险人身故或身体高度残疾，本公司不负保险责任……七、被保险人在合同生效（或复效）之日起 180 日内因疾病身故或造成身体高度残疾……”第 8 条规定，年交保险费的交付期为合同每年的生效对应日。

杨某投保后，即交纳了首期保险费，寿险公司给其出具的收费票据

上显示日期为1999年6月11日，记载“生效日期：1999年6月11日”。在随后的两年内，杨某分别交纳了当年的保险费，寿险公司出具的第二张、第三张收费票据日期分别为2000年10月21日，2001年11月20日，均记载“生效日期：1999年6月11日”。杨某于2002年1月27日因病死亡。

杨某去世后，李某以杨某法定继承人的身份向寿险公司索赔。寿险公司经审查认为杨某是在合同复效后180日内身故，保险人不负保险责任，拒绝理赔，但表示可以退还保险单现金价值。李某于是将寿险公司诉之法院，要求被告支付保险金1万元，利差1 500元，合计1.15万元。

被告寿险公司辩称：被保险人杨某的保险合同生效日期为1999年6月11日，第三期保险费应于2001年6月11日交纳，宽限期为60日，应从2001年8月10日0时起保险合同效力中止，公司于2001年11月20日收取了杨某的第三期保险费，同意杨某保险合同效力恢复，该合同于2001年11月21日0时恢复效力。杨某于2002年1月27日合同恢复效力后第68日死亡，根据合同第5条第7项的约定，公司不负保险责任，请求法院驳回原告的诉讼请求。

法院在审理过程中，就寿险公司应否承担保险责任出现三种不同意见：

第一种意见认为，本案中投保人杨某未按时交纳当期保险费，寿险公司可以解除合同而不负保险责任，但应退还保险单据现金价值。

第二种意见认为，根据合同约定被保险人在合同生效或复效后180日内身故，寿险公司不负保险责任，因而应驳回原告的诉讼请求。

第三种意见认为，寿险公司的辩解理由与其开具的收据中显示的内容相矛盾，且该免责条款也显失公平，故对原告的诉讼请求应予支持。

法院肯定并采纳了第三种意见。

律师专线

依据《保险法》的规定，保险费可以按照合同约定分期支付。除首期保险费应当在合同成立时支付外，其余各期应按时交纳。除合同另有约定外，若投保人自保险人催告之日起超过30日未支付当期保险费，或者超过约定的期限60日未支付当期保险费的，合同效力中止，或者由保险人按照合同约定的条件减少保险金额。因此，投保人若选择分期支付保险费，应注意按时交纳各期保险费，以免造成不必要的纠纷。

注意

2009年《保险法》的修订中增加了“自保险人催告之日起超过三十日未支付当期保险费”的时限。

法律规范

中华人民共和国保险法

（1995年6月30日第八届全国人民代表大会常务委员会第十四次会议通过，2002年10月28日第九届全国人民代表大会常务委员会第三十次会议修正，2009年2月28日第十一届全国人民代表大会常务委员会第七次会议修订）

第十四条　保险合同成立后，投保人按照约定交付保险费；保险人按照约定的时间开始承担保险责任。

第三十五条　投保人可以按照合同约定向保险人一次支付全部保险费或者分期支付保险费。

第三十六条　合同约定分期支付保险费，投保人支付首期保险费后，除合同另有约定外，投保人自保险人催告之日起超过三十日未支付当期保险费，或者超过约定的期限六十日未支付当期保险费的，合同效力中止，或者由保险人按照合同约定的条件减少保险金额。

被保险人在前款规定期限内发生保险事故的，保险人应当按照合同约定给付保险金，但可以扣减欠交的保险费。

第三十七条　合同效力依照本法第三十六条规定中止的，经保险人与投保人协商并达成协议，在投保人补交保险费后，合同效力恢复。但是，自合同效力中止之日起满二年双方未达成协议的，保险人有权解除合同。

保险人依照前款规定解除合同的，应当按照合同约定退还保险单的现金价值。

中华人民共和国合同法

（1999 年 3 月 15 日第九届全国人民代表大会第二次会议通过）

第四十条　格式条款具有本法第五十二条和第五十三条规定情形的，或者提供格式条款一方免除其责任、加重对方责任、排除对方主要权利的，该条款无效。

第五十二条　有下列情形之一的，合同无效：

（一）一方以欺诈、胁迫的手段订立合同，损害国家利益；

（二）恶意串通，损害国家、集体或者第三人利益；

（三）以合法形式掩盖非法目的；

（四）损害社会公共利益；

（五）违反法律、行政法规的强制性规定。

第五十三条　合同中的下列免责条款无效：

（一）造成对方人身伤害的；

（二）因故意或者重大过失造成对方财产损失的。

专家释惑

1. 未交纳当期保险费并不当然使合同解除。

根据法律规定，在约定分期支付保险费的保险合同中，除合同另有约定外，投保人支付了首期保险费后，超过合同规定的期限 60 日未支付当期保险费的，并不必然产生合同解除的法律后果，而是引起合同效力中止。同时，自合同效力中止之日起 2 年内，经保险人与投保人协商并达成协议，在投保人补交保险费后，合同效力恢复。

本案中，杨某于 1999 年 6 月 10 日向寿险公司投了终身保险。合同约定交费期 20 年，年交保险费 984 元。依照合同规定，投保人杨某以后交纳保险费日期应为每年的生效对应日，即 6 月 11 日，宽限期为 60 日。在第二年、第三年在上述期限内，投保人杨某并未及时向保险公司交纳当期保险费，并超出了 60 日，应当视为保险合同效力中止。但是，在2000年10月21日、2001年11月20日在杨某交费时，寿险公司给其开具的收据票据上均注明“生效日期：1999年6月11日”。据此可以认定，保险合同效力中止后，投保人杨某补交保险费，保险人接受并开具相关单据，应当视为保险人对投保人补交保险费的认可，从而双方达成一致意见，使保险合同效力恢复。

2. 复效后180日内被保险人死亡保险公司不负保险责任违反法律规定。

本案中，寿险公司拒赔的主要理由是被保险人身故的时间在合同复效后第68天，而根据保险合同条款“被保险人在本合同生效（或复效）之日起180日内因疾病身故或造成身体高度残疾”，保险公司不负保险责任。这一格式条款违反了保险法所倡导的有利于被保险人和受益人的原则，而且也显失公平。

在保险合同成立并生效，保险人保险责任开始后，保险人就应在保险期限内被保险人发生约定保险事件时负责支付保险金，而上述约定则明显违反了这一原则。另外，这一规定属于格式合同，免除了保险公司在合同生效或复效后180日内的责任。根据《合同法》第40条规定，提供格式条款一方免除其责任、加重对方责任、排除对方主要权利的，该条款无效。因此这一格式约定是无效的。

3. 免除责任条款说明的举证责任在保险公司一方。

合同中关于“被保险人在本合同生效（或复效）之日起180日内因疾病身故或造成身体高度残疾”，保险人不负保险责任的规定，属于保险公司的免责条款。《保险法》第17条规定，保险合同中规定有关保险人责任免除条款的，保险人在订立保险合同时应当向投保人明确说明，未明确说明的，该条款不产生效力。根据这一规定，保险公司应对合同生效或复效之日起180日内被保险人发生保险事件不负保险责任已向投保人明确说明承担举证责任，否则，这一免责条款不产生效力。本案中，寿险公司并不能就此举出已向投保人杨某明确说明的有效证据，因而，寿险公司应承担举证不能的后果，该条款不产生效力。

8. 口头承诺买保险，合同生效了吗？

案例8 丁小姐与保险公司纠纷案

事情是这样的

丁小姐是某银行的信用卡用户。2006年8月，她接到自称是某银行工作人员的电话，为了感激她办理信用卡，银行将赠送她一份为期6个月的免费保单，保单将以快递形式送达。同时，丁小姐还被推荐购买了一份住院收入保障险。

丁小姐爽快地签收了保险公司的快递。可是直到9月，丁小姐收到了银行催缴还款的短信，才知道保险公司已将二期保费从信用卡中扣除，这时她才知道快递来的保单并非她想当然的免费保单，而是付费保单。当她与银行和保险公司交涉退款时，都被对方以合同已然生效，无法退款的理由拒绝。于是2007年9月18日，丁小姐向当地消费者保护委员会投诉，诉由是强制消费，要求保险公司归还保费。

丁小姐认为：该保险公司推销人员有意冒充银行工作人员，以免费保单为诱饵推销收费保险，并在电话中给了她“不存钱就不生效”的保证。更何况签收快递并不能等同于签收保单，快递公司在快递物品时也没有将内装付费保单的事实明确告知丁小姐，因此她认为保险公司完全属于欺诈，他们推销人员的行为不但违背民法诚实信用的原则，而且也因违反保险法而致使保险合同不成立。

对于自己填写的保险合同终止申请书是在直接与保险公司交涉无效后为避免自己损失进一步扩大的无奈之举，并非同意交纳已产生保费的真实意思表示。所以丁小姐请求保险公司返还信用卡中的强制扣款。

保险公司却认为：由于丁小姐在电话中已经表示要投保，视为双方已经达成一致的意思表示，保险合同已经成立且生效。即使业务员在推销时有违规操作的行为，可是快递给消费者的保单上明确说明了付费金额和付费方式，保险合同上也明确规定了20天的犹豫期，消费者既然签收了快递，就表明已经收到并了解以上情况，如果现在要求退保就必须按照合同约定承担相应的费用。并且消费者后来在保险合同终止申请书中亲笔签名并确认了合同终止申请日期是9月17日，表示消费者已经认可保险公司退还消费者的是未满期净保费，从中也可以推断消费者默认了保险合同已经成立的事实。

最后，该市消费者保护委员会专家指出，保险合同自始不成立，保险公司应全额退还已扣缴的二期保费。

律师专线

保险公司业务员有误导和虚假宣传行为，导致消费者误以为快递过来的是一份“免费保单”，而没有及时留意保单信息导致错签，丁小姐可以请求以欺诈为由主张合同无效。

另外，也不能以在快递上签字作为保险合同成立的标准。《合同法》第32条规定，当事人采用合同书形式订立合同的，自双方当事人签字或者盖章时合同成立。但是丁小姐的签字只是表示她收到的快递内容是一份保单，至于这份保单是免费保单还是付费保单，以及保单内容丁小姐是否认可，快递回单上都没有信息可以体现这一点，故推断保险合同不成立。

对于事后填写保险合同终止申请书很明显是在其直接与保险公司交涉无效后为避免自己损失进一步扩大的无奈之举，不能被认为是同意交纳已产生保费的真实意思表示。

法律规范

中华人民共和国保险法

（1995年6月30日第八届全国人民代表大会常务委员会第十四次会议通过，2002年10月28日第九届全国人民代表大会常务委员会第三十次会议修正，

2009 年 2 月 28 日第十一届全国人民代表大会常务委员会第七次会议修订)

第十三条　投保人提出保险要求，经保险人同意承保，保险合同成立。保险人应当及时向投保人签发保险单或者其他保险凭证。

保险单或者其他保险凭证应当载明当事人双方约定的合同内容。当事人也可以约定采用其他书面形式载明合同内容。

依法成立的保险合同，自成立时生效。投保人和保险人可以对合同的效力约定附条件或者附期限。

第十四条　保险合同成立后，投保人按照约定交付保险费；保险人按照约定的时间开始承担保险责任。

中华人民共和国合同法

(1999 年 3 月 15 日第九届全国人民代表大会第二次会议通过)

第四十四条　依法成立的合同，自成立时生效。

法律、行政法规规定应当办理批准、登记等手续生效的，依照其规定。

第五十二条　有下列情形之一的，合同无效：

(一) 一方以欺诈、胁迫的手段订立合同，损害国家利益；

(二) 恶意串通，损害国家、集体或者第三人利益；

(三) 以合法形式掩盖非法目的；

(四) 损害社会公共利益；

(五) 违反法律、行政法规的强制性规定。

第五十四条　下列合同，当事人一方有权请求人民法院或者仲裁机构变更或者撤销：

(一) 因重大误解订立的；

(二) 在订立合同时显失公平的。

一方以欺诈、胁迫的手段或者乘人之危，使对方在违背真实意思的情况下订立的合同，受损害方有权请求人民法院或者仲裁机构变更或者撤销。

当事人请求变更的，人民法院或者仲裁机构不得撤销。

专家释惑

本案中探讨的是保险合同是否成立与生效。合同的成立，是指当事人经由要约、承诺，就合同的主要条款达成合意，即双方当事人意思表示一致而建立了合同关系，表明了合同订立过程的完结。由于合同是双方或多方之间发生的法律行为，单方法律行为不能构成合同。本案中，推销员向丁小姐打电话只是询问其是否接受保单，而未将合同内容即合同的主要条款明确地告知对方，因此，从合同法理论上看，保险推销员打给丁小姐的电话尚不能构成要约，即使丁小姐有表示接受的意思，因为合同内容并未明确，双方并未就合同的主要条款达成一致，也不能视为保险合同成立。

即使推销员将所推销保险的主要条款告知了丁小姐，保险合同成立，但由于在是否收取其保险费的问题上有欺诈的存在，因此丁小姐可以以欺诈为由要求撤销该合同。丁小姐的情况显然属于《合同法》上规定的“一方以欺诈、胁迫的手段或者乘人之危，使对方在违背真实意思的情况下订立的合同，受损害方有权请求人民法院或者仲裁机构变更或者撤销”的情形。

9. 子女能为父母家的财产投保吗？

案例9　张某诉保险公司案

事情是这样的

张某多年以来一直为自己家投保家庭财产险，是某保险公司的老客户，因为对保险公司的服务挺满意，为尽孝心，便出钱为自己的父母家投保了此险。在填写投保人一项时，他认为既然是自己来投的保，钱又是自己付的，自己理所应当是投保人，只要被保险人是父母就可以。而当时保险公司的业务员在核保时，对投保人一栏也没有提出异议。后来，没想到张某父母家果然出险，张某父母事后立刻前往保险公司要求按约赔偿。但保险公司在理赔时发现“投保人”填写的不是张某的父母而是张某，因此以投保人不具有保险利益，保险合同无效为由拒绝赔偿。为此，张某将保险公司告上法庭，要求讨回公道。

首先，双方就张某有无保险利益展开了争辩，但很快张某就被驳倒。紧接着，张某的律师提出：即使保险合同因张某无保险利益而无效，根据《民法通则》第 61 条第 1 款的规定，民事行为被确认为无效或者被撤销后，当事人因该行为取得的财产，应当返还给受损失的一方。有过错的一方应当赔偿对方因此所受的损失，双方都有过错的，应当各自承担相应的责任。据此，保险公司应该退还张某已经交纳的保险费。此外，保险公司未尽到合理的说明义务，核保时理应发现填写错误而没有表示异议，有过错，因此保险公司应该赔偿保险利益人张某父母的一定损失。保险公司则认为，张某在投保时没有履行如实告知义务，没有说明投保标的的归属情况，因此张某对保险合同的无效负有全责，对这种故意隐瞒事实的情况，根据《保险法》第 16 条，保险公司不应赔偿，也不应退还保险费。

对于保险公司是否退还保险费并给张某父母一定补偿的问题，法院有两种不同意见：一种意见认为，张某没有保险利益，保单无效，应当拒赔，不退还保险费，也不补偿张某父母；另一种意见认为，出错的是张某及保险公司，张某的父母作为被保险人在本案中没有过错，应当赔偿被保险人的损失。最后法院判决张某没有保险利益，保险合同无效，保险公司可以拒赔，基于保险公司在核保时也有过错，对合同的无效也负担有一定的责任，因此判令保险公司退还保险费。

律师专线

张某对其父母的家庭财产不具有保险利益，因此保险合同无效，保险公司有理由不赔付。但是，该案例还涉及保险合同无效的后果问题，对此保险法并没有明确规定，可以适用《民法通则》和《合同法》的规定，合同无效产生双方就取得利益相互返还的结果。

法律规范

中华人民共和国民法通则

（1986 年 4 月 12 日第六届全国人民代表大会第四次会议通过）

第六十一条第一款　民事行为被确认为无效或者被撤销后，当事人因该行为取得的财产，应当返还给受损失的一方。有过错的一方应当赔偿对方因此所受的损失，双方都有过错的，应当各自承担相应的责任。

中华人民共和国保险法

（1995 年 6 月 30 日第八届全国人民代表大会常务委员会第十四次会议通过，2002 年 10 月 28 日第九届全国人民代表大会常务委员会第三十次会议修正，2009 年 2 月 28 日第十一届全国人民代表大会常务委员会第七次会议修订）

第十二条　人身保险的投保人在保险合同订立时，对被保险人应当具有保险利益。

财产保险的被保险人在保险事故发生时，对保险标的应当具有保险利益。

人身保险是以人的寿命和身体为保险标的的保险。

财产保险是以财产及其有关利益为保险标的的保险。

被保险人是指其财产或者人身受保险合同保障，享有保险金请求权的人。投保人可以为被保险人。

保险利益是指投保人或者被保险人对保险标的具有的法律上承认的利益。

专家释惑

本案涉及的主要问题与上一案例相同，这里再谈一谈保险合同因不具备保险利益而无效的后果。

保险法并没有规定保险合同无效的后果，根据《民法通则》和合同法的理论，合同无效导致双方无须履行约定的合同内容，如果已经履行的，双方互负有相互返还利益的义务。根据这一理论，案例中的保险公司理应返还保险费。此外，如果张某因为保险合同无效而受到损失，理论上也可以要求保险公司就合同无效承担一定的疏忽责任，这种责任性质是缔约过失责任，即因当事人过失或故意，致使合同未成立、被撤销或无效而应承担的财产责任。但是，根据《民法通则》第 61 条，对合同无效双方都有过错的，应各自承担相应的责任。本案中，张某对合同的无效也有一定的过错，因此无须判令一方来赔偿另一方。

提醒

为避免保险合同因投保人不具有保险利益而无效，一方面，投保人在投保之前先确认自己对保险标的是否具有保险利益是很重要的；另一方面，保险公司在客户填写投保单时，应提醒其注意自己是否具有保险利益，是否填写了正确的投保人，这有助于避免日后发生纠纷。

10. 未共同生活的继母能为继子买保险吗?

案例 10　赵某诉保险公司案

事情是这样的

王某与妻子梁某于 2000 年协议离婚，双方约定 8 岁的儿子和梁某一起生活，每周六儿子到王某处生活一天。后来王某与赵某再婚，由于王某的儿子活泼可爱，加上赵某不能生育，所以赵某特别喜欢王某的儿子。赵某于 2002 年 5 月份以孩子母亲的身份为孩子买了人身保险，约定受益人为王某。2003 年 6 月，发生了保险事故，王某的孩子死亡。王某向保险公司提出索赔，保险公司以赵某对保险标的不具有保险利益为由，拒绝支付保险金。赵某遂将保险公司起诉到法院，经过法院审理认定，保险合同无效，保险公司没有支付保险金的义务。

律师专线

本案当中，赵某对孩子是没有保险利益的。王某与妻子梁某离婚以后，孩子是和梁某生活，只是周六的时候和王某在一起生活一天。在赵某和孩子之间并没有法律上的抚养、赡养或者扶养的关系。《保险法》第 12 条规定：“保险利益是指投保人或者被保险人对保险标的具有的法律上承认的利益。”本案当中，由于孩子双方的父母都健在，而且孩子并不和赵某生活在一起，在赵某和孩子之间不存在任何法律上的抚养关系，赵某也就不享有保险利益，所以该保险合同无效。在审理该案的过程中，王某提出他是孩子的父亲，所以他具有保险利益，保险公司应当支付保险金。在这里，王某将投保人和受益人混为一谈了。本案当中，王某只是受益人，而不是投保人。虽然在为孩子投保的过程中，取得了他的同意，但是合同上的投保人为他的妻子赵某，而不是王某。投保人具有保险利益，是法律规定的必要条件，如果没有保险利益，只能认定保险合同是无效的。

《保险法》也规定，投保人不得为无民事行为能力人投保以死亡为给付保险金条件的人身保险，保险人也不得承保；但是父母为其未成年子女投保的人身保险，不受前款规定的限制。这一规定，也是从另一个角度对保险利益的限定。无民事行为能力的人由于其年龄、智力及精神状况的限制，不能独立地从事民事活动，在为无民事行为能力人进行投保的时候，应当进行严格的限制，以避免产生对无民事行为能力人包括生命权在内的权利的侵害。《保险法》这一规定，是对投保人保险利益的限定，也就是说，不能认为如果无民事行为能力的被保险人同意了，就具有保险利益。在本案当中，赵某并不是被保险人的母亲，而且是以死亡为给付保险金条件的人身保险，所以不具有法律上承认的利益。

正是由于上述原因，该保险合同是无效的。

法律规范

中华人民共和国保险法

（1995 年 6 月 30 日第八届全国人民代表大会常务委员会第十四次会议通过，2002 年 10 月 28 日第九届全国人民代表大会常务委员会第三十次会议修正，2009 年 2 月 28 日第十一届全国人民代表大会常务委员会第七次会议修订）

第十二条　人身保险的投保人在保险合同订立时，对被保险人应当具有保险利益。

财产保险的被保险人在保险事故发生时，对保险标的应当具有保险利益。

人身保险是以人的寿命和身体为保险标的的保险。

财产保险是以财产及其有关利益为保险标的的保险。

被保险人是指其财产或者人身受保险合同保障，享有保险金请求权的人。投保人可以为被保险人。

保险利益是指投保人或者被保险人对保险标的具有的法律上承认的利益。

第三十三条　投保人不得为无民事行为能力人投保以死亡为给付保险金条

件的人身保险，保险人也不得承保。

父母为其未成年子女投保的人身保险，不受前款规定限制。但是，因被保险人死亡给付的保险金总和不得超过国务院保险监督管理机构规定的限额。

专家释惑

人身保险的保险利益，指投保人对于被投保人的生命或身体所具有的利害关系，也就是投保人将因保险事故的发生而遭受损失，或因保险事故的不发生而维持原有的利益。

人身保险利益，并不直接体现为投保人对保险标的的利害关系，而体现为投保人和被保险人之间的人身依附关系或者依赖关系。

1. 人身保险合同保险利益的特征：

（1）合法性，人身保险合同的保险利益必须是合法利益，包括依法律的直接规定所产生的利益和依当事人的约定所产生的合法利益；

（2）确定性，人身保险合同的保险利益必须是确定的现有利益；

（3）人身保险合同的保险利益不能用金钱来衡量，不存在代位追偿问题；

（4）人身保险的保险利益必须在合同成立时存在，如果在订立合同时保险利益不存在，则订立的合同无效。

2. 人身保险的保险利益的形式：

（1）本人。本人是指投保人自己，任何人对于自己的身体或者寿命都有无限的利益。投保人以其本人的寿命或者身体为保险标的，在法律允许的限度内，可以任意为本人的利益或者他人的利益订立保险合同，并可以任意约定保险金额；

（2）配偶、子女、父母。依照一般原则，家庭成员相互间具有保险利益。家庭成员相互间有亲属血缘以及经济上利害关系，投保人以其家庭成员的身体或者寿命为保险标的订立保险合同，应当具有保险利益；

（3）其他家庭成员、近亲属。投保人的其他家庭成员、近亲属，主要有投保人的祖父母、外祖父母、孙子女以及外孙子女等直系血亲，投保人的亲兄弟姐妹，养兄弟姐妹，有抚养关系的继兄弟姐妹等旁系血亲。投保人对其他家庭成员、近亲属有保险利益，必须以他们之间存在抚养、赡养或扶养关系为前提；

（4）同意他人投保的被保险人。投保人以他人的寿命或身体投保人身保险，不论投保人和被保险人相互之间有无其他利害关系，经被保险人书面同意订立人身保险合同，视为投保人对被保险人有保险利益；

（5）有其他利害关系的人。投保人对他人具有人身信赖或者法律上的积极利益或者权利，由于该人的死亡或者残废以致影响投保人的利益的，投保人对该人有保险利益。对投保人有其他利害关系的人，主要限于投保人的债务人，投保人的财产或者事务的管理人，投保人的雇员等。

3. 人身保险利益的存在时间：

人身保险利益的存在时间，在合同订立时必须存在，至于在保险事故发生时是否存在保险利益，则无关紧要。

11. 出租车公司和承包者谁有权投保？

案例 11　出租车公司与承包人投保纠纷案

事情是这样的

A 出租车有限责任公司（以下简称“A 公司”）与李四签订承包经营合同。按照合同约定，A 公司将一辆证照齐全的出租车交由李四承包经营，由李四承担所承包出租车的一切风险和所有费用，但行驶证登记的出租车所有权人仍是 A 公司。承包经营合同还设专款约定，A 公司负责投保事宜，但理赔等其他事宜由李四负责，A 公司对此仅负有协助的义务。

2005 年 2 月，李四未经 A 公司同意，向 B 保险公司投保了交强险和商业车险。事后，A 公司发现了李四擅自投保的事实，在与 B 保险公司协商未果的情况下，遂以李四对所承包经营的出租车不具保险利益为由向保险监管机关投诉。在协调处理过程中，形成了以下两种观点：其一，李四对所承包经营的出租车不具有保险利益，只有 A 公司有权投保；其二，李四对所承包经营的出租车享有保险利益，因而有权投保。

律师专线

在本案例中，依据合同约定，李四承担了所承包出租车的一切风险，而 A 公司虽然登记为所有权人，但在实质上并不承担风险，因而从风险分布的角度看，实际承担风险的是李四而不是 A 公司。况且，依合同约定，李四是出租车的管理人。《机动车交通事故责任强制保险条例》第 2 条第 1 款规定："在中华人民共和国境内道路上行驶的机动车的所有人或者管理人，应当依照《中华人民共和国道路交通安全法》的规定投保机动车交通事故责任强制保险。"条例规定的管理人，就是指"虽不享有机动车所有权，但依法或依约定实际占有机动车的自然人、企事业单位或其他社会组织"。据此，李四对所承包经营的出租车享有保险利益，有权作为投保人。

A 公司作为行驶证登记的所有权人，完全可以以所有权人的名义行使各项权益。依合同约定，A 公司虽然将出租车交由李四承包经营，但 A 公司并未转移出租车的所有权，且在合同中设专款约定保留了处理投保事宜的权利。鉴于此，A 公司有两点理由享有优先于李四的投保权：其一，A 公司作为出租车的所有权人，享有剩余控制权，即未出让的权益均保留由所有权人行使，且所有权人有权收回已经出让的权益；其二，合法的契约对双方当事人具有最高的约束力。既然合同约定由 A 公司负责投保事宜，李四就应恪守约定。

法律规范

中华人民共和国保险法

（1995 年 6 月 30 日第八届全国人民代表大会常务委员会第十四次会议通过，2002 年 10 月 28 日第九届全国人民代表大会常务委员会第三十次会议修正，

2009年2月28日第十一届全国人民代表大会常务委员会第七次会议修订）

第十二条　人身保险的投保人在保险合同订立时，对被保险人应当具有保险利益。

财产保险的被保险人在保险事故发生时，对保险标的应当具有保险利益。

人身保险是以人的寿命和身体为保险标的的保险。

财产保险是以财产及其有关利益为保险标的的保险。

被保险人是指其财产或者人身受保险合同保障，享有保险金请求权的人。投保人可以为被保险人。

保险利益是指投保人或者被保险人对保险标的具有的法律上承认的利益。

专家释惑

从理论上讲，由于出租车公司和承包人对车辆都具有保险利益，因此出租车公司和承包人都有权投保，但由于出租车公司和承包人之间签订了协议，对投保事项作出了约定，约定由A公司负责投保事宜，因此应该依约行事。

保险公司应诚信经营。在明知李四与A公司之间就投保事宜有特别约定的情况下，保险公司应本着诚信的原则，不做破坏合同履行的“第三者”。

12. 不是所有权人就没有保险利益吗?

案例12　某工程公司索赔案

事情是这样的

某道路机械有限公司（以下简称“机械公司”）专业生产各种型号的道路机械。2004年10月21日，某工程机械有限公司（以下简称“工程公司”）向机械公司订购单钢轮压路机1台。双方约定的付款条件为AAA，同时约定由卖方代办运输和保险。合同中还约定：在标的物的价款未全部付清之前，合同项下相应的标的物所有权属于卖方。货交承运人时买方付全部货款的25%，其余货款在货物到达买方后3个月内付清。机械公司于2004年10月27日就该批货物向某保险公司投保了国内水路、陆路货物运输保险，被保险人为工程公司。10月28日，该批货物交给承运人某运输有限公司（以下简称“运输公司”）。承运人遂安排驾驶员王某驾驶车辆执行此次运输任务。2004年11月2日深夜12时左右，当该车行驶中，由于山路陡、弯道急，汽车撞上山体，导致捆绑压路机的绳索绷断使得压路机摔落地面，造成一定程度的损坏。事发后，机械公司将1台新的同型号的压路机重新送交被保险人。被保险人据此向保险公司提出索赔。有人提出，买方不是所有权人，其对于标的没有保险利益，保险公司不应当给予赔偿。

律师专线

根据双方合同的约定，本次交易中，即使卖方已经完成了交付行为，在买方付清全部价款之前货物的所有权仍属于卖方。那么，能否以买方对于货物没有所有权就认为买方对于该批货物没有保险利益呢？不能这样认为。

我国《合同法》第142条规定“标的物毁损、灭失的风险，在标的物交付之前由出卖人承担，交付之后由买受人承担，但法律另有规定或者当事人另有约定的除外”。双方买卖合同中也约定：标的物风险自交付时发生转移。

保险利益是投保人或被保险人对保险标的具有利害关系而享有的合法经济利益。由于运输途中的风险由买方承担，所以如果运输途中不发生意外，则货物可以安全到达，基于货物的安全到达，作为销售商，将因为货物的销售而取得收益；如果货物受损，则买方要承担毁损灭失的责任，也就是其经济上要受到一定的损失。可见，货物的完好或者毁损，与买方的利益是密切相关的，即买方对于货物具有利害关系，所以买方对于标的货物具有保险利益，保险公司应当依照保险合同给予赔偿。

法律规范

中华人民共和国保险法

（1995年6月30日第八届全国人民代表大会常务委员会第十四次会议通过，2002年10月28日第九届全国人民代表大会常务委员会第三十次会议修正，2009年2月28日第十一届全国人民代表大会常务委员会第七次会议修订）

第十二条　人身保险的投保人在保险合同订立时，对被保险人应当具有保险利益。

财产保险的被保险人在保险事故发生时，对保险标的应当具有保险利益。

人身保险是以人的寿命和身体为保险标的的保险。

财产保险是以财产及其有关利益为保险标的的保险。

被保险人是指其财产或者人身受保险合同保障，享有保险金请求权的人。投保人可以为被保险人。

保险利益是指投保人或者被保险人对保险标的具有的法律上承认的利益。

专家释惑

由于财产保险的标的是财产及有关利益，因此，财产保险的保险利益产生于财产的不同关系包括现有利益、预期利益、责任利益和合同利益（详见前一案例“专家释惑”部分）。可见，判断当事人对保险标的是否具有保险利益的标准决不仅限于是否享有所有权。

13. 正副保单不一，保险公司会赔偿吗？

案例 13　夏先生摩托车保险案

事情是这样的

2004 年 6 月，夏先生来到某摩托车商店，购买了 1 辆国宝牌轻便二轮摩托车。付款后，商店当即提供给夏先生一张机动车销售统一发票，一份购货单位一栏原为马某后改为黄某、机动车所有人为黄某的机动车登记证书等单据。

同年 7 月 14 日，夏先生在驾驶该摩托车途中发生交通事故，夏先生负事故全部责任，赔偿他人医疗费等损失合计 11 440.90 元。事后，夏先生向某保险公司要求理赔，因夏先生提供的摩托车定额保险单（正本）中被保险人原为马某后更改为黄某，而保险公司留存的保险单（副本）中被保险人为马某，姓名不一致，故保险公司拒绝理赔。夏先生于是起诉至法院。

夏先生诉称：自己在某商店购买摩托车 1 辆，商店却向自己出具一系列张冠李戴的发票、上牌证及保单。自己当场提出异议，但商店称没问题，出于信任，自己收下了上述单据。不久，自己在驾驶该摩托车途中发生交通事故，赔款 11 440.90 元。事后，到保险公司去理赔，结果因保单正本与副本上被保险人姓名不一致而理赔不成，造成自己经济损失。现要求商店按照保险条款赔偿其交通事故赔偿款 11 440.90 元的 80% 计 9 152.72 元。

某摩托车商店辩称：因夏先生购买的该型号的摩托车要停止上牌，故商店在 2003 年 11 月以黄某的名义上了牌照。2004 年 6 月夏先生来买车时，商店明确告知其购买的摩托车户名是黄某，夏先生仍愿意购买，但商店没有为夏先生代办过保险，更未提供夏先生任何保单。因此，夏先生的损失与商店无关，商店不应赔偿夏先生的损失。

法庭上，夏先生提供的保单正本是否为商店代办成为双方争议焦点。从夏先生举证提供保单正本及保险公司留存的保单副本看，正本上被保险人马某更改为黄某；副本上被保险人为马某，投保时间是 2003 年 11 月 5 日。法院经分析认为，在投保时夏先生尚未购车，若夏先生自己投保，也不可能在保单上写上被保险人为马某，因马某与夏先生购车无任何关系，或夏先生在拿到保单正本后，自己将马某更改为黄某，这些都有悖常理。另外从黄某的询问笔录中可以看出，黄某在该商店购车时，商店对其车辆上牌、办理保险是一条龙服务的，而且提供给黄某的购车发票、保险单据也均系他人姓名。据此可以认定，夏先生诉称商店为他代办摩托车定额保险单的证据较为充分。

法院认为，夏先生向该商店购买摩托车时，商店理应交付其户名为夏先生本人的购车发票、机动车登记证书。现商店交付的是户名为黄某的发票和登记证书，虽然夏先生对此是明知的，但商店此行为扰乱了正常的市场秩序，对此，商店的过错程度明显大于夏先生。商店为夏先生代办摩托车定额保险单，因保单正本与副本上被保险人姓名不一致，导致保险公司拒绝理赔，属于商店在履行合同约定中存有过错，责任在于商店，根据保险条款有关规定，夏先生在交通事故中负全责，保险公司应赔偿80%的损失，因此，商店理应对因保险公司拒赔而造成夏先生的损失进行赔偿。

律师专线

本案中，商店提供车辆上牌、办理保险一条龙业务，但业务操作中出现了大量问题，提供给客户的购车发票、保险单据都是用的他人姓名，并且单据之间有矛盾，导致客户遭受损失。实际上是商店没有适当履行合同义务，应当承担赔偿责任。

《保险法》上规定，保险标的的转让应当通知保险人，经保险人同意继续承保后，依法变更合同。商店在为车辆投保时，夏先生尚未购买该车，夏先生购买该车后，应当变更保险合同，这样才能保障夏先生的权益，出险时才能得到保险公司的赔偿。

法律规范

中华人民共和国合同法

（1999年3月15日第九届全国人民代表大会第二次会议通过）

第六十条　当事人应当按照约定全面履行自己的义务。

当事人应当遵循诚实信用原则，根据合同的性质、目的和交易习惯履行通知、协助、保密等义务。

中华人民共和国保险法

（1995年6月30日第八届全国人民代表大会常务委员会第十四次会议通过，2002年10月28日第九届全国人民代表大会常务委员会第三十次会议修正，2009年2月28日第十一届全国人民代表大会常务委员会第七次会议修订）

第四十九条　保险标的转让的，保险标的的受让人承继被保险人的权利和义务。

保险标的转让的，被保险人或者受让人应当及时通知保险人，但货物运输保险合同和另有约定的合同除外。

因保险标的转让导致危险程度显著增加的，保险人自收到前款规定的通知之日起三十日内，可以按照合同约定增加保险费或者解除合同。保险人解除合同的，应当将已收取的保险费，按照合同约定扣除自保险责任开始之日起至合同解除之日止应收的部分后，退还投保人。

被保险人、受让人未履行本条第二款规定的通知义务的，因转让导致保险标的危险程度显著增加而发生的保险事故，保险人不承担赔偿保险金的责任。

专家释惑

财产保险合同生效后，作为保险标的的保险财产及其有关利益，会由于买卖、赠与、继承等情况的发生而转移，保险标的转让后，保险利益当然会随之转移给保险标的的受让人。由于投保人必须对保险标的具有保险利益，所以，保险标的转让相应地会带来保险合同主体的变更，转让保险标的就需要履行法定的手续。

在通常情况下，财产保险合同生效后，如果保险标的转让，应视为原投保人退出保险，该投保人与保险人之间的保险关系相对消灭。在这种情况下，要继续保持保险关系，投保人在保险标的转让时，就应及时通知保险人，以便保险人对保险标的的受让人的情况进行调查，了解受让人对保险标的的价值的估价以及他们具有的安全常识和对保险标的可能采取的安全措施等情况，以确定是否继续承保。投保人将保险标的转让的情况通知保险人后，经过保险人审核，同意继续承保，由保险人在原保险单或者其他保险凭证上批注后，即完成保险合同的变更。在履行法定的变更保险合同手续后，保险合同继续有效。相反，除法律另有规定外，如果投保人转让保险标的而不通知保险人，则保险合同从保险标的转让时起即行终止。如果投保人与保险人在订立保险合同时，就对因保险标的转让而变更合同主体的情况作出明确约定，保险合同当事人可以按照合同约定办理，即在保险标的转让时，履行合同约定的手续。

因保险标的转让而变更保险合同有一种特殊情况，就是货物运输保险合同的保险标的转让，保险合同自动变更。货物运输保险，是对货物在运输过程中因自然灾害或意外事故发生而遭受的损失提供经济补偿的保险。在货物运输保险合同中，保险标的是在运输过程中的货物。由于运输中的货物流动性大，特别是海上运输，路程遥远，在一般情况下，货物在远地易主，很难事先通知保险人并取得保险人的同意。为了方便合同当事人的交易，避免他们错过交易良机，国际上的保险惯例是只要保险合同没有另作规定，凡运输保险，其保单可随货物的转移而背书转让。也就是说，除合同另有约定外，货物运输保险合同保险标的的转让，投保人不必征得保险人的同意，保险合同随保险货物的转让而自动变更，原被保险人与保险人之间的保险关系即行消灭，受让人与保险人之间新的保险关系随即建立。

14. 投保时应告知保险公司什么?

案例 14　某公司诉保险公司案

事情是这样的

2000 年 4 月 3 日，某市一公司经理胡某到附近的保险公司为公司的两辆汽车投机动车辆保险，而承办该保险业务的业务员刘某又是胡某的好友，平时经常在一起玩乐，曾多次借用该公司的车子，对这两辆车的性能及其他情况相当了解。刘某早已经多次劝说胡某到其保险公司投保，看到胡某果然讲义气来投保，很是高兴，因此对保险标的的汽车相关详情也没有多问。双方很快就签订了保险合同，合同中特别规定：公司保证妥善、谨慎保管好汽车。保险方有权对该公司的汽车进行安全检查，并规定了安全检查的时间和程序。

合同订立后，由于大家都是熟人，所以保险公司也并没有按规定来做安全检查，只是 5 月 7 日来过一次。在这次检查中，保险公司发现公司的车子保养状况不好，不安全因素较多，因此建议公司将车子停开一段时间进行修理。但是胡某并未予以理会，而保险公司也并没有追究下去。不幸的是，9个月过后，公司的两辆车都造成了交通事故，车子全部报废，损失达30万元。胡某匆忙联系刘某，依据保险合同要求保险公司赔偿。保险公司经调查发现，胡某公司的车子在投保时就有较多问题，车轮轴承严重磨损等，但胡某在投保时并未就此向保险公司说明。保险公司认为，公司在投保时没有尽到如实告知的义务，而且是故意不告知，因此保险公司宣布解除保险合同且不退还保险费。此外，保险公司还主张因胡某公司没有履行约定的保证义务，并且没有妥善保养车子也是造成保险事故的基本原因，保险公司已经作了检查并建议，但是公司对此置之不理，基于此原因，保险公司也可以解除合同而不承担赔偿责任。

得知保险公司的这些主张后，公司向法院起诉，提出下列主张：根据《保险法》第16条，投保人只有对保险人的询问如实告知，而无主动如实告知的义务。公司在投保时，保险公司并没有就车子的上述隐患询问，公司并没有违反如实告知义务。本公司真诚地按约履行妥善保管义务，保险公司却并没有按规定来检查，导致公司多次备查准备所花费的人力和物力浪费，保险公司违约在先，应该赔偿公司的损失。即使在一次检查中发现保养不好并作建议，本公司因为疏忽而没有给予充分重视，但在长达9个月的时间内保险公司并没有采取任何措施，这意味着保险公司的弃权，事后保险公司不得再以此由而解除合同。因此，保险公司应尽快赔偿。

法院就此如何处理，意见不同，展开了讨论。一种意见认为，胡某公司没有尽到如实告知义务，而且违反保证义务，保险公司可以拒赔并不退还保险费；另一种则认为，可以拒赔，但是应退还保险费，没有告知属于过失而非故意；还有一种则支持胡某公司的立场，要求保险公司赔付。最后，法院判决胡某公司并没有违反如实告知义务，但是违反保证义务，保险公司可以解除合同，不予以赔偿。但是考虑到保险公司也有一定的懈怠责任，应该退还保险费。

律师专线

告知，是投保人对保险人的询问所作的说明或者陈述。如实告知，是指投保人陈述的事项应当真实、客观。根据《保险法》第16条，订立保险合同，保险人应当向投保人说明保险合同的条款内容，并可以就保险标的或者被保险人的有关情况提出询问，投保人应当如实告知。可见，投保人只有在保险人询问时，才有如实告知义务。本案中，胡某公司并没有违反如实告知义务。《保险法》第51条第3款规定，投保人、被保险人未按照约定履行其对保险标的的安全应尽的责任的，保险人有权要求增加保险费或者解除合同。本案中，胡某公司违反了这一保证义务，保险公司可以解除合同。《保险法》第54条规定，保险责任开始前，投保人要求解除合同的，应当向保险人支付手续费，保险人应当退还保险费。保险责任开始后，投保人要求解除合同的，保险人可以收取自保险责任开始之日起至合同解除之日止期间的保险费，剩余部分退还保险人。本案中，保险人应退还剩余保险费。法院判决退还全部保险费的做法不当。

法律规范

中华人民共和国保险法

（1995年6月30日第八届全国人民代表大会常务委员会第十四次会议通过，2002年10月28日第九届全国人民代表大会常务委员会第三十次会议修正，2009年2月28日第十一届全国人民代表大会常务委员会第七次会议修订）

第十六条 订立保险合同，保险人就保险标的或者被保险人的有关情况提出询问的，投保人应当如实告知。

投保人故意或者因重大过失未履行前款规定的如实告知义务，足以影响保险人决定是否同意承保或者提高保险费率的，保险人有权解除合同。

前款规定的合同解除权，自保险人知道有解除事由之日起，超过三十日不行使而消灭。自合同成立之日起超过二年的，保险人不得解除合同；发生保险事故的，保险人应当承担赔偿或者给付保险金的责任。

投保人故意不履行如实告知义务的，保险人对于合同解除前发生的保险事故，不承担赔偿或者给付保险金的责任，并不退还保险费。

投保人因重大过失未履行如实告知义务，对保险事故的发生有严重影响的，保险人对于合同解除前发生的保险事故，不承担赔偿或者给付保险金的责任，但应当退还保险费。

保险人在合同订立时已经知道投保人未如实告知的情况的，保险人不得解除合同；发生保险事故的，保险人应当承担赔偿或者给付保险金的责任。

第五十一条　被保险人应当遵守国家有关消防、安全、生产操作、劳动保护等方面的规定，维护保险标的的安全。

保险人可以按照合同约定对保险标的的安全状况进行检查，及时向投保人、被保险人提出消除不安全因素和隐患的书面建议。

投保人、被保险人未按照约定履行其对保险标的的安全应尽责任的，保险人有权要求增加保险费或者解除合同。

保险人为维护保险标的的安全，经被保险人同意，可以采取安全预防措施。

第五十四条　保险责任开始前，投保人要求解除合同的，应当按照合同约定向保险人支付手续费，保险人应当退还保险费。保险责任开始后，投保人要求解除合同的，保险人应当将已收取的保险费，按照合同约定扣除自保险责任开始之日起至合同解除之日止应收的部分后，退还投保人。

中华人民共和国合同法

（1999 年 3 月 15 日第九届全国人民代表大会第二次会议通过）

第九十五条　法律规定或者当事人约定解除权行使期限，期限届满当事人不行使的，该权利消灭。

法律没有规定或者当事人没有约定解除权行使期限，经对方催告后在合理期限内不行使的，该权利消灭。

专家释惑

本案主要涉及保险合同的一个根本原则，即最大诚信原则。诚实信用是市场经济的道德伦理基础，是市场经济的生命。诚实信用原则被称为民法中的“帝王条款”。在保险领域中，更应该强调诚实信用原则，因为保险标的为被保险人所掌握，很容易产生欺诈现象，此外保险人出具格式合同，常有侵害被保险人利益的可能，故此在保险领域诚实信用原则被提高到一个新的高度，被称为“最大诚信原则”。该原则对投保人的要求是如实告知、履行保证义务、通知义务、防止损失扩大义务等；对保险人的要求是保险人应对保险条款作说明的义务，特别是免责条款的说明，按约赔偿，还包括弃权和禁反言等。总而言之，最大诚信原则应贯穿于保险合同的订立及履行的整个过程中。本案牵涉了其中的投保人的如实告知义务、保证义务，保险人的弃权等问题。

1. 如实告知义务

如实告知是构成保险人决定承保和确定保险费率的基础，对保险合同的订立有先决意义。根据我国《保险法》第16条，投保人只有就保险人的询问有如实告知的义务。告知的内容与保险标的的危险程度有关，如保险标的所处的位置、使用情况、周围环境、价值等，或者与被保险人的个人情况有关，例如被保险人的姓名、性别、年龄、职业、健康状况、婚姻状况、家庭状况等。

2. 履约保证义务

保证是被保险人在保险期间对某些事项的作为或不作为的保证，或保证某些事项的真实性。违反保证，可能导致合同被解除。保险人常常为了控制风险，而在合同中要求投保人承担保证义务，我国《保险法》规定，投保人、被保险人未按照约定履行其对保险标的的安全应尽的责任的，保险人有权要求增加保险费或解除合同。本案中，胡某公司显然违反了保证义务，保险公司理应可以解除合同。

3. 保险人的弃权和禁反言

弃权，即放弃权利，指合同一方当事人抛弃自己本来享有的权利，这种权利对保险人而言一般是合同的解除权或抗辩权。禁反言，是指对自己前面的陈述或所作的行为，不得事后再随意作相反主张，自相矛盾。例如，投保人未按期交纳保险费，保险人本来可以解除合同，但是保险人事后接受了投保人逾期交纳的保险费，则意味着保险人放弃了本来可以解除合同的权利，事后保险人不能再以投保人未按期交纳保险费为由而宣布解除合同。在本案中，约定检查权是保险人的权利而非义务，因此保险人没有按约检查，只是权利的抛弃，并不因此承担违约责任。至于在建议被拒绝后的9个月内没有解除合同，理论上可以视为保险人对解除权的放弃，但是由于我国保险法并没有规定保险人的弃权，本案中，保险公司本来早就可以行使解除权，但还是一直接受保险费，此行为足以表示弃权，而它偏偏在保险事故发生以后才宣布解除合同，也有违背诚信原则的嫌疑。但是，胡某公司也没有提出行使解除权的催告，因此保险公司还是可以行使解除权的。如果成立保险人的弃权，根据禁反言，保险人不得解除合同，应该赔偿。本案法院判决并没有充分分析这点，可谓遗憾！

15. 货物装在舱面上未告知保险公司，出险不赔偿

案例15 江西某公司诉保险公司案

事情是这样的

2004年1月，江西某公司将184吨价值100余万元的棉浆粕向保险公司投保了水路货物运输综合保险，运输工具为“赣南昌货0236”轮，航线注明为上海至南昌，交保险费1 177.6元。同年1月13日18时30分，满载货物的“赣南昌货0236”轮航行至黄浦江106灯浮附近，为避免与他船碰撞，驾驶员采取倒行、右满舵等紧急避让措施，致使船舶打横，绑扎货物的绳索绷断，引起装载于舱面的54.7吨棉浆粕掉入江中漂失。漂失的棉浆粕价值人民币350 080元。事故发生后，货主向保险公司报案并递交了出险通知书，并将54.7吨上述货物损失按保险金额每吨6 400元计350 080元向保险公司索赔，但保险公司以不属于保险责任为由，发出拒赔通知书。对此结果，江西某公司不能接受，于是向法院提起诉讼。

该公司称：我们将184吨棉浆粕向保险公司投了保，并支付了保险费，在运输过程中，因装载货物的船舶为避免碰撞，不得已采取紧急避险施救措施，致使船舶发生倾侧，装载在舱面的棉浆粕掉入江中漂失，但避免了更大的事故，并且我们并不知道承运人将货物装在舱面，不存在告知义务，完全符合保险责任范围内的施救行为，保险公司理应赔偿损失。

而保险公司则认为：货主所述的事故不构成保险责任，因为从货物起装地上海星火开发区港务储运站的调查笔录中，证明了这54.7吨货物装载在舱面上，被保险人未履行告知义务。从事故发生的过程来看，涉案船舶的驾驶员为避免碰撞，防止发生不应发生的事故，所采取的驾船紧急措施非施救行为。气象资料也证明，事故发生时当地的气象情况良好，所以原告的货损不属于保险责任范围，被保险人对索赔之货物不具有保险利益。

法院经审理认为，被保险人未履行如实告知义务，船舶驾驶员的行为也非施救行为，因此，该公司不能得到保险公司的赔偿。

律师专线

本案中，被保险人江西某公司是否未履行告知义务？答案是肯定的，因为在水路货物运输合同中，承运人装载甲板货需经托运人同意，而装载舱面货与甲板货具有同等风险，故承运人装载舱面货亦需征得托运人同意。在货物运输保险合同中，投保人对涉及保险人是否同意承保，或是否应该提高保险费率的重大事项，应向保险人履行告知义务。投保人无可告知的，投保人有保证货物正常装载的义务。若投保的货物非正常装载，且诸如装载舱面货属于应告知保险人的重大事项，不论投保人是否明知，由于托运人对货物是否正常装载具有决定权，投保人应该了解货物的装载情况。若不明知，则系其代理或者承运人违约而未予告知，但投保人不能以此对抗其应向保险人履行告知义务，不能以不明知货物装载情况，可不履行告知义务为借口。所以，被保险人未履行部分标的装载在舱面的这一告知义务，保险公司不承担赔偿责任，既合乎情理，又具有法律依据。

另外，驾驶员拨正航向是不是施救行为呢？保险条款中倾覆险的解释是指“运输工具在行驶或航行中，车身、船体翻倒或倾侧，失去正常状态，非经施救不能继续行驶或航行”。涉案承运船舶在航行条件正常的情况下，避让他船，虽大幅度倾斜，但驾驶员迅速拨正航向后，该船即脱险恢复常态。由于驾驶员拨正航向的行为系驾驶船舶的连续行为，而非专门的施救，故从另一方面证实这起海上事故不属倾覆险的保险责任范围，保险公司同样可以拒赔。

法律规范

中华人民共和国保险法

（1995 年 6 月 30 日第八届全国人民代表大会常务委员会第十四次会议通过，2002 年 10 月 28 日第九届全国人民代表大会常务委员会第三十次会议修正，2009 年 2 月 28 日第十一届全国人民代表大会常务委员会第七次会议修订）

第十六条　订立保险合同，保险人就保险标的或者被保险人的有关情况提出询问的，投保人应当如实告知。

投保人故意或者因重大过失未履行前款规定的如实告知义务，足以影响保险人决定是否同意承保或者提高保险费率的，保险人有权解除合同。

前款规定的合同解除权，自保险人知道有解除事由之日起，超过三十日不行使而消灭。自合同成立之日起超过二年的，保险人不得解除合同；发生保险事故的，保险人应当承担赔偿或者给付保险金的责任。

投保人故意不履行如实告知义务的，保险人对于合同解除前发生的保险事故，不承担赔偿或者给付保险金的责任，并不退还保险费。

投保人因重大过失未履行如实告知义务，对保险事故的发生有严重影响的，保险人对于合同解除前发生的保险事故，不承担赔偿或者给付保险金的责任，但应当退还保险费。

保险人在合同订立时已经知道投保人未如实告知的情况的，保险人不得解除合同；发生保险事故的，保险人应当承担赔偿或者给付保险金的责任。

第五十一条　被保险人应当遵守国家有关消防、安全、生产操作、劳动保护等方面的规定，维护保险标的的安全。

保险人可以按照合同约定对保险标的的安全状况进行检查，及时向投保人、被保险人提出消除不安全因素和隐患的书面建议。

投保人、被保险人未按照约定履行其对保险标的的安全应尽责任的，保险人有权要求增加保险费或者解除合同。

保险人为维护保险标的的安全，经被保险人同意，可以采取安全预防措施。

专家释惑

保险从其产生之日起，最大诚信原则就时刻伴随着它。这条原则在1906年《英国海上保险法》中得到了全面的阐释，其概括的经典表述是：保险应当绝对恪守诚实。如实告知义务规则就是最大诚信原则的具体体现，就其立法意旨来说，保险合同是最大诚信合同，而且保险合同的成立是以能够测定保险标的的风险概率，进而确定保险费率为条件。如果保险人不能真正掌握保险标的的危险程度，就无法确定保险费率。这样，即使订立了保险合同，双方意思表示也不真实一致，违背保险合同订立的基本原则。

保险人对保险标的的风险及其程度的了解，依赖于投保人的如实告知。如实告知，是投保人法定的前合同义务，即投保人在订立保险合同时，要将与保险标的有关的重要情况如实地向保险人声明、申报、陈述，这就是投保人依法应当履行的如实告知义务。

16. 驾驶无牌无证车出险死亡，保险公司会赔吗？

案例16　黄某驾驶无牌无证车出险案

事情是这样的

黄某于2005年12月投保保额为4 000元的“99鸿福两全保险”，年交保费480元，每年准时交费。2008年3月初，黄某驾驶无牌无证的摩托车到营销部交保费。途中不慎与一辆货车发生碰撞，送往医院抢救无效死亡，经交警处理后的事故认定为：“双方对此事故负同等责任。”保险条款第6条第5款规定：被保险人酒后驾驶，无有效驾驶执照驾驶或驾驶无有效行驶证的机动交通工具，造成被保险人身故或残疾，保险公司不负给付保险金责任。

保险公司在理赔中对此案产生了几种看法：一是按现金价值退保；

二是按所交的保费退保；三是按责任认定赔付50%保险金额；四是应予足额赔付。

律师专线

上述保险条款第6条第5款的内容实际上属于免责条款，就是约定在发生哪些情况下，保险公司不负责赔偿。保险条款的这一规定说明，双方当事人对驾驶无牌无证机动车导致自己身故的处理已有约定，即保险公司不负赔偿责任。因此，应当依照保险条款的规定处理，保险人不负赔付责任。

但根据《保险法》第19条的规定："采用保险人提供的格式条款订立的保险合同中的下列条款无效：（一）免除保险人依法应承担的义务或者加重投保人、被保险人责任的；（二）排除投保人、被保险人或者受益人依法享有的权利的。"如果保险人在订立保险合同时，没有履行"驾驶无牌无证机动车将不能获得赔付"的说明义务，则这一免责条款将是无效条款，被保险人因此身故，保险人仍应承担赔付责任。

因此，本案中，保险公司是否承担赔偿责任应视保险公司是否在投保人投保时明确说明了该免责条款。如能证明确实明确说明了该免责条款则该条款有效，保险公司无须赔偿。

另外一个问题是，保险公司不负赔偿责任，是不是就不需要退还任何费用呢？由于本案中涉及的是寿险合同，与产险合同存在不同。产险合同通常只具有保障功能，而寿险合同则兼具储蓄与保障双重功能。违反产险合同的免责条款，保险公司不需退还任何费用；违反寿险合同的免责条款，导致被保险人身故的，保险人可以中止保险合同，同时退还一部分费用。

法律规范

中华人民共和国保险法

（1995年6月30日第八届全国人民代表大会常务委员会第十四次会议通过，2002年10月28日第九届全国人民代表大会常务委员会第三十次会议修正，2009年2月28日第十一届全国人民代表大会常务委员会第七次会议修订）

第十七条　订立保险合同，采用保险人提供的格式条款的，保险人向投保人提供的投保单应当附格式条款，保险人应当向投保人说明合同的内容。

对保险合同中免除保险人责任的条款，保险人在订立合同时应当在投保单、保险单或者其他保险凭证上作出足以引起投保人注意的提示，并对该条款的内容以书面或者口头形式向投保人作出明确说明；未作提示或者明确说明的，该条款不产生效力。

第十九条　采用保险人提供的格式条款订立的保险合同中的下列条款无效：

（一）免除保险人依法应承担的义务或者加重投保人、被保险人责任的；

（二）排除投保人、被保险人或者受益人依法享有的权利的。

第四十三条　投保人故意造成被保险人死亡、伤残或者疾病的，保险人不承担给付保险金的责任。投保人已交足二年以上保险费的，保险人应当按照合同约定向其他权利人退还保险单的现金价值。

受益人故意造成被保险人死亡、伤残、疾病的，或者故意杀害被保险人未遂的，该受益人丧失受益权。

第四十四条　以被保险人死亡为给付保险金条件的合同，自合同成立或者合同效力恢复之日起二年内，被保险人自杀的，保险人不承担给付保险金的责任，但被保险人自杀时为无民事行为能力人的除外。

保险人依照前款规定不承担给付保险金责任的，应当按照合同约定退还保险单的现金价值。

专家释惑

寿险通常都具有储蓄与保障双重功能，特别是生死两全的寿险，更是偏重于储蓄功能，保障的因素较少。也就是说，在被保险人交纳的保险费中，除了保障费用之外，还有作为储蓄资金的部分。从理论上说，作为保障费用的部分资金，可能因为被保险人违反免责条款而不予退还，但作为储蓄部分的资金，在保险合同中止时，应当连同利息退还给被保险人，这就如同在银行存款一样，存款合同中止，应当退还本金和利息。

17. 买了家财险被盗为何遭拒赔?

案例17　甄某诉保险公司案

事情是这样的

某市民甄某于1989年11月17日购得6份由中国人民财产保险股份有限公司某市支公司（以下简称“保险公司”）承保的家庭财产还本保险，为其住宅内的家财投保。保险存单上注明保险公司承保的城镇居民财产保险种类为家财险和盗窃险，保险金额各为3 000元；承保的农村居民财产保险种类为房屋险（保险金额为3 000元）、家财险（保险金额为2 500元）和场头火灾险（保险金额为500元）。

1992年2月21日，甄某再次向保险公司购买家庭财产还本保险共20份，每份保险金额为6 000元，保险的种类包括房屋、家财、附加盗窃和场头火灾险。上述保险存单每份存款本金50元，保险期限1年，到期本金可返还投保人。如期满后不领取存款，保险存单继续生效。

2007年4月30日夜，甄某的住宅被盗，当晚便向公安机关报案并随即提供了被盗物品的品种、数量和价值（酒类按市场价计算、金首饰及纪念手表按购买价计算）。因该盗窃案一直未能侦破，甄某财产损失很大。甄某想起自己购买了十多年的家庭财产还本保险，于是就带着房产证、财产保险存单、派出所出具的情况说明和信访回复函等到保险公司申请索赔。

出乎甄某预料的是，保险公司的人员告诉甄某说，她不能得到赔偿。理由是：财产保险存单上注明了赔偿按出险当年家庭财产保险条款执行，目前保险公司执行的是1997年度的家庭财产保险条款，该份保险条款规定，烟酒、艺术品和金银首饰等属不保财产，而甄某主张的正是酒、金首饰等损失，因此保险公司可免除赔偿责任。

甄某于是向当地人民法院起诉，要求保险公司赔偿自己的被盗家财损失。法院经审理认为，甄某、保险公司之间的财产保险合同关系，双方当事人无异议，应予认定。甄某的住宅被盗，属于合同约定的保险事故，保险公司理应依约对甄某的被盗损失进行理赔。因保险公司无证据证明向甄某提供1997年以及之前的家庭财产保险条款，并就保险公司的责任免除或责任限制条款向甄某明确告知，故责任免除及责任限制条款依法不对甄某产生效力。法院作出判决，保险公司应赔偿甄某被盗家财损失。

保险公司不服，并提出上诉，认为甄某没有证据证明其家中被盗的财产价值，且被盗的财产不在保险范围内，请求二审法院公正判决。二审法院经审理认为，甄某为避免可能发生的意外情况，使其家庭财产遭受损失，购买了保险公司出售的家庭财产还本保险。每份保险的存单上均注明了保险期限为1年、险种为家财险和盗窃险，同时还注明到期后本金可返还投保人，如到期不领取存款，保险存单继续有效。因此，双方的保险合同关系成立。甄某家中被盗的事实，有公安机关所出具的证明予以证实。虽然甄某所提供的被盗财产价值的证据均为间接证据，但保险公司未提供证据证实其在甄某购买保险时，明确要求甄某提供投保财产的范围、价值等有关材料；也没有证据证明在甄某购买保险时，已经向其表明了不承保财产的范围。故保险公司称甄某没有证据证明其家中被盗的财产价值，且被盗的财产不在保险范围内的上诉理由不能成立，遂作出终审判决：驳回上诉，维持原判。

律师专线

本案中，主要存在两个问题，第一个问题是，免责条款是否有效，如果免责条款有效，则甄某不能获得赔偿。第二问题是，甄某的被盗财产是否属于承保范围。

对于这两个问题，法院判决中都作出明确的解释，保险合同中的免责条款只有经保险人向投保人做了明确说明，才能生效，但甄某投保是在1992年，该保险的期限为1年，到期本金可返还投保人，如期满后不领取存款，保险存单继续生效。甄某此后并未领取保险存款，保险存单是继续有效的。但现行有效是1997年度的家庭财产保险条款，该保险条款的使用是在投保人投保5年之后，保险公司又不能提供其已将该保险条款中的免责条款向投保人做了明确说明的证据，因此，该免责条款无效。保险公司不能依据该免责条款不承担赔偿责任。而关于承保范围，保险公司在上诉的时候才提出被盗财产不属于承保范围，但不能提供证据证明在甄某购买保险时，明确要求甄某提供投保财产的范围、价值等有关材料；也没有证据证明在甄某购买保险时，已经向其表明了不承保财产的范围。因此，保险公司的此项理由也不能成立。

法律规范

中华人民共和国保险法

（1995 年 6 月 30 日第八届全国人民代表大会常务委员会第十四次会议通过，2002 年 10 月 28 日第九届全国人民代表大会常务委员会第三十次会议修正，2009 年 2 月 28 日第十一届全国人民代表大会常务委员会第七次会议修订）

第十七条　订立保险合同，采用保险人提供的格式条款的，保险人向投保人提供的投保单应当附格式条款，保险人应当向投保人说明合同的内容。

对保险合同中免除保险人责任的条款，保险人在订立合同时应当在投保单、保险单或者其他保险凭证上作出足以引起投保人注意的提示，并对该条款的内容以书面或者口头形式向投保人作出明确说明；未作提示或者明确说明的，该条款不产生效力。

专家释惑

因为保险合同作为一种最大诚信合同，在订立保险合同时，保险人和投保人均应当将保险合同涉及的重要事项向对方作如实的说明或者告知。同时，由于保险合同所涉及的专业术语投保人往往不甚了解，保险人有义务向投保人说明保险合同的条款，保险人更应对保险合同中约定的有关保险人责任免除条款的内容、术语、目的以及适用等向投保人作出解释。

我国《保险法》第 17 条规定，订立保险合同，采用保险人提供的格式条款的，保险人向投保人提供的投保单应当附格式条款，保险人应当向投保人说明合同的内容。对保险合同中免除保险人责任的条款，保险人在订立合同时应当在投保单、保险单或者其他保险凭证上作出足以引起投保人注意的提示，并对该条款的内容以书面或者口头形式向投保人作出明确说明；未作提示或者明确说明的，该条款不产生效力。2000 年 1 月 21 日最高法院法研〔2000〕5 号的批复对保险法中的“明确说明”所进行的解释是指保险人在与投保人签订保险合同之前或者签订保险合同之时，对于保险合同中所约定的免责条款，除了在保险单上提示投保人注意外，还应当对有关免责条款的概念、内容及其法律后果等，以书面或者口头形式向投保人或其代理人作出解释，以使投保人明确了该条款的真实含义和法律后果。

18. 被自己的车轧死，保险公司该不该赔？

案例 18　蒲某死亡案

事情是这样的

2006 年 10 月 17 日，蒲某将其所有的贵 C 33645 号小货车向当地保险公司投保了机动车交通事故责任强制保险、商业第三者责任险、车上人员责任险等险种。其中商业第三者责任险保额为 20 万元，车上人员座位险每个座位保额为 4 万元。保险期限为 2006 年 10 月 18 日至 2007 年 10 月 17 日。

蒲某当天便向保险公司一次性交清了保险费 6 343.68 元。保险公司向蒲某提供了交强险标志、交强险保单正本、交强险保费收据以及商业险的保费收据和保险单正本。但保险公司未向蒲某提供商业险的保险条款。

2007 年 2 月 16 日，蒲某驾驶贵 C 33645 号小货车从仁怀到贵阳，车上坐有蒲某的儿子。当车行至贵遵公路黑土坡施工区下坡路时，蒲某停车后下车小便。突然一辆车速很快的货车从旁边开过，振动正在修建的不平路面，使贵 C 33645 号车向下滑行。为了阻止车辆滑行造成事故，蒲某便去抱石头阻止车辆继续滑行，不慎被该车压在车轮下当场死亡。

其子立即向当地交警部门和保险公司报了案。当地交警部门勘察了事故现场，并于2007年3月3日出具了该案的事故责任认定书，认定蒲某在该次交通事故中负全部责任。保险公司接报案后未到现场查勘。

死者家属得到交警部门的事故责任认定书后向保险公司提出了索赔申请。2007年5月，保险公司答复死者家属说该案不属于赔付范围，并于5月15日出具了拒赔通知书。

死者家属不能接受保险公司的拒赔理由，向当地人民法院提起诉讼，提出蒲某的死亡属于交通事故责任强制保险、商业第三者责任险的保险范围，请求法院判令保险公司履行交强险、商业第三者责任险保险合同，赔偿原告25万元，并判令原告赔礼道歉。

法院受理此案后，进行了开庭审理。庭审过程中，原告代理人提出，在蒲某投保过程中，保险公司连商业险的保险条款都未给被保险人，被告未要求蒲某在商业险投保单上签字，蒲某也未曾在商业险投保单上签字。因被告未履行《保险法》第13条、第16条、第17条以及《合同法》第39条的有关规定，被告提供的商业险条款中的免责条款和限制性条款对被保险人或投保人不产生效力。原告还诉称，蒲某在该次交通事故中的死亡原因显然不是故意自杀，而是在保险车辆出险时采取的一种紧急避险措施。

而被告辩称：死者蒲某在保险合同中既是被保险人同时又是驾驶员，不是第三者，因此不能在商业第三者责任险和交强险范围内予以赔偿。蒲某作为驾驶员，在发生的交通事故中死亡，属车上人员座位险的除外责任，因此，也不能在车上人员座位险保险责任内予以赔偿。

法院审理后认为，本案中蒲某的死亡不属于保险责任，驳回了原告的诉讼请求。

律师专线

在本案的交通事故中，蒲某既是受害人，也是唯一的责任人，蒲某不对任何人负民事赔偿责任，也没有任何人对蒲某负民事赔偿责任。

责任保险是指以被保险人对第三者依法应负的赔偿责任为保险标的的保险，蒲某作为保险单上记明的被保险人，在交通事故中并无对第三者依法应负的赔偿责任，而且交通事故强制保险将被保险人排除在保险责任范围之外，蒲某的死亡不属于交通事故责任强制保险和商业第三者责任保险的保险责任范围。既然蒲某的死亡不属于保险责任，自然就不存在保险公司对本应承担的保险责任予以免除的问题，因此也无须再考虑免责条款是否有效的问题。

法律规范

中华人民共和国保险法

（1995 年 6 月 30 日第八届全国人民代表大会常务委员会第十四次会议通过，2002 年 10 月 28 日第九届全国人民代表大会常务委员会第三十次会议修正，2009 年 2 月 28 日第十一届全国人民代表大会常务委员会第七次会议修订）

第十三条　投保人提出保险要求，经保险人同意承保，保险合同成立。保险人应当及时向投保人签发保险单或者其他保险凭证。

保险单或者其他保险凭证应当载明当事人双方约定的合同内容。当事人也可以约定采用其他书面形式载明合同内容。

依法成立的保险合同，自成立时生效。投保人和保险人可以对合同的效力约定附条件或者附期限。

第十六条　订立保险合同，保险人就保险标的或者被保险人的有关情况提出询问的，投保人应当如实告知。

投保人故意或者因重大过失未履行前款规定的如实告知义务，足以影响保险人决定是否同意承保或者提高保险费率的，保险人有权解除合同。

前款规定的合同解除权，自保险人知道有解除事由之日起，超过三十日不行使而消灭。自合同成立之日起超过二年的，保险人不得解除合同；发生保险事故的，保险人应当承担赔偿或者给付保险金的责任。

投保人故意不履行如实告知义务的，保险人对于合同解除前发生的保险事故，不承担赔偿或者给付保险金的责任，并不退还保险费。

投保人因重大过失未履行如实告知义务，对保险事故的发生有严重影响的，保险人对于合同解除前发生的保险事故，不承担赔偿或者给付保险金的责任，但应当退还保险费。

保险人在合同订立时已经知道投保人未如实告知的情况的，保险人不得解除合同；发生保险事故的，保险人应当承担赔偿或者给付保险金的责任。

保险事故是指保险合同约定的保险责任范围内的事故。

第十七条　订立保险合同，采用保险人提供的格式条款的，保险人向投保人提供的投保单应当附格式条款，保险人应当向投保人说明合同的内容。

对保险合同中免除保险人责任的条款，保险人在订立合同时应当在投保单、保险单或者其他保险凭证上作出足以引起投保人注意的提示，并对该条款的内容以书面或者口头形式向投保人作出明确说明；未作提示或者明确说明的，该条款不产生效力。

中华人民共和国合同法

（1999 年 3 月 15 日第九届全国人民代表大会第二次会议通过）

第三十九条　采用格式条款订立合同的，提供格式条款的一方应当遵循公平原则确定当事人之间的权利和义务，并采取合理的方式提请对方注意免除或者限制其责任的条款，按照对方的要求，对该条款予以说明。

专家释惑

本案中涉及一个第三者责任保险的概念，根据《保险法》第 65 条第 4 款，责任保险是指以被保险人对第三者依法应负的赔偿责任为保险标的的保险。保险可分为财产保险和人身保险，责任保险是财产保险中的一种。

第三者责任保险是责任保险的一种，与其他责任保险一样，其承保的标的是一种无形的民事损害赔偿责任，其承保的是投保特定财产保险的被保险人所负的第三者责任；所谓的第三者责任是指由于疏忽或者过失致使他人财产损失或人身伤亡而依法应负有的赔偿责任。

界定第三者责任险中的“第三者”，应遵循以下三条原则：第一，被保险人应否对其依法承担赔偿责任是判断是否属于第三者的基本法律标准；第二，属于同一运行主体的关系人不能构成本方责任险的第三者。假如所有的车辆均处于静止状态，则不可能发生交通事故。车辆必须参加到运行法律关系中才可能造成事故，车辆及其所有人加上驾驶人才能构成同一运行主体；第三，与被保险人共同构成同一财产权主体的民事主体及与被保险人之间存在抚养、赡养及第一顺序继承关系的自然人不能构成第三者。

注意

在机动车第三者责任保险合同中，大多数保险公司都规定了保险车辆造成被保险人、本车驾驶员及其家属人身伤亡的属除外责任的免责条款，而且一般都是以格式条款的形式体现出来。

19. 下车时受伤，保险公司赔不赔？

案例 19　许某对车上责任险的疑惑

事情是这样的

许某为上下班方便，买了辆小轿车，并投保了包括车上人员责任险在内的车辆保险。最近由于许某的母亲身体不适，经常要去医院检查身体，许某便主动要求开车送母亲去医院就诊，但雨天路滑，许某的母亲因为下车过程中避让路边台阶积水，不小心踩空地面，摔倒在地，造成胳膊等处擦伤，并诊断出有轻微骨折，共花费医疗费 1 367 元。许某认为自己投保了车上人员责任险，而且母亲是从车上到车下过程中摔倒，那也该是属于车上人员责任险范畴，便拿着医疗单到保险公司要求理赔，没想到却遭到保险公司拒绝理赔。许某对此十分不解：母亲在下车过程中一只脚在车内，一只脚踩出去踩空而意外摔倒。人应该属于在车上，却为何得不到理赔呢？

保险公司解释：根据车上责任险条款，投保车辆在使用过程中，发生意外事故，致使保险车辆上所载货物遭受直接损毁与车上人员的人身伤亡，依法应由被保险人承担的经济赔偿责任以及被保险人为减少损失而支付的合理必要施救保护费用，保险人在保单所载明的该保险赔偿责任范围内进行赔偿。但在免责条款中已明确指出车上人员在车下所遭受的人身伤亡是属于免责免赔范围内，所以保险公司作出不理赔也是具有合法性的。

许某又认为：母亲是从车上到车下的过程中意外踩空而摔倒受伤的，而且当时母亲的一只脚还留在车上呢，人的局部在车上，为何不能以车上责任险进行理赔呢？

保险公司指出：车上责任险是保障汽车在使用过程中车上人员的意外人身伤亡的理赔责任，但是人下车的行为表示人已经不属于车上的责任范围内，而是属于在车下的责任范围内，哪怕当时人的身体有局部还在车上，但因为他行为的目的是离开汽车到车外面去，属于在车下了。由于许某的母亲是因为踩空而摔倒，发生意外的主要原因在于地面的不平整与雨天路滑，并且出险地点不是发生在车上，而是发生在车外的地面台阶上，因此根据车上人员责任险的免赔责任中对于人在车下所遭受的人身伤亡是不理赔的，保险公司不需理赔。

律师专线

本案的核心是对车上责任险责任范围的解释。也就是说，应当如何理解“车上”这个概念。车上责任险的责任范围只包含在汽车使用过程中车内人员在保险责任范围内的意外人身受伤，或车内物品在保险责任范围内意外受损的理赔申请，应当明确的是，出险的范围应该是在汽车使用过程中车内人员与物品，即意外事件的始末都是发生在汽车运行过程中汽车内部的意外事故。但是上车与下车并不是在车内范围内的，因为上下车过程本身是人从车外到车内，或从车内到车外的责任范围，并不符合车上责任险条款中明确的在汽车使用时完全在车内发生意外事故的理赔标准。所以无论是上车还是下车过程中的意外人员受伤或货物受损的事故，保险公司是有不理赔的合法性。

法律规范

中华人民共和国保险法

（1995 年 6 月 30 日第八届全国人民代表大会常务委员会第十四次会议通过，

2002年10月28日第九届全国人民代表大会常务委员会第三十次会议修正，2009年2月28日第十一届全国人民代表大会常务委员会第七次会议修订）

第十六条　订立保险合同，保险人就保险标的或者被保险人的有关情况提出询问的，投保人应当如实告知。

投保人故意或者因重大过失未履行前款规定的如实告知义务，足以影响保险人决定是否同意承保或者提高保险费率的，保险人有权解除合同。

前款规定的合同解除权，自保险人知道有解除事由之日起，超过三十日不行使而消灭。自合同成立之日起超过二年的，保险人不得解除合同；发生保险事故的，保险人应当承担赔偿或者给付保险金的责任。

投保人故意不履行如实告知义务的，保险人对于合同解除前发生的保险事故，不承担赔偿或者给付保险金的责任，并不退还保险费。

投保人因重大过失未履行如实告知义务，对保险事故的发生有严重影响的，保险人对于合同解除前发生的保险事故，不承担赔偿或者给付保险金的责任，但应当退还保险费。

保险人在合同订立时已经知道投保人未如实告知的情况的，保险人不得解除合同；发生保险事故的，保险人应当承担赔偿或者给付保险金的责任。

保险事故是指保险合同约定的保险责任范围内的事故。

专家释惑

车上责任险是被保险人或其允许的合格驾驶员在使用保险车辆过程中，发生意外事故，致使保险车辆所载货物遭受直接损毁或车上人员的人身伤亡，依法应由被保险人承担的经济赔偿责任以及被保险人为减少损失而支付的必要合理的施救、保护费用，保险人在保险单所载明的赔偿限额内负责赔偿的保险。

车上责任险的免责范围通常包括：1. 货物遭哄抢、自然损耗、本身缺陷、短少、死亡、腐烂、变质以及动物走失、飞失；2. 违法载运或因包装、紧固不善、装载、遮盖不当造成的货物损失；3. 车上人员携带的私人物品、违章搭乘的人员或违章所载货物；4. 车载货物自车上掉落造成保险车辆及货物本身的损失；5. 因疾病、分娩、自残、殴斗、自杀、犯罪行为所致的人身伤亡、货物损失；6. 车上人员在车下时所受的人身伤亡。

提醒

车辆保险并不是万能的，为了能得到更全面的保障，投保人应考虑投保多种保险，例如在本案中，若许某还另外为其母亲投保了意外伤害险，则能够因为意外伤害得到保险公司的理赔。

20. 保险金额是保险人赔偿保险金的数额吗？

案例 20　蒋某诉保险公司案

事情是这样的

2004 年 8 月 31 日，个体工商户蒋某将其建材店的装饰板材料向某财产保险公司投保财产保险。保险合同约定：蒋某投保金额为 35 万；保险费 1 400 元；保险责任期间自 2004 年 9 月 1 日 0 时起至 2005 年 8 月 31 日 24 时止；保险公司于蒋某交付保险费后开始承担保险责任；保险事故发生后保险人按照实际损失赔偿。合同签订后，蒋某按照合同约定于 2004 年 8 月 31 日交付了保险费 1 400 元。

2005 年 4 月 15 日，蒋某的建材店发生火灾，建材店可燃物化为灰烬。蒋某在发生火灾后立即向保险公司报案。2005 年 4 月 21 日，蒋某向保险公司索赔，要求按照保险金额赔偿 35 万元。保险公司认为出险时蒋某的建材店账面余额为 8 000 元，即实际损失 8 000 元，因此，只愿意赔偿 8 000 元。蒋某称其有两本账，一本在火灾中烧毁，从火灾的残余物看，损失也不可能只有 8 000 元，既然保险金额是 35 万元，他也是按照 35 万元交付的保险费，保险公司就应赔偿 35 万元。

2005 年 4 月 22 日，保险公司请了一家保险公估公司，对损失进行评估。在蒋某的积极配合下，公估公司对蒋某的建材店当时堆放木线、板材等物品的地方均进行了测量，并采用了按比例折合等专业评估办法进行了推算，最后建议赔偿57 648元。但是，蒋某坚持要求保险公司按照保险金额赔偿35万元，保险公司仍坚持8 000元。双方争执不下，蒋某无奈将保险公司告上法庭。

法院经审理，判决保险公司赔偿蒋某57 648元。

律师专线

保险金额是保险合同中的重要内容之一，在许多险种的保险责任和保险金额中都明确规定，该险种的最高保险金额是多少，即在出险时最多只能赔付的限额。但在具体的理赔过程中，还要根据被保险标的的损伤或破坏的程度而定，因此保户实际得到的理赔金额常常小于保险金额。

法律规范

中华人民共和国保险法

（1995年6月30日第八届全国人民代表大会常务委员会第十四次会议通过，2002年10月28日第九届全国人民代表大会常务委员会第三十次会议修正，2009年2月28日第十一届全国人民代表大会常务委员会第七次会议修订）

第十八条　保险合同应当包括下列事项：

（一）保险人的名称和住所；

（二）投保人、被保险人的姓名或者名称、住所，以及人身保险的受益人的姓名或者名称、住所；

（三）保险标的；

（四）保险责任和责任免除；

（五）保险期间和保险责任开始时间；

（六）保险金额；

（七）保险费以及支付办法；

（八）保险金赔偿或者给付办法；

（九）违约责任和争议处理；

（十）订立合同的年、月、日。

投保人和保险人可以约定与保险有关的其他事项。

受益人是指人身保险合同中由被保险人或者投保人指定的享有保险金请求权的人。投保人、被保险人可以为受益人。

保险金额是指保险人承担赔偿或者给付保险金责任的最高限额。

第二十三条　保险人收到被保险人或者受益人的赔偿或者给付保险金的请求后，应当及时作出核定；情形复杂的，应当在三十日内作出核定，但合同另有约定的除外。保险人应当将核定结果通知被保险人或者受益人；对属于保险责任的，在与被保险人或者受益人达成赔偿或者给付保险金的协议后十日内，履行赔偿或者给付保险金义务。保险合同对赔偿或者给付保险金的期限有约定的，保险人应当按照约定履行赔偿或者给付保险金义务。

保险人未及时履行前款规定义务的，除支付保险金外，应当赔偿被保险人或者受益人因此受到的损失。

任何单位和个人不得非法干预保险人履行赔偿或者给付保险金的义务，也不得限制被保险人或者受益人取得保险金的权利。

专家释惑

所谓保险金额，简称“保额”，是投保时给保险标的确定的金额，是指一个保险合同项下保险公司承担赔偿或给付保险金责任的最高限额，即投保人对保险标的的实际投保金额；同时又是保险公司收取保险费的计算基础。在不同的保险合同中，保险金额的确定方法和原则不同。

财产保险合同中，对保险价值的估价和确定直接影响保险金额的大小。保险价值等于保险金额的是足额保险。保险金额低于保险价值的是保险公司按保险金额与保险价值的比例赔偿。保险金额超过保险价值的是超额保险，超过保险价值的保险金额无效，恶意超额保险是欺诈行为，可能使保险合同无效。

在人身保险合同中，人身的价值无法衡量，保险金额是人身保险合同双方约定的，由保险人承担的最高给付的限额或实际给付的金额。

21. 约定了赔偿比例，出险后能要求全赔吗？

案例 21　某塑胶模具有限公司诉保险公司案

事情是这样的

2003 年 5 月 26 日，某塑胶模具有限公司将其所有的一辆别克轿车向保险公司投保了汽车损失险、第三者人身伤害责任险、第三者财产损失责任险、乘客伤害责任险、驾驶人伤害责任险、车体玻璃单独破碎险、全车盗抢险、不计免赔特约险等险别，保险期限自 2003 年 5 月 27 日 0 时起至 2004 年 5 月 26 日 24 时止。2004 年 5 月 25 日该塑胶模具有限公司允许的驾驶员郑某在驾驶该车时同陆某所驾车辆相撞，导致两车受损。事故发生后，塑胶模具公司立即打电话向保险公司报案，经当地交通巡逻警察支队某大队认定，陆某负事故的主要责任，郑某负次要责任。在事故处理中，因保险公司未派员参加事故定损处理，为查明损失及确定车辆修复费用，经当地公安局交通警察支队的委托，当地价格认证中心对塑胶模具公司的受损车辆进行了车损价格鉴定，并由某汽车销售服务有限公司修复。该事故给原告造成经济损失总计 33 516.10 元。经塑胶模具公司同陆某协商一致，同意按三七比例承担事故责任，陆某也书面承诺于 2004 年 8 月 14 日之前予以赔付，但陆某未按时支付赔偿金。塑胶模具公司则依据保险合同向保险公司提出先行赔付的索赔请求，保险公司却告知只按照其所负责任比例承担责任。

塑胶模具有限公司对此理赔结果不能接受，于是将保险公司告上法庭，请求判令保险公司支付保险赔偿金 33 516.10 元，（包含施救费 300 元、停车费 128 元、评估费 1 550 元、修复费 31 313 元、同乘人员医疗费 225.10 元），并承担诉讼费。

被告保险公司辩称：双方签订的保险单保险条款第 21 条约定，应该根据原告驾驶员在交通事故中的责任比例赔偿，被告对涉案事故仅应赔偿 30%。对施救费认可，但停车费、评估费不属于理赔范围，修复费用不符合保单定损的规定不予认可。

法院经审理认为，保险合同背面所附保险条款第21条规定“本保险依据合格驾驶员在保险事故中负有事故责任比例与实际损失金额计算赔偿，即全部责任为100%，主要责任为70%，同等责任为50%，次要责任为30%。本约定与道路交通事故调解不一致的，以本约定为准”。该条款在理解上无任何争议。涉案保险标的车辆于2004年5月25日发生事故后，经当地交通巡逻警察支队某大队认定原告方驾驶员负事故的次要责任。因此，保险公司应承担30%的赔偿责任。原告要求被告全额理赔的主张，与双方合同约定不符，法院不予采信。

关于损失金额的确定，鉴于价格认证中心出具的价格认定报告，系受交通巡逻警察支队委托，该中心在价格鉴证上具有一定的专业性，因此，该报告具有证据优势，故法院认定原告受损车辆的修复费为31 313元。因为原告为涉案车辆投保了汽车损失险、乘客伤害责任险等，故对涉案事故车辆的损失31 313元、乘客的损失225.10元，被告应予理赔。涉案事故的施救费300元、停车费128元、评估费1 550元，是为查明和确定保险事故损失程度必要、合理的费用，被告亦应理赔。

最后，法院判决，保险公司应依约对塑胶模具公司的上述损失承担30%的赔偿责任。

律师专线

本案中，塑胶模具公司的车辆与陆某车辆发生碰撞，经认定塑胶模具公司应承担次要责任，陆某承诺予以赔偿但未履行，此时能否要求保险公司给予全额赔偿呢？从法院的判决可以看出，由于保险合同对保险事故的损失赔偿已有明确约定，按照合同的约定，被保险人在负次要责任的情况下，保险赔偿金应按实际损失金额的30%计算。因此，被保险人不能要求保险公司全额赔偿。

法律规范

中华人民共和国保险法

（1995年6月30日第八届全国人民代表大会常务委员会第十四次会议通过，

2002 年 10 月 28 日第九届全国人民代表大会常务委员会第三十次会议修正，2009 年 2 月 28 日第十一届全国人民代表大会常务委员会第七次会议修订）

第二十三条　保险人收到被保险人或者受益人的赔偿或者给付保险金的请求后，应当及时作出核定；情形复杂的，应当在三十日内作出核定，但合同另有约定的除外。保险人应当将核定结果通知被保险人或者受益人；对属于保险责任的，在与被保险人或者受益人达成赔偿或者给付保险金的协议后十日内，履行赔偿或者给付保险金义务。保险合同对赔偿或者给付保险金的期限有约定的，保险人应当按照约定履行赔偿或者给付保险金义务。

保险人未及时履行前款规定义务的，除支付保险金外，应当赔偿被保险人或者受益人因此受到的损失。

任何单位和个人不得非法干预保险人履行赔偿或者给付保险金的义务，也不得限制被保险人或者受益人取得保险金的权利。

中华人民共和国合同法

（1999 年 3 月 15 日第九届全国人民代表大会第二次会议通过）

第六十条　当事人应当按照约定全面履行自己的义务。

当事人应当遵循诚实信用原则，根据合同的性质、目的和交易习惯履行通知、协助、保密等义务。

专家释惑

合同当事人应当按照合同的约定全面履行自己的义务，即要求当事人按合同约定的标的及其质量、数量，合同约定的履行期限、履行地点、适当的履行方式、全面完成合同义务的履行原则。但从另一个角度来讲，合同一方当事人也无权要求对方承担超出合同约定的责任。本案中，保险合同明确约定了保险公司承担的保险责任，当发生了特定的保险事故时，保险公司只需按约定履行赔偿责任，无须超出合同约定对全部损失予以赔偿。

22. 因盗窃导致柑橘冻损，保险公司赔不赔？

案例 22 黑龙江某单位诉保险公司案

事情是这样的

湖南省某市果品公司于1996年2月3日通过铁路给黑龙江某市某单位运输一车皮柑橘，共计1 500篓，并投保了货物运输综合保险。货物约定在15天内到达目的地，果品公司按照约定将保险单转交给黑龙江该单位。但是，卸货时发现，左侧车门开启0.75米，靠近车门的位置明显有盗窃痕迹，车门处的保温被被撕开长1米、宽0.75米的口子。清点货物发现实有货物1 437篓，被盗63篓；在实收的货物中还有170篓被冻损（经查实，该地区本月17日至22日的最低气温都在-18℃左右）。被保险人要求保险公司对其货物所遭受的损失（包括盗窃损失和冻损）予以赔偿。保险公司经审查认为，被盗63篓柑橘属于国内水路、陆路货物运输保险综合险的保险责任范围，应予赔偿，无可争议。但对冻损的170篓如何处理，存在着不同意见，拒绝赔偿。故而被保险人将保险公司告上法庭。

保险公司认为保险人对冻损标的不负赔偿责任，造成柑橘冻损的原因有三个：盗窃、保温被破损以及天气寒冷。而其中最为直接的原因是天气寒冷而不是盗窃，盗窃并不必然引起标的冻损，天气寒冷才是冻损的必要要件。在运输综合保险条款中，天气寒冷不是保险责任范围，因此保险人不予赔偿。被保险人则认为，对于冻损和被盗窃损失都属于国内货物运输保险综合险的责任范围，应当按照国内水路、铁路货物运输保险条款规定的盗窃责任予以赔偿。所谓近因是指直接造成损害结果的原因，在效果上具有支配力，造成本案损失的最为直接的原因应是盗窃，由于盗窃行为造成的标的冻损，也应属于保险责任的范围，因此应该赔偿。最后，法院判决支持了被保险人的观点，判令保险公司赔偿。

律师专线

在本案中，尽管天气寒冷这一因素一直存在，但是货物运往北方，货主知道天气寒冷这一因素存在，因此已经采取了严格的防冻措施。如果没有盗窃发生，保险标的仍处在防冻措施的保护下，也就不会有冻损的事故出现。正是因为盗窃行为才导致保温被被撕裂，天气寒冷这一因素才发生作用，造成保险标的冻损。因此，我们可以看出，天气寒冷并不是保险事故发生的最直接的原因，而盗窃才是。由于盗窃属于综合保险条款的责任范围，故保险人应当承当保险责任。

法律规范

中华人民共和国保险法

（1995 年 6 月 30 日第八届全国人民代表大会常务委员会第十四次会议通过，2002 年 10 月 28 日第九届全国人民代表大会常务委员会第三十次会议修正，2009 年 2 月 28 日第十一届全国人民代表大会常务委员会第七次会议修订）

第二十二条　保险事故发生后，按照保险合同请求保险人赔偿或者给付保险金时，投保人、被保险人或者受益人应当向保险人提供其所能提供的与确认保险事故的性质、原因、损失程度等有关的证明和资料。

保险人按照合同的约定，认为有关的证明和资料不完整的，应当及时一次性通知投保人、被保险人或者受益人补充提供。

第二十三条　保险人收到被保险人或者受益人的赔偿或者给付保险金的请求后，应当及时作出核定；情形复杂的，应当在三十日内作出核定，但合同另有约定的除外。保险人应当将核定结果通知被保险人或者受益人；对属于保险责任的，在与被保险人或者受益人达成赔偿或者给付保险金的协议后十日内，履行赔偿或者给付保险金义务。保险合同对赔偿或者给付保险金的期限有约定的，保险人应当按照约定履行赔偿或者给付保险金义务。

保险人未及时履行前款规定义务的，除支付保险金外，应当赔偿被保险人或者受益人因此受到的损失。

任何单位和个人不得非法干预保险人履行赔偿或者给付保险金的义务，也不得限制被保险人或者受益人取得保险金的权利。

专家释惑

上述两个案例都涉及到保险的一个重要原则，即近因原则。

要确定保险人是否承担责任，首先要弄清楚致损原因。造成损失的原因如果有多种，保险人是否承担责任，就要看造成损失的原因是否属于保险人承保的保险事故。也就是说，损失结果的形成必须与危险事故的发生有直接必然的因果关系，保险人才负有赔偿责任。法律上用以判定较为复杂因果关系的案件时，通常采取近因原则。

注意

近因并不一定是时间上最接近损失的原因，而是对于损害结果发生具有支配力的原因。在造成损失的原因有两个以上且各个原因之间的因果关系尚未中断的场合，其最先发生并造成一连串事故的原因为近因。

23. 宝马车浸水导致损坏，保险公司如何理赔？

案例 23　杨某诉保险公司案

事情是这样的

1998 年 9 月 7 日，杨某与某保险公司签订了一份机动车辆保险单。保险单上载明投保标的物为一辆宝马轿车，车辆损失险保险价值为人民币 90 万元，保险期自 1998 年 9 月 12 日 0 时起至 1999 年 9 月 11 日 24 时止。保险公司按照承保险别，依照该保险单上载明的《机动车辆保险条款》、《机动车辆保险附加险条款》、《中保财产保险有限公司机动车辆保险特约条款》以及其他特别的约定，承担杨某投保车辆的保险责任。签约后杨某依约向保险公司支付了有关保费。1999 年 7 月 27 日凌晨，市区下了一场倾盆大雨，大多数道路有积水现象。同日上午 9 时，杨某准备开车上班，见停放在其住宅区通道的上述保险车辆轮胎一半被水淹，则上车点火启动，发动机发出发动声后死火，尔后则无法启动。杨某即将车辆拖至某修理厂，经检查认为系发动机故障。杨某考虑该修理厂设备不齐全，又将车拖至某汽车维修公司，经该公司检查认为故障原因系发动机进气系统入水，水吸进燃烧室，活塞运转与水不可压缩之后作用力导致连杆折断，缸体破损。杨某向保险公司报案后，因争议太大，保险公司没有赔偿损失，杨某遂诉至法院。该案在审理期间，经保险公司申请，法院委托市产品质量监督检验所对车辆受损原因进行鉴定。市产品质量监督检验所认为：1. 造成发动机缸体损坏的直接原因是由于进气口浸泡在水中或空气隔有余水，启动发动机，气缸吸入了水，导致连杆折断，从而打烂缸体。2. 事发时的可能：当天晚上下了大雨，该车停放的地方涨过水，使该车被雨水严重浸泡，进气管空气隔进水，当水退至车身地台以下，驾驶员启动汽车时，未先检查汽车进气管空气隔有无进水，使空气隔余水被吸入发动机气缸，造成连杆折断，缸体破损。杨某和保险公司对质监所的鉴定意见均无异议。

这起保险纠纷案在证据的采信和事实认定上均无异议，只是对保险公司应否赔偿车损有三种意见。

第一种意见认为，杨某在暴雨积水导致保险车辆遭受浸泡后，没有进行修理、清洗，而继续使用，导致发动机受损，属于操作不当，根据《机动车辆保险条款》第3条关于遭受保险责任范围内的损失后，未经必要修理继续使用，导致损失扩大部分保险人不负责赔偿的规定，保险公司对车辆发动机气缸被击穿的费用不予偿付，只需赔偿合理的清洗费用。

第二种意见认为，造成保险车辆发动机缸体损坏的原因是由于进气管空气隔有余水，启动发动机，气缸吸入了水，导致连杆折断，从而打烂缸体。而进气管空气隔有余水，则是由暴雨所造成。暴雨和启动发动机这两个危险事故先后出现，前因与后因之间不具有关联性，后因既不是前因的合理延续，也不是前因自然延长的结果，后因是完全独立于前因之外的一个原因。根据保险法的近因原则，启动发动机是直接导致保险车辆发动机缸体损坏的原因，故为发动机缸体损坏的近因。暴雨为发动机缸体损坏的远因。而启动发动机属除外风险，由启动发动机这一除外风险所致发动机缸体损坏的损失，保险人不负赔偿责任，保险公司只需赔偿因暴雨造成汽车浸水后进行清洗的费用。

第三种意见认为，杨某在车辆受浸部分低于车身地台的情况下，不可预见进气管空气隔进水，此时启动车辆属正常操作；另外，从危险事故与保险标的损失之间的因果关系来看，本案属于多种原因连续发生造成损失的情形，其中暴雨是前因，车辆进气管空气隔进水相对于暴雨是后因，而相对于启动发动机是前因，启动发动机是后因，正是由于暴雨的发生，才导致车辆进气管空气隔进水，才使启动发动机这一开动汽车必不可少的条件发生作用，导致发动机缸体损坏，根据保险法的近因原则，暴雨才是近因，因此保险公司应向杨某赔偿车辆的实际损失。

最后，法院同意第三种意见，判令保险公司赔偿杨某损失。

律师专线

认定本案保险公司应否承担赔偿责任的前提是必须搞清车损是否属于操作不当引起的。从本案的事实来看，杨某在启动汽车时，车辆受浸已低于车身地台，不可预见车辆进气管空气隔进水，启动车辆属正常操作。从双方签订的合同条款来看，我国的《保险法》第30条规定，对于保险合同的条款，保险人与投保人、被保险人或者受益人有争议时，人民法院或者仲裁机关应当作有利于被保险人和受益人的解释。根据上述规定，对车损是否属于操作不当引起，应作出有利于杨某的解释，即应将车辆发动机气缸被击穿解释为不属于保险标的"在遭受保险责任范围内的损失后，未经必要修理继续使用，导致损失扩大部分"。根据以上两点理由应认定车损非杨某操作不当引起。

认定保险公司应否承担赔偿责任的关键是搞清保险合同的近因原则。所谓近因原则是指：保险标的物的损失，只有当它的近因是合同约定的保险人应负保险责任的保险事故时，保险人才对损失负赔偿责任。这里的近因并非指时间上最接近损失的原因，而是指直接促成结果的原因，效果上有支配力或有效的原因。在多种原因连续发生所造成的损失中，如果后因是前因直接、必然的结果，或者后因是前因合理的连续，或者后因属于前因自然延长的结果，那么前因为近因。启动发动机是开动汽车的必要条件，即开动汽车不可避免要启动发动机。本案中虽然启动发动机是导致车损的重要原因，但它并不必然直接引起损失结果，如果没有暴雨的发生，则车辆进气管空气隔不会进水，此时启动发动机也不会有车辆损失结果的发生。既然暴雨使车辆进气管空气隔进水，那么启动发动机造成车辆气缸损坏成为必然。因此，车辆损失的近因是暴雨而不是启动发动机，虽然启动发动机不属于保险责任范围，且在其后发生，但是暴雨却属于保险责任范围，既然暴雨是造成车损的原因，保险公司理应赔偿发动机缸体损坏的损失。

法律规范

中华人民共和国保险法

（1995 年 6 月 30 日第八届全国人民代表大会常务委员会第十四次会议通过，2002 年 10 月 28 日第九届全国人民代表大会常务委员会第三十次会议修正，2009 年 2 月 28 日第十一届全国人民代表大会常务委员会第七次会议修订）

第二十二条　保险事故发生后，按照保险合同请求保险人赔偿或者给付保险金时，投保人、被保险人或者受益人应当向保险人提供其所能提供的与确认保险事故的性质、原因、损失程度等有关的证明和资料。

保险人按照合同的约定，认为有关的证明和资料不完整的，应当及时一次性通知投保人、被保险人或者受益人补充提供。

第二十三条　保险人收到被保险人或者受益人的赔偿或者给付保险金的请求后，应当及时作出核定；情形复杂的，应当在三十日内作出核定，但合同另有约定的除外。保险人应当将核定结果通知被保险人或者受益人；对属于保险责任的，在与被保险人或者受益人达成赔偿或者给付保险金的协议后十日内，履行赔偿或者给付保险金义务。保险合同对赔偿或者给付保险金的期限有约定的，保险人应当按照约定履行赔偿或者给付保险金义务。

保险人未及时履行前款规定义务的，除支付保险金外，应当赔偿被保险人或者受益人因此受到的损失。

任何单位和个人不得非法干预保险人履行赔偿或者给付保险金的义务，也不得限制被保险人或者受益人取得保险金的权利。

专家释惑

本案涉及的问题也是保险合同中的近因原则。

事故同损害结果之间的因果关系有几种情况：1. 单一原因造成的损失。这是一种常见的情况，容易处理。如果危险事故属于保险事故，则保险人自然应该赔偿，反之则拒赔。2. 多种原因造成损失。危险事故造成的损失，有时候可能是由于一个以上的原因造成，而且这些原因都同保险标的的损失有某种直接关系，对损害结果的出现有实质性的影响。它又可以分为三种情况：(1) 多种原因同时发生。如果同时发生的原因都是保险事故，保险人应该赔偿所有损失。如果同时发生的多种原因中有保险事故，又有保险人的除外责任事项，则保险人的责任要根据损失是否可以划分来决定。能划分开的，保险人仅承保保险事故所致的损失；如果无法划分，则保险人可以同被保险人协商赔偿。(2) 多种原因连续发生。两个以上的原因连续发生造成损失，一般以最近的、最有效的原因为主因。保险人是否承担赔偿责任取决于主因是否属于保险危险。所谓近因是指一种直接促成结果发生、主动而有效的原因。从一连串的危险事故开始，到产生损害结果止，没有其他任何一个新产生的、独立的、主动的原因介入。它并非指时间上最接近损失的原因，而是指效果上最近的原因。近因原则是保险合同的重要原则之一，世界各国的保险立法基本上都将此原则规定下来。但是，近因原则在我国保险实践中仍然是一条基本原则。(3) 多种原因间断发生。造成损失的危险事故先后出现，但前因与后因之间不相关联，即后发生的危险完全独立，不是前因的合理连续，也不是前因自然延长的结果。这种情况的处理原则同与单一原因造成的损失处理原则相同。保险人的责任取决于各个事故是否属于保险事故。

24. 保险公司怠于定损，视为默认赔偿吗？

案例 24　某交通运输公司诉保险公司案

事情是这样的

某交通运输公司与某保险公司于2007年1月5日签订了机动车保险合同一份。合同约定：投保人、被保险人为某交通运输公司，车辆损失险金额为11万元，第三者责任险金额为20万元，保险期间自2007年1月6日0时起至2008年1月5日24时止。

2007年2月27日，交通运输公司司机汪某驾驶被保险车辆经过山东省某收费站时，发生交通事故，撞坏收费亭，车辆亦受损。事故发生后，汪某及时通知了保险公司，保险公司委托其当地下属机构派人到现场拍了一组事故现场照片，但未与受害方山东省某路政科（某收费站的管理部门）就定损事宜进行交涉。

3月3日，保险公司人员及自行委托的某市职工科技服务中心（无公估机构性质）专家到现场实地查勘，当天估价出的路产损失为2万元，但未就此向原告方出具正式的《定损通知书》，当天也未就此问题与受害方某路政科进行交涉。

3月5日，受害方某路政科向交通运输公司出具的《公路赔（补）偿通知书》里所写的路产损坏金额为50 525元。同日，经当地公安局交通警察支队《事故认定书》确认，该交通运输公司负事故全部责任，《事故认定书》责任及调解结果一栏显示，“交通运输公司本人要求使用简易程序处理，交通运输公司承担自己的修车费用、清障费（凭有效发票）及路损50 525元，其他费用自负”。但当事人签名处只有交通运输公司一人签名，受害方某路政科并未签字。

3月7日，保险公司得知某路政科作出《公路赔（补）偿通知书》后，又派员再次到现场，但仍未就此问题与受害方某路政科协商定损或通过与受害方共同委托鉴定的方式定损，也未委托具有资质的公估机构进行定损，未向交通运输公司出具索赔须知。

3 月 15 日，交通运输公司在其营运车辆被扣 17 天，定损问题未及时解决的情况下，按某路政科出具的《公路赔（补）偿通知书》的要求，支付了赔偿款 50 525 元及清障费 893 元后，才取回被扣事故车辆。交通运输公司为维修被保险车辆支付了车辆修理费 2 900 元。交通运输公司在支付上述费用后，多次向保险公司索赔无果，遂诉到法院，请求判令被告支付上述费用。

法院经审理认为，交通运输公司与保险公司签订的保险合同合法有效。交通运输公司司机驾驶被保险车辆发生交通事故产生的路产损失和车辆损失属于保险公司承保的第三者责任险和车损险，保险公司应当在保险合同约定的限额内承担理赔责任。因此，法院支持了交通运输公司的全部请求。

交通运输公司在事故发生后及时履行了合同约定的通知义务，保险公司接到报险通知后即负有及时核定损失和及时向被保险人提供索赔须知的义务。但保险公司在签订保险合同之时及事故发生之后均未向被保险人提供明确的书面索赔须知，且保险公司虽 3 次派员到达事故现场，在与受害方协商定损未果后，也未及时委托有资质的公估机构定损或通过与受害方共同委托鉴定的方式定损。保险公司怠于履行核损定价义务的行为，应视为其默认交通运输公司向受害方支付的赔偿金额。

法院进一步认为，虽然《公路赔（补）偿通知书》和《事故认定书》中关于路产损失金额的认定存在瑕疵，但交通运输公司作为营运单位，其运输车辆在外省被扣 17 天，人员长期滞留当地，营运损失不断扩大，而保险公司怠于履行其定损义务，亦未给予明确的书面索赔须知的情况下，按《公路赔（补）偿通知书》数额进行赔偿的行为系合法之减损自助行为。至于保险公司提出的交通运输公司向受害方赔偿损失过高以及其中包括行政处罚等问题，因保险公司未及时履行其核损定价的义务，上述问题已经不能成为被告保险公司在本案中的抗辩理由。因此，交通运输公司所支付的赔偿款项系被保险人因保险事故的发生所遭受的实际损失，保险公司应当按原告实际支出进行理赔。

律师专线

本案中，保险车辆所发事故属于交通运输公司所投保险的承保范围，其车辆损失和因对第三者民事赔偿而造成的损失理应属于保险公司的理赔范围。

事故发生后，保险公司未向原告方出具正式的《定损通知书》，也未出具索赔须知，对被保险人的索赔请求未予处理。显然，保险公司违反了理赔义务。

我国《保险法》第23条规定，保险人收到被保险人或者受益人的赔偿或者给付保险金的请求后，应当及时作出核定，并将核定结果通知被保险人或者受益人；对属于保险责任的，在与被保险人或者受益人达成有关赔偿或者给付保险金额的协议后10日内，履行赔偿或者给付保险金义务。保险合同对保险金额及赔偿或者给付期限有约定的，保险人应当依照保险合同的约定，履行赔偿或者给付保险金义务。保险人未及时履行前款规定义务的，除支付保险金外，应当赔偿被保险人或者受益人因此受到的损失。保险公司违反合同义务，依法要承担相应的违约责任。交通运输公司的全部实际损失应由违约方保险公司承担。

法律规范

中华人民共和国保险法

（1995年6月30日第八届全国人民代表大会常务委员会第十四次会议通过，2002年10月28日第九届全国人民代表大会常务委员会第三十次会议修正，2009年2月28日第十一届全国人民代表大会常务委员会第七次会议修订）

第二十二条　保险事故发生后，按照保险合同请求保险人赔偿或者给付保险金时，投保人、被保险人或者受益人应当向保险人提供其所能提供的与确认保险事故的性质、原因、损失程度等有关的证明和资料。

保险人按照合同的约定，认为有关的证明和资料不完整的，应当及时一次性通知投保人、被保险人或者受益人补充提供。

第二十三条　保险人收到被保险人或者受益人的赔偿或者给付保险金的请求后，应当及时作出核定；情形复杂的，应当在三十日内作出核定，但合同另有约定的除外。保险人应当将核定结果通知被保险人或者受益人；对属于保险责任的，在与被保险人或者受益人达成赔偿或者给付保险金的协议后十日内，履行赔偿或者给付保险金义务。保险合同对赔偿或者给付保险金的期限有约定的，保险人应当按照约定履行赔偿或者给付保险金义务。

保险人未及时履行前款规定义务的，除支付保险金外，应当赔偿被保险人或者受益人因此受到的损失。

任何单位和个人不得非法干预保险人履行赔偿或者给付保险金的义务，也不得限制被保险人或者受益人取得保险金的权利。

专家释惑

汽车理赔的基本流程包含报案、查勘定损、签收审核索赔单证、理算复核、审批、赔付结案等步骤，保险公司应当依法履行其义务。具体流程如下：

1. 报案，通常应在半个工作日内完成

（1）出险后，客户向保险公司理赔部门报案；

（2）内勤接报案后，要求客户将出险情况立即填写《业务出险登记表》；

（3）内勤根据客户提供的保险凭证或保险单号立即查阅保单副本并抄单以及复印保单、保单副本和附表。查阅保费收费情况并由财务人员在保费收据（业务及统计联）复印件上确认签章（特约付款须附上协议书或约定）；

（4）确认保险标的在保险有效期限内或出险前特约交费，要求客户填写《出险立案查询表》，予以立案，并按报案顺序编写立案号；

（5）发放索赔单证。经立案后向被保险人发放有关索赔单证，并告知索赔手续和方法（电话、传真等报案，由检验人员负责）；

（6）通知检验人员，报告损失情况及出险地点。

2. 查勘定损

（1）检验人员在接保险公司内勤通知后 1 个工作日内完成现场查勘和检验工作（受损标的在外地的检验，可委托当地保险公司在 3 个工作日内完成）；

(2) 要求客户提供有关单证；

(3) 指导客户填列有关索赔单证。

3. 签收审核索赔单证

(1) 营业部、各保险支公司内勤人员审核客户交来的赔案索赔单证，对手续不完备的向客户说明需补交的单证后退回客户，对单证齐全的赔案应在《出险报告（索赔）书》（一式二联）上签收后，将黄色联交还被保险人；

(2) 将索赔单证及备存的资料整理后，交产险部核赔科。

4. 理算复核

(1) 核赔科经办人接到内勤交来的资料后审核，单证手续齐全的在交接本上签收；

(2) 所有赔案必须在3个工作日内理算完毕，交核赔科负责人复核。

5. 审批

(1) 产险部权限内的赔案交主管理赔的经理审批；

(2) 超产险部权限的逐级上报。

6. 赔付结案

(1) 核赔科经办人将已完成审批手续的赔案编号，将赔款收据和计算书交财务划款；

(2) 财务对赔付确认后，除赔款收据和计算书红色联外，其余取回。

25. 因患精神病自杀，保险公司赔偿吗？

案例25　王某自杀案

事情是这样的

王某于2004年10月向某保险公司投保了一份生死两全保险，被保险人为本人，受益人为其妻李某。2005年1月，王某经医院诊断为突发性精神分裂症。治疗期间，王某病情进一步恶化，终日意识模糊，狂躁不止，最终自杀身亡。事发之后，妻子李某以保险合同中列明“被保险人因疾病而身故，保险人给付死亡保险金”为由向保险公司提出给付死亡保险金的索赔要求，而保险公司则依据《保险法》第44条的规定，以死者系自杀身亡，且自杀行为发生在订立合同之后的两年之内为由，拒绝了李某的索赔要求，只同意退还保险单的现金价值。王某之妻李某十分疑惑，遂向专家咨询。

律师专线

本案中，保险公司应当向王某之妻李某支付死亡保险金。在本案的情况下，被保险人死亡，受益人是李某，在没有特殊情况下，保险人应向受益人支付死亡保险金。问题就是，被保险人王某的死，是自杀，还是因为疾病。按照《保险法》的规定，以死亡为给付保险金条件的合同，被保险人自杀的，除非自杀行为发生在订立合同的两年之后，保险人不承担给付保险金的责任，只是对投保人已支付的保险费，保险人应按照保险单退还其现金价值。保险公司就是以此为理由，拒绝向李某支付死亡保险金的。但李某则认为，王某的死亡是因为其患有的精神分裂症。王某所患的这种精神分裂症比较特殊，患者极易产生臆想，导致自残行为。由此可以判断，突发性精神分裂症才是持续起决定作用的、有效的原因，即近因。因此，本案中保险公司应当承担给付死亡保险金的义务。

法律规范

中华人民共和国保险法

（1995年6月30日第八届全国人民代表大会常务委员会第十四次会议通过，2002年10月28日第九届全国人民代表大会常务委员会第三十次会议修正，2009年2月28日第十一届全国人民代表大会常务委员会第七次会议修订）

第四十四条　以被保险人死亡为给付保险金条件的合同，自合同成立或者合同效力恢复之日起二年内，被保险人自杀的，保险人不承担给付保险金的责任，但被保险人自杀时为无民事行为能力人的除外。

保险人依照前款规定不承担给付保险金责任的，应当按照合同约定退还保险单的现金价值。

专家释惑

本案涉及保险法中的一个重要原则——近因原则。近因原则含义是：只有在导致保险事故的近因属于保险责任范围内时，保险人才应承担保险责任。也就是说，保险人承担赔偿责任的范围应限于以承保风险为近因造成的损失。我国现行《保险法》虽未直接规定近因原则，但在司法实践中，近因原则已成为判断保险人是否应承担保险责任的一个重要标准。对于单一原因造成的损失，单一原因即为近因；对于多种原因造成的损失，持续地起决定或有效作用的原因为近因。如果该近因属于保险责任范围内，保险人就应当承担保险责任。本案王某的死亡与两个原因有关，突发性精神分裂症和自杀行为。从案件事实上看，突发性精神分裂症才是持续起决定作用的、有效的原因，即近因。因此，本案中保险公司应当承担给付死亡保险金的义务。

《保险法》第 44 条的规定主要是为了预防人身保险中有可能出现的道德风险，防止一些保险诈骗分子为骗取保险金而故意实施自杀行为。只有当被保险人在意识清楚的情形下，明知或应当知道自己的死亡可能导致保险人给付保险金而实施自杀行为的，才属于本条规制的范围。但王某生前从未有轻生之念，完全是因为患病后意识模糊不能自控而自杀，本意上并非利用保险骗取保险金，不属于道德风险之列。

26. 医院职工因手术事故受损，保险公司也赔吗？

案例 26　朝阳医院索赔案

事情是这样的

某保险公司承保了该市朝阳医院的医疗责任险项目。2003 年 3 月

31 日，该院职工（护士）余某在该院做剖腹产手术。2004 年 6 月，余某感到腹部不适，遂到该市人民医院检查，发现腹腔内留有一块纱布。为此，余某向朝阳医院索赔 38 804 元，被保险人朝阳医院即向承保公司提出了索赔请求。在保险公司内部，理赔人员对余某身份的认识发生了分歧。归纳而言，主要有以下两种：

第一种观点认为，余某是“雇员”，该医疗事故并不构成保险责任。虽然从形式上看，余某是以病员身份到朝阳医院就医的，但由于其同时为该院护士，具有特殊的身份，极有可能存在与被保险医院联手欺诈的道德风险。在意外伤害保险实践中，曾经发生过医院雇员集体投保后，与所在单位的医院合谋欺诈的案例。另外，该保险公司医疗责任保险条款第 6 条约定：保险人不负责赔偿被保险人的医务人员或其代表的人身伤亡所造成的损失和费用。尽管此时余某既是医院的“雇员”，又是医院的“病员”，但条款没有对这种特殊情况作出约定，属于条款的漏洞。此时应严格地按照条款的文义作出解释，认定余某属于“雇员”，因此其人身伤亡所造成的损失和费用不能构成保险责任。

第二种观点认为，余某属于“病员”，该案构成保险责任。虽然余某是本医院的雇员，但其以病员的身份到该医院就医，在履行了正常的挂号、交费等手续后发生了医疗事故，并不存在欺诈现象。

承保保险公司最终也支持了第二种观点：在朝阳医院医疗责任险赔案中，被保险医院职工以病人身份在接受医院治疗过程中受到人身伤害，属于保险责任。但在理赔过程中，应详细审查受害人住院手续及资料是否完整并符合规定，防止保险欺诈现象。

律师专线

只要医院雇员履行了必要的就医手续，双方之间便产生了医患关系，即使余某同时也是医院的雇员，作为病员在接受手术中受损就应该得到赔偿。至于可能诱发的道德风险，保险公司完全可以通过及时的现场查勘等途径来识别。保险公司不能以“雇员”与“病员”身份重合可能诱发道德风险为由拒赔。

法律规范

中华人民共和国保险法

（1995年6月30日第八届全国人民代表大会常务委员会第十四次会议通过，2002年10月28日第九届全国人民代表大会常务委员会第三十次会议修正，2009年2月28日第十一届全国人民代表大会常务委员会第七次会议修订）

第三十条 采用保险人提供的格式条款订立的保险合同，保险人与投保人、被保险人或者受益人对合同条款有争议的，应当按照通常理解予以解释。对合同条款有两种以上解释的，人民法院或者仲裁机构应当作出有利于被保险人和受益人的解释。

中华人民共和国合同法

（1999年3月15日第九届全国人民代表大会第二次会议通过）

第一百二十五条 当事人对合同条款的理解有争议的，应当按照合同所使用的词句、合同的有关条款、合同的目的、交易习惯以及诚实信用原则，确定该条款的真实意思。

合同文本采用两种以上文字订立并约定具有同等效力的，对各文本使用的词句推定具有相同含义。各文本使用的词句不一致的，应当根据合同的目的予以解释。

专家释惑

对保险条款的解释究竟应该按照什么原则进行，是严格的文义解释，还是目的性扩张解释。根据保险条款订立的目的，本案相关条款应适用扩张解释。余某属于病员，其构成医疗责任险条款中的"第三人"概念。

27. 汽车被火烧毁，保险公司被判赔偿

案例27 张某与保险公司纠纷案

事情是这样的

2006年7月18日，张某曾为其长安牌8座非营业客车向某保险公

司投了保。根据保险公司签发的机动车辆保险单，险种为车辆损失险、第三者责任险、司机座位责任险、前排乘客座位责任险，保险期限自2006年8月1日0时起至2007年7月31日24时止，其中车辆损失险的保险金额为5.5万元。

保险单后所附《机动车辆保险条款》(2006版) 载明：在保险期间内，被保险人或其允许的合格驾驶人在使用保险车辆过程中，因碰撞、倾覆、火灾、爆炸原因造成保险车辆的损失，保险人负责赔偿；因自燃及不明原因火灾造成的损失，保险人不负责赔偿。同时规定，新车购置价是指本保险合同签订地购置与保险车辆同类型新车的价格；实际价值是指同类型车辆市场新车购置价减去该车已使用期限折旧金额后的价格；9座（含9座）以下非营运载客汽车（包括轿车、含越野型）的月折旧率为6%。

2006年8月13日下午2点多，烈日当空，正是夏日酷暑时，陶某驾驶着老板张某的长安牌小客车来到某生化公司，发现公司内道路上到处都晾晒着麦秆草，找不到一处空地停车，他只得小心地将车停放在一车间门前的一堆麦秆草上。然后，他像往常一样，锁好车，到车间里办事去了。

短短几分钟后，突然有人高喊：“失火了，失火了，快来救火啊!”车间内的人们一窝蜂地往外冲，陶某也跟着人群快步走出车间。眼前的景象让他惊愕了：正是他驶来的那辆汽车冒着浓浓黑烟，车厢里蹿着火苗，并不断发出噼里啪啦的爆炸声。车下的麦秆草还在旺烧，旁边堆放着干燥的棉花秆，仅靠几人浇水灭火已难以控制火势。

陶某立即拨打报警电话，并向老板张某报告了情况。附近闻声的村民、当地公安派出所的民警、海安县公安消防中队官兵都来了。尽管大家全力扑救，但车还是没能保住，被大火全部烧毁。

事后查明，事故当日天气晴朗，最高气温36.4度，地面最高温度58.5度。同年9月12日，消防部门作出认定：事故原因系干燥的麦秆草碰上高温灼热的排气管所引起。海安县公安局大公派出所、海安县公安局消防大队加盖公章确认情况属实。

莫名的一场火烧毁了整车，身为车主和老板的张某很是心疼，而驾驶员陶某没有过错，所幸的是车在出事前投过保险。当她向投保的保险公司索赔时，却遭到了对方的拒绝。此后多次协调，但双方就理赔问题一直未能达成一致意见，于是，张某将保险公司告上法庭。

张某诉称：2006年7月18日，其为自己的长安小客车向被告某保险公司投保了车辆损失险，保险期限为2年，交纳保险费后，保险公司出具了机动车辆保险单。同年8月13日，该车发生火灾，整车全部烧毁。原告曾积极组织扑救，公安、消防部门到场施救，并进行调查，被告亦派员到现场勘查。要求被告赔偿车辆损失5.5万元、退还保险费1 696元，双方解除车辆保险合同。

被告保险公司则辩称：原告车辆发生火灾的原因不明，不属于保险合同中约定的承担保险责任范围。即使火灾引起的原因符合保险合同的约定，被告也只应按照合同约定的新车购置价计提折旧后的实际价值予以理赔。

法院经审理后认为，原告张某就其车辆向被告某保险公司提出投保，被告签发了保险单，保险合同即成立，被告应按照合同的约定承担保险责任。在本案中，原告的车辆起火由于外来火源引起，属于保险合同中约定的承担保险责任的情形，被告应依法承担相应的保险赔偿责任。

《中华人民共和国保险法》规定，保险人只应对被保险人在发生事故时遭受的实际损失负责赔偿，对于保险合同的条款有争议的，应当作出有利于被保险人和受益人的解释。本案中，车辆已全部毁损，无法进行现有实际价值的评估。双方对《机动车辆保险条款》中新车购置价是指当初购买时的价格还是出险时的价格存在争议，应作出有利于原告的解释，以保险车辆当初购买的价格扣除折旧后来确定车辆的实际价值，即以原告于2002年7月1日购买车辆的价格64 800元作为实际价值的折算依据，并按约定的折旧率计提后得出赔偿金额较为公平、合理。

对于原告张某要求解除保险合同的诉讼请求，被告某保险公司表示同意，法院予以准许。合同解除后，被告应按合同的约定，在扣除手续费后退回原告其余的保险费。法院遂依法作出前述判决。

律师专线

本案的核心问题是张某的汽车被烧毁，是不是属于保险公司所应承担保险责任范围。按照张某与保险公司签订的保险合同，在保险期间内，被保险人或其允许的合格驾驶人在使用保险车辆过程中，因碰撞、倾覆、火灾、爆炸原因造成保险车辆的损失，保险人负责赔偿；因自燃及不明原因火灾造成的损失，保险人不负责赔偿。根据消防部门作出的认定，事故原因系干燥的麦秆草碰上高温灼热的排气管所引起的，而非不明原因的火灾或自燃造成的。因此，该事故不属于保险公司免责的范围，保险公司应该赔偿。

而关于赔偿数额，又出现了一个关于“新车购置价”的理解问题，购买时的价格和出险时的价格是有差异的，按照不同的理解，赔偿的数额也是不同的。根据疑义解释原则，法院作出了有利于张某的解释，也就是按照保险车辆当初购买的价格扣除折旧后来确定车辆的实际价值。

法律规范

中华人民共和国保险法

（1995年6月30日第八届全国人民代表大会常务委员会第十四次会议通过，2002年10月28日第九届全国人民代表大会常务委员会第三十次会议修正，2009年2月28日第十一届全国人民代表大会常务委员会第七次会议修订）

第三十条　采用保险人提供的格式条款订立的保险合同，保险人与投保人、被保险人或者受益人对合同条款有争议的，应当按照通常理解予以解释。对合同条款有两种以上解释的，人民法院或者仲裁机构应当作出有利于被保险人和受益人的解释。

中华人民共和国合同法

（1999年3月15日第九届全国人民代表大会第二次会议通过）

第一百二十五条　当事人对合同条款的理解有争议的，应当按照合同所使用的词句、合同的有关条款、合同的目的、交易习惯以及诚实信用原则，确定该条款的真实意思。

合同文本采用两种以上文字订立并约定具有同等效力的，对各文本使用的词句推定具有相同含义。各文本使用的词句不一致的，应当根据合同的目的予以解释。

专家释惑

本案的处理中仍然涉及疑义解释的原则，由于保险合同是一种格式合同，所以当保险人与投保人、被保险人或者受益人对保险合同条款的解释有争议时，应采取有利于被保险人和受益人的解释，这种解释规则也明确地规定在我国《保险法》第30条中。

28. 车厢侧翻不属于保险责任中的“倾覆”吗?

案例28　运输公司诉保险公司案

事情是这样的

2007年8月12日，某运输公司就其所有的车辆向保险公司投保了营业用汽车保险，保险期限为2007年8月13日至2008年8月12日，险种和限额为车损险35万元、第三者责任险50万元、车上人员责任险(驾驶员以及乘客)均为1万元。投保同时向保险公司支付了保险费。保单特别约定中约定：“车斗未放平导致的车辆损失及第三者人身伤害或财产损失，保险人不予赔付。”

2008年1月30日，田某驾驶保险标的车在作业过程中，发生车辆侧翻，造成车辆损失10万余元。后经交警简易程序事故认定为田某驾车因操作不当致车辆侧翻，造成车辆损坏的单方交通事故。认定田某未确保安全行驶，承担事故的全部责任。运输公司对车辆进行修理后向保险公司提出索赔申请，保险公司从事故查勘照片中反映出该事故车的车轮未离地，仅为车厢侧翻，不属于保险责任中的“倾覆”，因此进行拒赔。被保险人不服拒赔，向法院提起诉讼。

保险公司在诉讼中的答辩称：从照片中反映出车辆发生事故后只有车厢触地，四只车轮均未离地。根据保险条款的规定，倾覆为“意外事故导致被保险机动车翻倒（两轮以上离地、车体触地)，处于失去正常状态和行驶能力、不经施救不能恢复行驶的状态”。其中，对翻倒的定义为“两轮以上离地、车体触地”，而保险标的车发生事故后车轮均未离地，所以不属于倾覆的范围，保险公司拒赔符合法律规定和合同约定。

经过开庭审理，原告对保险公司的答辩意见提出不同意见，认为保险条款中对倾覆的解释仅为保险公司一方作出，且车厢即为车体，两轮离地、车体触地间为顿号，应为并列关系，符合一项即可。根据《保险法》的规定，被保险人对保险条款产生异议的，应作出对被保险人有利的解释，所以，发生事故造成的损失应该属于保险赔偿范围。

法院最终采纳了原告的意见，判决保险公司败诉。

律师专线

本案的争议焦点在于如何理解“倾覆”，该次事故是否属于保险赔偿范围。保险公司败诉的原因在于保险条款中对“倾覆”的定义不够明确。对“翻倒”的定义使用顿号产生了歧义，是否必须两个条件同时具备不够明确。保险条款作为格式条款，依照公平原则应由出具条款的一方承担严格责任，对于免除自己一方责任及加重对方责任的条款，根据我国合同法的规定应为无效条款；对格式条款有两种以上解释的，应当作出不利于提供格式条款的一方的解释。所以，条款的明确与否直接影响到案件审判的结果。

法律规范

中华人民共和国保险法

（1995 年 6 月 30 日第八届全国人民代表大会常务委员会第十四次会议通过，2002 年 10 月 28 日第九届全国人民代表大会常务委员会第三十次会议修正，2009 年 2 月 28 日第十一届全国人民代表大会常务委员会第七次会议修订）

第三十条　采用保险人提供的格式条款订立的保险合同，保险人与投保人、

被保险人或者受益人对合同条款有争议的，应当按照通常理解予以解释。对合同条款有两种以上解释的，人民法院或者仲裁机构应当作出有利于被保险人和受益人的解释。

中华人民共和国合同法

（1999 年 3 月 15 日第九届全国人民代表大会第二次会议通过）

第一百二十五条　当事人对合同条款的理解有争议的，应当按照合同所使用的词句、合同的有关条款、合同的目的、交易习惯以及诚实信用原则，确定该条款的真实意思。

合同文本采用两种以上文字订立并约定具有同等效力的，对各文本使用的词句推定具有相同含义。各文本使用的词句不一致的，应当根据合同的目的予以解释。

专家释惑

本案涉及的问题仍然在于当保险条款约定不明确，投保人与保险人对保险条款的理解产生差异时如何理解。正如前几个案例一样，保险条款作为格式条款，合同法、保险法都规定了疑义解释原则，即在此等情况下，应作出不利于拟订格式合同一方的解释。

29. 保险事故发生后何时通知保险公司？

案例 29　穆先生诉中国人民保险公司某支公司案

事情是这样的

2004 年 9 月，穆先生出资 15.9 万元购买了一辆桑塔纳 2000 型轿车。2007 年 8 月 28 日，穆先生来到某保险公司为该车办理了车辆损失险、第三者责任险及附加险中的全车盗抢险，同时交纳了保险费5 133.6 元，约定全车盗抢险的保险金额（赔偿限额）为11.9万元。后来，穆先生将该车交给了他的一个亲属杨某使用。没想到，同年的 9 月 21 日，该车丢失。惊出一身冷汗的杨某当即跑到当地派出所报案，并于 5 日后向某保险支公司报了案。保险公司当天即派人到车辆丢失地点进行了拍照和勘验，履行了出险手续。最后双方因投保人的未及时告知行为是否导致拒赔问题争得不可开交。穆先生一气之下将保险公司起诉到法院。审理中，某保险公司强调穆先生的行为违反了双方所签订的保险条件中的“被保险人得知或应当得知保险车辆被盗窃、被抢劫或被抢夺后，应在24小时内向当地公安部门报案，同时在48小时内通知保险人，并登报声明”。经法院查明：双方签订的合同条款中并未对被保险人未完成履行该义务如何处罚作出相关规定。

对此，法院认为：穆先生就其购买的桑塔纳轿车向某保险支公司进行了投保，并交纳了保险费，签订了书面合同。该合同合法有效，双方均应依照履行。上述投保车丢失当天，车辆使用人已及时向当地公安机关报案，虽因未在48小时内向某保险支公司报案并登记，以致未能完整、全部地履行保险合同中的有关规定，但因上述保险合同条款未将被保险人不完整地履行约定义务即可免除保险公司的赔偿责任予以规定，故某保险支公司以此为由拒绝履行赔付义务，没有依据。穆先生作为投保车辆的所有人，在履行了交纳保险费的义务后，理应享有主张赔偿的权利。法院判决保险公司赔偿原告——投保人穆先生投保车辆的损失9.5万余元。

律师专线

我国《保险法》第21条规定，投保人、被保险人或者受益人知道保险事故发生后，应当及时通知保险人。但是，立法对何谓“及时通知”并没有明确规定，因此当事人可以对此约定。该案中，保险合同约定当事人应该在48小时内通知。对于未按约履行通知义务的，保险人能否免除承担保险责任，则取决于法律的规定或当事人的约定。本案中，当事人并没有约定违反及时通知义务将会导致什么后果，因此不能理解为保险公司可以拒绝赔偿。法院的判决是合理的。

注意

我国《保险法》并没有直接规定未及时履行通知义务将会导致何种结果，因此要看当事人的约定。

法律规范

中华人民共和国保险法

（1995年6月30日第八届全国人民代表大会常务委员会第十四次会议通过，2002年10月28日第九届全国人民代表大会常务委员会第三十次会议修正，2009年2月28日第十一届全国人民代表大会常务委员会第七次会议修订）

第二十一条　投保人、被保险人或者受益人知道保险事故发生后，应当及时通知保险人。故意或者因重大过失未及时通知，致使保险事故的性质、原因、损失程度等难以确定的，保险人对无法确定的部分，不承担赔偿或者给付保险金的责任，但保险人通过其他途径已经及时知道或者应当及时知道保险事故发生的除外。

专家释惑

本案涉及保险事故发生后，投保人、被保险人或受益人的及时通知义务。

保险合同为诚信合同，投保人、被保险人或者受益人对保险标的危险有直接的了解，在发生保险事故时，及时通知保险人，有利于保险人及时勘查现场、确定损害发生的原因和程度以决定是否向被保险人给付保险金。保险标的发生任何形式的保险事故，投保人、被保险人或者受益人应当及时或在保险合同规定的期间内通知保险人。我国《保险法》第21条也明确规定及时通知保险人的义务。但是对什么情形下的通知才算及时，需要依具体情况判断。一般而言，如果法律对保险事故的通知规定有期限的，投保人、被保险人或者受益人知道保险事故发生后，应当在法定期限内通知保险人。对于保险事故的通知，法律没有规定而保险合同规定有通知期限的，投保人、被保险人或者受益人在知道保险事故发生后，应当在约定的期限内通知保险人。对于法律和保险合同都没有规定通知期限的，投保人、被保险人或者受益人应当在合理期限内通知保险人。在发生保险事故后，投保人、被保险人或者受益人中的任何一个人通知保险人的，其他人的保险事故通知义务即告免除。保险事故的通知义务的履行，可以通过投保人、被保险人或者受益人的代理人为之。

保险事故的通知义务不必以书面通知为限，除非保险合同对通知方式有特别规定，投保人、被保险人或者受益人可以以口头、书面等形式通知。

提醒

在发生保险事故后，投保人、被保险人或者受益人没有及时通知保险人的，保险人能否免于承担保险责任，主要取决于法律的规定。对违反及时通知义务，我国《保险法》并没有规定。发生保险事故，保险人是否应承担责任，则取决于保险合同的约定。除非保险合同相关条款明确约定，违反及时通知义务即可免除保险人的保险责任，否则保险人不得以违反及时通知义务为由而拒绝承担责任。最后，保险合同为格式合同，极少反映投保人、被保险人的利益，对于约定违反及时通知义务则免除保险责任的规定，应该做严格限制。只有因为投保人、被保险人或者受益人违反及时通知义务，导致保险人不能查明保险事故发生的原因而难以确定保险责任的，保险人才可以不承担保险责任。

30. 被保险人是否有减灾防损的义务？

案例30 某市汽车运输五厂诉保险公司案

事情是这样的

1998年，某市人民法院审判了一起机动车辆保险案。原告为该市汽车运输五厂，被告为该市某保险公司。在审理过程中，原告诉称“我方已于1996年1月12日与被告签订机动车辆保险合同，合同规定我方为被保险人，我方投保东风牌自卸汽车12部，险种为车辆损失险和第三者责任险，保险金额限额为 4.8 万元和 5 万元，保险期为 1996 年 1 月 12 日至 1997 年 1 月 12 日，合同签订后，我方依约支付保险费。1996 年 5 月 4 日，投保车辆中的东风汽车牌自卸车由我方司机驾驶，在行至河西区宾西路口时，与行驶的摩托车发生相撞，此事故我方司机负主要责任。事故发生后，我方即告知被告并提出索赔申请。我方为处理事故，花费达 66 176 元，但被告言而无信，开始同意赔偿 48 000 元，在我方证件齐全后，又于 1998 年 2 月以车辆不合格为由提出拒赔。我方依约交付保费，却不能享受权利，请求法院判令被告赔偿我方损失 48 500 元”。被告辩称“原告请求证据不足，原告方人员驾驶的出事车辆虽经投保，但为制动和灯光不合格车辆，原告未尽被保险人之义务，我方行使拒赔之权利并无过错，请求驳回原告之诉讼请求”。

法院经审理查明，1996 年 1 月 12 日，某汽车运输公司与某保险公司签订机动车辆保险合同，合同规定，原告为被告保险人，原告投保自有的 12 部东风牌自卸汽车，险种为车辆损失险，保险金额 4.8 万元；第三者责任险，保险金额 5 万元；保险期限为 1996 年 1 月 12 日至 1997 年 1 月 12 日，该合同中机动车辆保险条款第 16 条规定“被保险人应当做好保险车辆的维护保养工作，使保险车辆保持正常技术状态”。合同签订后，原告依约向被告支付了保险费。1996 年 5 月 4 日，原告之司机驾驶已经 1996 年度总检合格的原告所有的东风牌自卸汽车，与第三方发生交通事故。事故发生后，原告方即时将事故情况通知被告，并于 1996 年 5 月 6 日提出索赔申请。该肇事汽车被公安局交通警察扣留，1996 年 5 月 27 日，该车经市机动车检测线检测，结论为制动和灯光不合格。1997 年 1 月，该市公安交通警察以道路交通事故责任认定书的形式认定，原告司机驾驶制动和灯光不合格的东风牌大货车，遇情况采取措施不当，驶入逆道造成事故，负事故主要责任。原告及其司机在规定期限内未对该责任认定书提出异议，此认定书即发生法律效力；原告为处理该事故善后事宜，支付各项赔偿费和经济损失费用合计 66 176 元，

1997年9月，原告向被告提出支付保险赔偿费48 000元之申请。1998年2月，被告通知原告，因其司机驾驶制动和灯光不合格车辆发生事故，未尽被保险人义务，予以拒赔。

原告所述1996年5月4日夜间，原告司机驾驶的东风牌自卸汽车系制动和灯光合格车辆一节。因原告提供之证据不足，法院未予认定。

法院认为，原告与被告签订的机动车辆保险合同确系双方真实表示，且无违法之处，应为有效合同，在该合同实际履行中，原告作为被保险人虽已经履行支付保险费之义务，但原告并未使其投保之车辆保持正常的技术状态，致使原告方司机驾驶制动和灯光不合格的东风牌自卸汽车行驶中与他人所驾驶之摩托车发生相撞事故，对公安交通管理部门认定其负有主要责任未提出异议，已予以认可，故原告未尽被保险人应尽义务之过错应予确认，被告依此拒赔，要求免除赔偿责任的请求，并无不当，应予支持。原告所述其司机驾驶的东风牌自卸汽车发生事故时，制动和灯光合格而要求被告履行赔付义务一节，因原告所提供之证据不足，其赔偿请求，法院不予支持。

最后，法院判决驳回原告要求被告赔偿保险金48 500元之诉讼请求。

律师专线

为了避免投保人投保之后，被保险人不主动防损防灾，从而出现道德危险，保险人一般在订立保险合同之后，要求被保险人履行一定的减灾防损义务。根据合同的约定，保险人可以对保险标的的安全状况进行检查，及时向投保人、被保险人提出消除不安全因素和隐患的书面建议。投保人、被保险人未按照约定履行其对保险标的安全应尽的责任的，保险人有权要求增加保险费或者解除合同。保险人为维护保险标的的安全，经被保险人同意，可以采取安全预防措施。在本案中，该合同中《机动车辆保险条款》第16条规定"被保险人应当做好保险车辆的维护保养工作，使保险车辆保持正常技术状态"，但原告并未使其投保之车辆保持正常的技术状态，致使原告方司机驾驶制动和灯光不合格的东风牌自卸汽车行驶中与他人所驾驶之摩托车发生相撞事故，因此并没有履行自己负担的防损减灾义务，保险人理应有权拒赔。

注意

我国《保险法》第51条明确规定，被保险人应当遵守国家有关消防、安全、生产操作、劳动保护等方面的规定，维护保险标的的安全。

法律规范

中华人民共和国保险法

（1995年6月30日第八届全国人民代表大会常务委员会第十四次会议通过，2002年10月28日第九届全国人民代表大会常务委员会第三十次会议修正，2009年2月28日第十一届全国人民代表大会常务委员会第七次会议修订）

第五十一条　被保险人应当遵守国家有关消防、安全、生产操作、劳动保护等方面的规定，维护保险标的的安全。

保险人可以按照合同约定对保险标的的安全状况进行检查，及时向投保人、被保险人提出消除不安全因素和隐患的书面建议。

投保人、被保险人未按照约定履行其对保险标的的安全应尽责任的，保险人有权要求增加保险费或者解除合同。

保险人为维护保险标的的安全，经被保险人同意，可以采取安全预防措施。

专家释惑

保险合同不仅是事后补偿的有效手段，而且还具有防灾防损的积极意义。保险虽然能够在约定范围内有效补偿有关当事人的损失，但由于多种原因，往往不能弥补全面损失，更不可能弥补人类财富因自然灾害和意外事故所造成的损失。因此，各国保险法围绕防灾防损问题，都作了相应的规定，以期消灭保险事故隐患或控制损失的扩大。

31. 约定了免责条款，保险公司为什么还得赔?

案例 31 某果品公司诉保险公司案

事情是这样的

2007年4月3日，某市某果品公司经人牵线搭桥，与甲市一家某水果公司签订了一份水果购销合同。合同约定由果品公司于2007年8月供给水果公司苹果200吨，果品公司承担货交甲市火车站仓库前的一切苹果质量及陆运风险。合同同时约定，任何一方违约，违约方需偿付对方违约金2万元。

随后果品公司立即四处组织货源，7月3日，果品公司依约将收购的200吨苹果交由某市铁路货运公司承运。交付承运前一天，果品公司委托铁路货运公司以果品公司名义同中保公司一家分公司签订保险合同一份。果品公司在保险合同中选择了基本险和综合险（未明确是否承保苹果腐烂损失）两个险种。在保险合同的附件中，双方援引了“陆路货物运输保险条款”中的部分保险人免责条款，规定保险公司在以下4种情况，对保险标的物损失不负赔偿责任：“①保险货物的自有缺陷及其不善；②被保险人的故意或过失行为；③货物运输过程中发生盗窃；④其他不属于保险范围内的损失”。保险合同同时约定“该批苹果的保险金额为60万元；保险费率为10‰；果品公司为保险合同的投保人和保险受益人”。

保险合同签订后，果品公司即于当日交纳了全部保费。8月初，果品公司供应给水果公司的苹果依约运至甲市火车站。水果公司在接货后入库前对该批苹果例行检查时发现，约有1/3的苹果因腐烂而变质，损失价值17万余元。获得这一检验结果后，水果公司领导痛骂果品公司违约，即请该市某公证机关对苹果腐烂变质情况予以公证，同时电告果品公司协商有关赔偿事宜。果品公司接到索赔通知后即将同一索赔内容通知保险公司并与保险公司理赔人员一起奔赴该市。三方在对公证书认定的事实表示认可的基础上，共同商请技术监督部门对苹果腐烂变质原因进行鉴定。鉴定结论认为，苹果腐烂变质非因其自有质量缺陷，而是由于装载不当及气温异常所致。三方对鉴定结论未表异议。果品公司向水果公司百般赔礼道歉，表示希望不要损害以后的友好合作，并依公证书及鉴定结论在赔偿水果公司经济损失及承担违约金后，又就其损失向保险公司索赔。保险公司认为，果品公司的损失属实，但其损失不属承保范围，故其以保险合同免责条款第④项约定，向果品公司作出拒赔的书面通知。面对巨额损失，果品公司无奈，向法院提起诉讼，请求保险公司承担赔偿责任。

果品公司与保险公司关于保险范围及免责条款第④项的约定属不明约定，但对“在保险范围和免责条款约定不明的情况下，保险公司有否赔偿责任”这一问题，双方针锋相对：保险公司认为，保险公司无赔偿责任。理由是，虽然果品公司投了基本险和综合险两个险种，但双方在综合险的约定中未明确表明该险种是否包括苹果因装载不当和气温异常腐烂变质造成的损失。故而应当根据合同的书面文意，推定保险公司的承保范围仅限于运输行为本身给果品公司造成的损失。而对于因装载不当及气温异常造成苹果腐烂变质给果品公司带来的损失，则不属保险合同约定的保险范围。对于保险范围以外的损失，保险公司依合同自然不应承担赔偿责任。因此，保险公司以合同免责条款第④项的规定拒赔，理由正当。对果品公司的诉讼请求，人民法院应予驳回。果品公司认为，保险公司应负赔偿责任。公司投保时的意思是保险责任肯定要包括苹果因装载不当和气温异常腐烂变质造成的损失危险，从本公司投保基本险和综合险也可以看出来。第④项免责内容不确定，而保险人又没有说明，应作有利于投保人的解释，也就是说保险公司不能对此免责。法院支持了果品公司的意见，判令保险公司承担保险责任赔偿果品公司。

律师专线

保险免责条款的内容必须明确具体，否则依法不产生法律效力。我国《保险法》第 17 条规定，保险合同中规定有关于保险人责任免除条款的，保险人在订立保险合同时应当向投保人明确说明，未明确说明的，该条款不产生效力。本案例中保险公司与果品公司在保险合同中约定的“其他不属于保险责任范围内的损失”是不明确、不具体的，因此，该约定不具有法律效力。某保险公司以这一不具有法律效力的免责条款对抗果品公司的索赔请求，违背了我国《民法通则》规定的诚实信用原则，对保险公司的抗辩，人民法院依法不应支持。对于保险人与投保人关于保险条款内容发生的争议，人民法院或仲裁机关应当根据我国《保险法》第 30 条的规定，作出有利于投保人和受益人的解释。据此，对于本案某保险公司与果品公司就免责条款的认识发生的争议，人民法院应当根据双方订立保险合同时的真实意思表示及合同的实际履行情况，判决支持果品公司的诉讼请求。

法律规范　　　　中华人民共和国保险法

（1995 年 6 月 30 日第八届全国人民代表大会常务委员会第十四次会议通过，2002 年 10 月 28 日第九届全国人民代表大会常务委员会第三十次会议修正，2009 年 2 月 28 日第十一届全国人民代表大会常务委员会第七次会议修订）

第十七条　订立保险合同，采用保险人提供的格式条款的，保险人向投保人提供的投保单应当附格式条款，保险人应当向投保人说明合同的内容。

对保险合同中免除保险人责任的条款，保险人在订立合同时应当在投保单、保险单或者其他保险凭证上作出足以引起投保人注意的提示，并对该条款的内容以书面或者口头形式向投保人作出明确说明；未作提示或者明确说明的，该条款不产生效力。

第三十条　采用保险人提供的格式条款订立的保险合同，保险人与投保人、被保险人或者受益人对合同条款有争议的，应当按照通常理解予以解释。对合同条款有两种以上解释的，人民法院或者仲裁机构应当作出有利于被保险人和受益人的解释。

专家释惑

本案件涉及保险合同的免责条款的说明以及保险合同条款的解释。

在保险实践中，保险公司为了避免让自己负担过大的风险，对于那些难以采取有效控制的风险常常加以免责，以免责条款的形式规定在保险合同中。但是，保险合同为最大诚信合同，投保人和保险人是否做到诚实信用，构成评价保险合同效力的主要因素。在订立保险合同时，保险人和投保人都应当将保险合同涉及的重要事项向对方作如实的说明或告知。就保险人而言，在订立保险合同时，保险人应当向投保人说明保险合同的条款内容，保险合同中规定有关于保险人责任免除条款的，保险人在订立合同时应向投保人明确说明，否则该免责条款不产生效力。这种说明应当是特别说明，仅以免责条款已经明确印刷在保险单上为由而主张免责条款有效是不够的。

32. 假牌照车出险，保险公司会赔吗？

案例 32 假牌照凯迪拉克出险，保险公司拒赔案

事情是这样的

2007 年 2 月 7 日，做生意的金先生在当地某车行订购了一辆凯迪拉克轿车，车行代其向太平洋保险公司永嘉支公司办理了车辆保险手续，并投保了交强险、机动车第三方责任险、机动车损失险、基本险不计免赔特约条款等险种，投保期限为 2007 年 2 月 9 日至 2008 年 2 月 8 日。金先生按照合同约定交纳了保险费共计 10 102 元。

2 月 12 日，车行为金先生开具了机动车销售统一发票。2 月 17 日，金先生向车行提车，同时，车行交给金先生一份牌号为“沪 A××××××”的临时行驶车牌，有效期 15 天（后经上海车管所鉴定，该车牌系伪造车牌）。

2 月 28 日，金先生驾驶已投保的凯迪拉克轿车途径甬台温高速公路时与另一车辆发生刮擦，凯迪拉克轿车随后与公路护栏发生碰撞，造成

两车受损的道路交通事故。

经现场鉴定后，交警认定金先生应负事故全责。事后，被金先生碰撞的车辆花费修理费4 823元，金先生的凯迪拉克轿车花费修理费197 403元，拖车施救费600元，共计202 826元。

在支付相关费用后，金先生随即向太平洋财产保险公司提出理赔要求。但保险公司以假牌照车不属于理赔范围为由拒绝金先生的赔付要求，金先生随即于2007年12月25日向永嘉法院提出诉讼，要求保险公司赔付车辆损失共计202 826元。

法院经审理认为，原、被告双方争论的焦点是：在没有有效车牌号牌的情况下，保险公司是否应该赔付投保车辆的损失。

保险合同中约定，机动车在没有公安机关、交通管理部门以及其他相关管理部门核发的行驶证、号牌或者临时移动证的情况下，如果机动车出现事故，保险公司可以免除赔偿被保险人损失这一责任。对于免责条款，根据《保险法》的规定，保险公司应当在订立保险合同时向投保人明确说明；对于未能明确说明的，免责条款不产生效力。

在本案中，投保单上的投保人签名并非金先生本人所签，而是由他人代签。同时，《保险法》规定，免责条款的告知义务属保险公司的说明义务，保险公司对此负有举证责任。但在本案中，太平洋财产保险公司未能提供证据证明其已经向金先生履行免责条款的告知义务，因此该免责条款不能生效。最后，法院判决，由太平洋财产保险公司按保险合同约定赔偿金先生的实际损失。

律师专线

按照《保险法》规定，保险公司有义务告知投保人免责条款，并为此举证。由于金先生的签名系伪造，因此保险公司无法举证其已向投保人告知免责条款，该免责条款就无法生效。另外，保险合同属于格式条款，按照《合同法》的规定，如果格式条款合同的某项条款理解有分歧，则法院应该作出对合同提供方不利的解释。

法律规范

中华人民共和国保险法

（1995 年 6 月 30 日第八届全国人民代表大会常务委员会第十四次会议通过，2002 年 10 月 28 日第九届全国人民代表大会常务委员会第三十次会议修正，2009 年 2 月 28 日第十一届全国人民代表大会常务委员会第七次会议修订）

第十七条　订立保险合同，采用保险人提供的格式条款的，保险人向投保人提供的投保单应当附格式条款，保险人应当向投保人说明合同的内容。

对保险合同中免除保险人责任的条款，保险人在订立合同时应当在投保单、保险单或者其他保险凭证上作出足以引起投保人注意的提示，并对该条款的内容以书面或者口头形式向投保人作出明确说明；未作提示或者明确说明的，该条款不产生效力。

中华人民共和国合同法

（1999 年 3 月 15 日第九届全国人民代表大会第二次会议通过）

第三十九条　采用格式条款订立合同的，提供格式条款的一方应当遵循公平原则确定当事人之间的权利和义务，并采取合理的方式提请对方注意免除或者限制其责任的条款，按照对方的要求，对该条款予以说明。

格式条款是当事人为了重复使用而预先拟定，并在订立合同时未与对方协商的条款。

第四十条　格式条款具有本法第五十二条和第五十三条规定情形的，或者提供格式条款一方免除其责任、加重对方责任、排除对方主要权利的，该条款无效。

第四十一条　对格式条款的理解发生争议的，应当按照通常理解予以解释。对格式条款有两种以上解释的，应当作出不利于提供格式条款一方的解释。格式条款和非格式条款不一致的，应当采用非格式条款。

专家释惑

以上几个案例中除了关于免责条款的问题外，还涉及一个概念——格式合同。

格式合同，又称“标准合同”、“定型化合同”，是指当事人一方预先拟定合同条款，对方只能表示全部同意或者不同意的合同。因此，对于格式合同的非拟定条款的一方当事人而言，要订立格式合同，就必须全部接受合同条件；否则就不订立合同。现实生活中的车票、船票、飞机票、保险单、提单、仓单、出版合同等都是格式合同。

格式合同的产生及其普遍运用是基于一定的社会经济基础的。一般而言，某一行业垄断的存在、交易内容的重复性、交易双方所要求的简便、省时导致了格式合同的存在并大量运用于商事生活领域。

格式合同具有下述法律特征：(1) 格式合同的要约向公众发出，并且规定了在某一特定时期订立该合同的全部条款；(2) 格式合同的条款是单方事先制订的；(3) 格式合同条款的定型化导致了对方当事人不能就合同条款进行协商；(4) 格式合同一般采取书面形式；(5) 格式合同（特别是提供商品和服务的格式合同）条款的制订方一般具有绝对的经济优势或垄断地位，而另一方为不特定的、分散的消费者。

格式合同虽然具有节约交易的时间、事先分配风险、降低经营成本等优点，但同时也存在诸多弊端。由于格式合同限制了合同自由原则，格式合同的拟定方可以利用其优越的经济地位，制订有利于自己，而不利于消费者的合同条款。例如，拟定方为自己规定免责条款或者限制责任的条款等。因此，对于格式合同的解释，法律上采取不利于提供格式条款一方的解释。

33. 保险合同能转让吗?

案例33　武汉市某单位诉保险公司案

事情是这样的

湖北省武汉市某单位向保险公司投保该单位的一辆汽车，车号为鄂

A 43215，保险期间为 1 年，即 2005 年 11 月 1 日至 2006 年 11 月 1 日，保险金额 1.5 万元。2006 年 1 月该单位将这辆车子转卖给个体户李某，但未办理保险过户批改手续。李某使用 3 个月后，又转卖给张某。转卖时，李某谎称保险单遗失（实际上该单位并未将保险单给他）。张某于 3 月 20 日以保险单遗失为由，向保险公司申请补办保险手续。接待人找到该车原保险单存根后，未请示领导，擅自为张某补办了保险证。2006 年 6 月 14 日，张某雇请司机胡某驾驶该车跑长途运输，途中不幸与外地某汽车相撞，导致对方汽车受损。经交通部门查证，张某的汽车应该负主要责任，应赔偿对方损失 1.3 万元。张某于是向保险公司通知出险，保险公司出具函件给事故地的保险公司，称如属保险责任范围，损失在 2 000 元以内，委托该公司处理；如超过此范围，由本公司派人查勘处理。事后，公司查核该车尚未办理过户批改手续，因此拒绝派人查勘，同时拒绝赔偿。张某不得不起诉保险公司。

一审法院认为，原车主已经向保险公司投保，张某购买后，此车仍在有效期内。张某以保险单遗失为由向保险公司申请批改，保险公司为其补发保险证，但未办理批改手续。根据《保险法》的规定，判决驳回张某诉讼请求，保险公司不应该赔偿。张某不服，提起上诉。二审法院认为，张某购车后，向保险公司申请补办车辆保险过户批改手续，由于保险人经办人员工作疏忽，在办理过程中补发给张某保险证，而未填写过户批改的批单，因此车辆未批改的主要过错在保险公司。张某得到保险证后，误认为已经批改，也应承担一定的责任。原审判决欠妥，判决撤销原审判决，该判保险公司赔偿张某 1 万元。

律师专线

保险合同成立后，因保险标的的所有权发生转移，而发生保险合同的转让。我国《保险法》第 49 条明确规定，保险标的的转让应当通知保险人，经保险人同意继续承保后，依法变更合同。但是，货物运输保险合同和另有约定的合同除外。因此，转让保险标的时，要注意必须通知保险人，否则保险人可能因此不承担保险责任。保监会颁布的《机动车辆保险条款》第26条也明确规定，在保险合同有效期内，保险车辆转卖、转让、赠送他人、变更用途或增加危险程度，被保险人应当事先书面通知保险人并申请办理批改。第30条规定，被保险人不履行本条款第24条至第29条的义务，保险人有权拒绝赔偿或自书面通知之日起解除保险合同；已赔偿的，保险人有权追回已付保险赔款。

上述案例中，投保人在转让保险标的时，没有事先通知保险人，没有办理批改手续，本案例中判决没有批改的主要过错在保险公司，判决保险公司承担赔偿责任，但严格根据法律法规来说，应该判决原告败诉，保险公司不负担赔偿责任。

注意

一般而言，保险合同当事人的变更，特别是在财产保险合同的情形下，除货物运输保险外，应该取得保险人的同意或由保险人在原保险单上批注。

法律规范

中华人民共和国保险法

（1995年6月30日第八届全国人民代表大会常务委员会第十四次会议通过，2002年10月28日第九届全国人民代表大会常务委员会第三十次会议修正，2009年2月28日第十一届全国人民代表大会常务委员会第七次会议修订）

第二十条　投保人和保险人可以协商变更合同内容。

变更保险合同的，应当由保险人在保险单或者其他保险凭证上批注或者附贴批单，或者由投保人和保险人订立变更的书面协议。

第四十九条　保险标的转让的，保险标的的受让人承继被保险人的权利和义务。

保险标的转让的，被保险人或者受让人应当及时通知保险人，但货物运输保险合同和另有约定的合同除外。

因保险标的转让导致危险程度显著增加的，保险人自收到前款规定的通知之日起三十日内，可以按照合同约定增加保险费或者解除合同。保险人解除合同的，应当将已收取的保险费，按照合同约定扣除自保险责任开始之日起至合同解除之日止应收的部分后，退还投保人。

被保险人、受让人未履行本条第二款规定的通知义务的，因转让导致保险标的危险程度显著增加而发生的保险事故，保险人不承担赔偿保险金的责任。

机动车辆保险条款

（2000年保监会颁布）

第二十六条　在保险合同有效期内，保险车辆转卖、转让、赠送他人、变更用途或增加危险程度，被保险人应当事先书面通知保险人并申请办理批改。

第三十条　被保险人不履行本条款第二十四条至第二十九条规定的义务，保险人有权拒绝赔偿或自书面通知之日起解除保险合同；已赔偿的，保险人有权追回已付保险赔款。

专家释惑

本案涉及保险合同的转让问题。合同转让属于广义合同变更的范畴，一般来说，合同转让需取得对方当事人的同意。

保险合同的转让也是如此，我国《保险法》第49条明确规定：保险标的的转让应当通知保险人，经保险人同意继续承保后，依法变更合同。但是，货物运输保险合同和另有约定的合同除外。在财产保险合同中，投保人、被保险人的变更多是由于买卖、让与、继承等法律行为而发生保险标的的所有权转移引起的。一般的财产保险合同之所以规定转让需取得保险人同意，是由财产保险合同的法律性质决定的。诚信原则是保险法中的一个基本原则。保险合同的订立和履行都取决于当事人的最大诚信，在保险关系中，保险标的始终处于被保险人的控制中，被保险人对保险标的的危险状况最为了解，而保险人则处于不利地位。这就要求，在订立合同时，投保人尽最大告知义务，在转让合同时，能事先通知保险人以使保险人能及时评估这一行为对自己承担的危险的影响并作出决策。

我国《海商法》第230条也规定，因为船舶转让而转让船舶保险合同的，应当取得保险人同意。未经保险人同意，船舶保险合同从船舶转让时解除；船舶转让发生在航次之中的，船舶保险合同自航次终了时解除。财产保险合同中，海上货物运输保险合同是个例外，《海商法》第229条规定，海上货物运输保险合同可以由被保险人背书或者以其他方式转让，合同的权利和义务随之转移，合同转让时尚未支付保险费的，被保险人和合同受让人负连带支付责任。

提醒

在人身保险合同中，由于原投保人的死亡、债权转移等原因都可能引起投保人的变更，此外，以死亡为给付保险金条件的保险合同的转让，未经被保险人的书面同意，不发生效力。

34. 保险期限能单方变更吗？

案例34　某经济贸易开发公司投诉保险公司案

事情是这样的

2003年2月16日，某经济贸易开发公司为本单位职工张某、金某、冯某三人向某保险公司投保了境外旅行意外伤害保险。保险期限从2003年2月17日至2003年4月11日，为期54天；每人保费为378元，共计1 134元。该经济贸易开发公司在2003年2月16日用支票将保费支付给了该保险公司的刘先生。

张某、金某、冯某等三人在2003年2月17日前往沙特阿拉伯。过了数天，保险公司寄来的保单上却将期满日改为2003年3月19日，保险期限缩短到30天，应交287元。因被保险人已出国，经济贸易开发公司便立即与该保险公司的刘先生联系。刘某说这是保险公司总部的新规定，去沙特只能保险30天，具体操作的业务人员不大了解情况，并表示会将多收的钱退还给经济贸易开发公司。

在送还保单时，经济贸易开发公司得知他们原先的保单是有效的，只能保30天的新规定是在经济贸易开发公司的保单生效后才下达的。据此，经济贸易开发公司认为保险公司在已签订保单、收取保险费后单方面更改保险合同，且被保险人已在海外，这种行为侵害了客户的正常权益，要求退回全部保险金。

保险公司接到投诉后表示，张某、金某、冯某于2003年2月16日分别申请投保了公司境外旅行意外伤害保险，根据公司核保规则，该险种确有对高风险国家和地区限期承保的规定。但业务人员未在客户投保时说明以上事项，等到公司核保处理该合同时才发现其前往的地区正属于限期承保地区，而此时客户已经出国，因此未能及时通知其保障期更改事宜。对于客户提出的全额退回保险费的要求，保险公司决定予以接受。

律师专线

保险期间的长短和保险责任起讫时间是保险合同的重要内容，事关当事人的切身利益。从本案例来看，投保人之所以认为自己的权益受到伤害，主要是保险公司业务员在没有与投保人进行任何协商的情况下，擅自缩短了保险期限，这是不应该的。

法律规范

中华人民共和国保险法

（1995年6月30日第八届全国人民代表大会常务委员会第十四次会议通过，2002年10月28日第九届全国人民代表大会常务委员会第三十次会议修正，2009年2月28日第十一届全国人民代表大会常务委员会第七次会议修订）

第十六条　订立保险合同，保险人就保险标的或者被保险人的有关情况提出询问的，投保人应当如实告知。

投保人故意或者因重大过失未履行前款规定的如实告知义务，足以影响保险人决定是否同意承保或者提高保险费率的，保险人有权解除合同。

前款规定的合同解除权，自保险人知道有解除事由之日起，超过三十日不行使而消灭。自合同成立之日起超过二年的，保险人不得解除合同；发生保险事故的，保险人应当承担赔偿或者给付保险金的责任。

投保人故意不履行如实告知义务的，保险人对于合同解除前发生的保险事故，不承担赔偿或者给付保险金的责任，并不退还保险费。

投保人因重大过失未履行如实告知义务，对保险事故的发生有严重影响的，保险人对于合同解除前发生的保险事故，不承担赔偿或者给付保险金的责任，但应当退还保险费。

保险人在合同订立时已经知道投保人未如实告知的情况的，保险人不得解除合同；发生保险事故的，保险人应当承担赔偿或者给付保险金的责任。

保险事故是指保险合同约定的保险责任范围内的事故。

第十八条　保险合同应当包括下列事项：

（一）保险人的名称和住所；

（二）投保人、被保险人的姓名或者名称、住所，以及人身保险的受益人的姓名或者名称、住所；

（三）保险标的；

（四）保险责任和责任免除；

（五）保险期间和保险责任开始时间；

（六）保险金额；

（七）保险费以及支付办法；

（八）保险金赔偿或者给付办法；

（九）违约责任和争议处理；

（十）订立合同的年、月、日。

投保人和保险人可以约定与保险有关的其他事项。

受益人是指人身保险合同中由被保险人或者投保人指定的享有保险金请求权的人。投保人、被保险人可以为受益人。

保险金额是指保险人承担赔偿或者给付保险金责任的最高限额。

第二十条　投保人和保险人可以协商变更合同内容。

变更保险合同的，应当由保险人在保险单或者其他保险凭证上批注或者附贴批单，或者由投保人和保险人订立变更的书面协议。

专家释惑

保险合同的变更是指保险合同成立后发生的各种变动，包括保险合同主体的变更、保险合同内容的变更和保险合同效力的变更。狭义上指保险合同内容的变更，即保险合同生效后，没有履行或没有完全履行之前，因订立合同所依据的主客观情况发生变化，由当事人依照法律规定的条件和程序，对原合同的某些条款进行修改或补充。

保险合同的约定，可以归结为当事人约定、受益人约定和其他事项约定三个方面，所以，保险合同的变更可以分为当事人变更、受益人变更和内容变更。

在变更保险合同时，保险人应当在原保险单上批注，以资证明和确认保险合同的变更。保险人没有签发保险单而是签发其他保险凭证的，变更保险合同时，应当在该保险凭证上批注。保险人在保险单或者其他保险凭证上批注保险合同的变更，可以直接手写或者打印于保险单或者保险凭证上，也可以在保险单或者其他保险凭证上加贴批单。加贴批单时，保险人应当在批单和保险单或者其他保险凭证的粘接处签字盖章，以示郑重。变更保险合同，保险人除了在保险单或者其他保险凭证上批注外，还可以与投保人另定变更保险合同内容的书面协议。以批注变更保险合同和另订书面协议变更保险合同，具有相同的效果。

保险合同当事人的变更，是指投保人、被保险人及受益人的变更，保险合同的主体变更实际上就是保险合同的转让。在我国，对不同险种所规定的主体变更程序各不相同。对于一般财产保险，合同主体的变更必须得到保险人的同意。对于货物运输保险的保险单或者保险凭证的转移，无须征得保险方的同意。保险合同的被保险人或投保人变更后，原被保险人或投保人的权利和义务一同转移。保险合同内容的变更，是指体现双方权利义务关系的合同条款的变更。保险合同内容的变更可以分为两种情况：一种是投保人根据需要而变更合同的某些条款，如延长或缩短保险期，增加或减少保险金等；另一种是当情况发生变化，必须变更合同的内容时，投保方应及时通知保险人更改合同的某些条款，否则将产生相应的法律后果。

35. 保险公司应否对后续损失承担责任？

案例 35 某汽车出租公司与保险公司纠纷案

事情是这样的

2002 年 7 月 29 日，苏州市某汽车出租公司就该公司的一辆桑塔纳出租车向保险公司投保了机动车辆保险，该保险分为车辆损失险和第三者责任险，其中第三者责任险赔偿限额是 20 万元。保险期限从 2002 年 8 月 11 日到 2003 年的 8 月 10 日。

2003 年 3 月 11 日，该车的驾驶员倪某在苏州市东环路坝基桥南违章掉头，与杨某乘坐的二轮摩托车相碰，导致杨某倒地受伤。经医院抢救，杨某在昏迷 3 天后苏醒。事故发生后，经过公安部门认定，倪某负事故的全部责任。2003 年 4 月，经苏州市公安局交巡警支队工业园区大队调解，倪某一次性赔偿杨某医疗费、误工费等合计 27 560 元。

交警部门调解处理后，该汽车出租公司即要求保险公司对该事故进行保险赔偿。2003 年 5 月 7 日，保险公司经过审核后，赔付了其 17 160 元。当时在赔款收据上明确写明："兹收到你投保的车辆苏 E×××× 于 2003 年 3 月 11 日在东环路因碰撞出险，根据保险条款的有关规定，该起赔案我公司已处理结案，赔款金额人民币 17 160 元"；"你公司对该出险案之一切赔偿责任业已终了，立此存证。"双方随后都在收据上加盖了公章。

公安鉴定衍生新赔偿。2003 年 9 月 28 日，杨某经公安部门鉴定，确定为颅脑损伤九级伤残、听力损伤十级伤残。为此，杨某于 2004 年 1

月向金阊区人民法院起诉，要求倪某和出租汽车公司赔偿其医疗费、残疾补助费、精神抚慰金等48 716.50元。倪某和出租汽车公司以该起事故已经交警部门调解，一次性赔偿完毕，保险公司也理赔结束为由，进行抗辩。后经金阊区人民法院一审，苏州市中级人民法院二审判决。认为因杨某2003年9月进行伤残鉴定后才明确其损伤构成伤残，此次事故造成的损失发生了变化，杨某基于上述新情况提起的请求可予支持。判决倪某和出租汽车公司赔偿杨某医疗费、鉴定费、残疾者生活补助费、交通费等合计28 798.50元，另外赔偿杨某精神损害抚慰金5 000元。

出租汽车公司再次要求保险公司就法院判决部分进行保险赔偿。汽车出租公司诉称：2002年7月，其把其名下的苏E××××桑塔纳轿车投保于保险公司，并按时足额交纳了保险费。2003年3月11日，苏E××××轿车因车祸导致摩托车上的乘客杨某受伤。轿车驾驶员倪某通知了沧浪支公司。后经交警部门认定，倪某负全责。又经交警部门调解以及苏州市金阊区人民法院和苏州市中级人民法院审理，最终确定汽车出租公司、倪某需支付杨某61 878.50元。后汽车出租公司向沧浪支公司提供了该案有关的保险单、事故证明、事故调解书、判决书、损失清单和费用单据进行索赔，但沧浪支公司只作了部分理赔，尚有部分不同意理赔……作为投保人，汽车出租公司已经履行了保险法规定的义务，而保险人却拒绝履行其理赔义务，有违诚信原则。诉请法院判令其支付医疗费、鉴定费、残疾者生活补助费、精神损害抚慰金、交通费、住宿费、诉讼费等合计31 318.50元。

被告保险公司辩称：我们对原告方的理赔已经完毕，根据保险合同第17条的规定，第三者责任事故赔偿后，对受害第三者的任何赔偿费用的增加，保险人不再负责。另外，我们在理赔时已经和原告达成了协议，对该次事故的一切赔偿责任已经终了。要求法院驳回其诉讼请求。

法官在审理后认为：原告向被告投保机动车辆保险，并交纳了保险费；被告方同意承保，收取保险费，出具保险单等相关材料，所以，原、被告间的保险合同关系成立。该案中涉及的机动车辆保险条款和保险单即双方间的保险合同有效，双方应根据合同规定的内容履行。

判决驳回汽车出租公司的诉讼请求，并由其承担案件受理费。

律师专线

双方争议的焦点是原告就2003年3月11日该起交通事故第二次向保险公司要求赔偿保险金的请求是否成立?《机动车辆保险条款》中第17条规定，第三者责任事故赔偿后，对受害第三者的任何赔偿费用的增加，保险人不再负责。保险合同中的这一条款内容体现了第三者责任险中的一次性赔偿原则。原告作为被保险人，在交通事故出现后，向保险人要求赔付保险金时，应考虑到合同的该项规定而决定行使自己的索赔权利。交通事故发生后受害人杨某当时颅脑受伤，手术清除颅内血肿，曾昏迷数天。应当说杨某头部的伤势严重，原告应当会考虑到这种伤害对受害人的日后健康可能产生的后果。但是，在交警部门调解结束后，原告却没有对受害者可能产生的后遗问题引起注意，或者是误认为交警调解完毕后，其所有责任已经结束。所以，在交警部门调解后马上向保险主张保险赔偿。

更值得注意的是，在第一次理赔时，双方都已经注意到了一次性赔偿的问题，所以在机动车辆保险赔款收据上，特别注明了“根据保险条款的有关规定，该起赔案我公司已处理结案”和“你公司对该出险案之一切赔偿责任业已终了，立此存证”的内容。应当说，双方在理赔过程中，是按照保险条款中的规定履行的。对汽车出租公司因交通事故向第三者支付的赔偿款，保险公司按照保险合同有关规定进行了保险理赔后，对于此次责任事故产生的理赔义务已经履行完毕。汽车出租公司作为被保险人是交通事故的首要赔偿责任人，其将这种责任风险转移到保险人，必须以保险合同中的约定为依据，也就是保险人对被保险人的赔偿给付责任应以保险条款约定的责任限度为标准。

法律规范

中华人民共和国保险法

（1995年6月30日第八届全国人民代表大会常务委员会第十四次会议通过，

2002 年 10 月 28 日第九届全国人民代表大会常务委员会第三十次会议修正，2009 年 2 月 28 日第十一届全国人民代表大会常务委员会第七次会议修订）

第十六条　订立保险合同，保险人就保险标的或者被保险人的有关情况提出询问的，投保人应当如实告知。

投保人故意或者因重大过失未履行前款规定的如实告知义务，足以影响保险人决定是否同意承保或者提高保险费率的，保险人有权解除合同。

前款规定的合同解除权，自保险人知道有解除事由之日起，超过三十日不行使而消灭。自合同成立之日起超过二年的，保险人不得解除合同；发生保险事故的，保险人应当承担赔偿或者给付保险金的责任。

投保人故意不履行如实告知义务的，保险人对于合同解除前发生的保险事故，不承担赔偿或者给付保险金的责任，并不退还保险费。

投保人因重大过失未履行如实告知义务，对保险事故的发生有严重影响的，保险人对于合同解除前发生的保险事故，不承担赔偿或者给付保险金的责任，但应当退还保险费。

保险人在合同订立时已经知道投保人未如实告知的情况的，保险人不得解除合同；发生保险事故的，保险人应当承担赔偿或者给付保险金的责任。

保险事故是指保险合同约定的保险责任范围内的事故。

第二十五条　保险人自收到赔偿或者给付保险金的请求和有关证明、资料之日起六十日内，对其赔偿或者给付保险金的数额不能确定的，应当根据已有证明和资料可以确定的数额先予支付；保险人最终确定赔偿或者给付保险金的数额后，应当支付相应的差额。

中华人民共和国合同法

（1999 年 3 月 15 日第九届全国人民代表大会第二次会议通过）

第四十条　格式条款具有本法第五十二条和第五十三条规定情形的，或者提供格式条款一方免除其责任、加重对方责任、排除对方主要权利的，该条款无效。

第四十一条　对格式条款的理解发生争议的，应当按照通常理解予以解释。对格式条款有两种以上解释的，应当作出不利于提供格式条款一方的解释。格式条款和非格式条款不一致的，应当采用非格式条款。

机动车辆第三者责任保险条款

第二十八条　赔款金额经保险人与被保险人协商确定后，对被保险人追加的索赔请求，保险人不承担赔偿责任。

专家释惑

本案的判决结果与《保险法》的宗旨和精神存在差异。在保险理赔工作中，保险人在向被保险人支付赔款时往往都在赔款收据上载明“你公司对该出险案的一切赔偿责任业已终了”，并要求被保险人在赔款收据上签名确认。而在审判实践中，司法机关对于某些特殊案件的判决常常并不是一次性判决，而是根据案件的具体情况和法律的有关规定，判决赔偿权利人就某些费用在条件成熟时还可以另行起诉，这样就产生了一次性赔偿结案与另行起诉之间的矛盾。归根到底就是作为格式条款的保险合同和法律规定之间的冲突，本案就是一起典型的保险理赔一次性赔偿结案诉讼案。究竟是根据合同规定还是依据法律规定来处理保险理赔工作，律师认为应当根据法律的规定来做好保险理赔工作，保险人的一次性赔偿结案条款属于违法条款，违反了法律的强制性规定，应当归于无效。我国《保险法》第25条规定：“保险人自收到赔偿或者给付保险金的请求和有关证明、资料之日起六十日内，对其赔偿或者给付保险金的数额不能确定的，应当根据已有证明和资料可以确定的数额先予支付；保险人最终确定赔偿或者给付保险金的数额后，应当支付相应的差额。”法律作出这样的规定，恰当地解决了一次性赔偿结案与另行起诉之间的矛盾，而保险人在理赔工作中并没有履行该条规定，一味地履行所谓的一次性赔偿结案的有关规定，明显违背了《保险法》的宗旨和精神，损害了被保险人的正当权益。

36. 附加险与主险的性质是一样的吗?

案例36　郭某与保险公司纠纷案

事情是这样的

郭欣是某小学学前班学生，2007年3月5日在该校统一组织下，郭欣的父亲郭荣向保险公司支付了40元保险费，给郭欣投保了意外伤害险及两个附加险（附加意外伤害医疗保险，附加住院医疗保险）。保险期至2008年2月29日。意外伤害最高保险限额为5 000元，附加意外伤害医疗保额为4 000元，附加住院医疗保额为6万元。保险公司为此签发了0109295学生、幼儿保险凭证。2007年8月20日8时30分许，肇事者丁某驾驶赣B DF538两轮摩托车撞倒了行走在公路上的郭欣，造成郭欣身体受伤。当日郭欣被送往当地人民医院治疗，住院29天后出院。此事故后经当地公安局交通警察大队认定丁某负事故的主要责任。同年11月6日，郭欣以道路交通事故人身损害赔偿纠纷的案由将丁某及保险公司作为被告诉至法院。

法院认为，郭欣之父与保险公司签订的意外伤害保险及两个附加险是双方真实意思的表示，且合同内容未违反法律法规强制性规定，应为合法有效。至于两个附加险的性质，因基本险即意外伤害险属非补偿性质的人身险，依据合同法从合同随主合同的基本原理，主合同为人身险，从合同一般也应是人身险。且从附加合同约定给付保险金的计算方式分析，保险人也不是适用“损失补偿原则”——给付量等于实际损失量，而是按比例给付。另两个附加险的保险标的系人的寿命和身体，而不是某项财产，这也符合人身保险的特征。合同中未约定第三者赔偿后免责，而应从有利于接受格式合同一方来认定。综上，两个附加险应为人身保险合同，原告的医疗费用在第三者赔偿后仍有权要求被告依合同给付。据此，按两个附加险给付保险金的计算方式计算，被告应付给原告附加意外伤害医疗保额及附加住院医疗保额已超了原告要求被告赔偿医疗费5 750.01元的诉讼请求。原告要求被告赔偿医疗费5 750.01元予以支持。对原告要求被告赔偿住院伙食补助费、营养费、护理费的诉讼请求，因双方保险合同未予约定不予以支持。原告主张的交通费，不是为理赔所花费的交通费，故该主张不予以支持。判决由保险公司给付郭欣意外伤害医疗保险金、住院医疗保险金共计5 750.01元。

保险公司对此判决不服，提出上诉，称附加医疗保险和附加住院医疗保险属于人身保险中的健康保险，该两个附加险，只具有损害保险的属性，而不具有人身保险的属性，其给付的保险金额是按照实际发生的费用来确定的。被保险人不能因保险事故发生而得到额外赔偿。由于在医疗费用保险中，保险人依据“损失补偿原则”派生的保险代位原则拥有代位求偿权，因而，保险人对于因第三者责任而支付的保险金可以进行追偿。郭欣的人身损害在向造成损害的第三者要求赔偿之后，其不能因同一损失而获得超过标的实际损失额的赔偿以获取额外利益。同时，一审法院认为在保险合同中未约定第三者赔偿后免责，并以此来作为郭欣在第三者赔偿后仍有权要求保险公司依合同给付医疗费用的依据也明显不妥当，违背了保险损失补偿原则的宗旨。请求二审法院依法撤销原判，直接改判，判决驳回被上诉人的诉讼请求。

对此，郭欣方面则认为，保险公司的上诉理由与其主张的事实和法律规定相互矛盾，不能成立。保险公司上诉称附加医疗保险和附加住院医疗保险属于人身保险中的健康保险后，又自相矛盾地认为该两个附加险，只具有损害保险的属性，不具有人身保险的属性，企图混淆概念来达到学生伤害险为财产保险的主张。保险公司说健康保险是人身保险中的一种，那就是说学生平安保险是一种人身保险。当发生保险合同约定的应赔付情形时，保险机构应依保险合同的约定支付保险金。

最后，法院认为，保险公司与郭欣签订的意外伤害险及附加医疗保险、附加住院医疗保险系双方真实意思表示，内容合法有效，保险合同依法成立。公民投保保险的目的是在可能出现的事故发生时能获得预期的保险赔偿。保险人就此作出承诺，与被保险人签订保险合同，对可能出现的保险风险作出列举，作出保险例外在保险合同中列为免责条款，免除其保险责任并告之被保险人，经被保险人同意后双方签订保险合同。在这个过程中，保险公司所提供的格式保险合同为双方真实意思表示，应当全面严格按约履行。本案所涉保险合同是意外伤害附加医疗保险、附加住院医疗保险合同，附加险依附的主险是属于人寿保险范畴，其性质应当随附于主险，为人寿保险险种。所谓意外伤害的范围，保险人作为专业机构对此已作出界定。保险人认为按保险合同赔偿可能重复赔偿，引起道德危机的情形是可以预见的，但其并未将本案所涉情形列入其免责范围。可以预见的保险风险，保险人并未将此列入保险免责范围而与被保险人签订了相应的保险合同，可见保险人对此作出了保险理赔的承诺。因此，保险人应当依照保险合同的约定向被保险人支付保险理赔款项。判决驳回上诉，维持原判。

律师专线

本案涉及的问题是，主险是人身保险，那么附加险是否也属于人身保险。也就是说，附加险是否与主险的性质相同。提出这个问题的原因在于，人身保险与财产保险的赔偿原则不同，财产保险适用损失补偿原则，被保险人不能因为投保而获得超出损失的额外的利益，而人身保险则不存在这个限制。因此，在本案中保险公司在承认两个附加险是人身保险的同时，又声称保险金额应该按照实际发生的费用来确定，也就是适用财产保险的损失补偿原则，显然是自相矛盾的，因此没有得到法院的支持。

本案中的两个附加险是人身保险性质，因此，不论被保险人郭欣是否能够从致害的第三者那里获得赔偿，都有权获得保险赔偿金。

法律规范

中华人民共和国保险法

（1995年6月30日第八届全国人民代表大会常务委员会第十四次会议通过，2002年10月28日第九届全国人民代表大会常务委员会第三十次会议修正，2009年2月28日第十一届全国人民代表大会常务委员会第七次会议修订）

第二十二条　保险事故发生后，按照保险合同请求保险人赔偿或者给付保险金时，投保人、被保险人或者受益人应当向保险人提供其所能提供的与确认保险事故的性质、原因、损失程度等有关的证明和资料。

保险人按照合同的约定，认为有关的证明和资料不完整的，应当及时一次性通知投保人、被保险人或者受益人补充提供。

第四十六条　被保险人因第三者的行为而发生死亡、伤残或者疾病等保险事故的，保险人向被保险人或者受益人给付保险金后，不享有向第三者追偿的权利，但被保险人或者受益人仍有权向第三者请求赔偿。

专家释惑

对于附加险的性质是否与主险的性质相同的问题，法院主要是从主从合同关系的角度加以理解分析的。

主合同，是指不需要其他合同的存在即可独立存在的合同。从合同，就是以其他合同的存在而为存在前提的合同。主、从合同是相对而言的，没有主合同就没有从合同，没有从合同，也无所谓主合同。由于从合同要依赖主合同的存在而存在，所以从合同又被称为“附属合同”。从合同的主要特点在于其附属性，即它不能独立存在，必须以主合同的存在并生效为前提。

主合同不能成立，从合同就不能有效成立；主合同转让，从合同也不能单独存在；主合同被宣告无效或被撤销，从合同也将失效；主合同终止，从合同亦随之终止。尽管主合同的存在并生效将直接影响到从合同的成立及效力，但因为主合同并不依附从合同，相反它是可以独立存在的，因此从合同不成立或无效，一般并不影响到主合同的效力。附加险的性质附属于主险，即附加险与主险的性质应该是相同的。

在人身保险中，主险是可以单独购买的寿险产品，一般都是保险期间较长、技术构造较复杂、核保条件较严的产品。附加险不能单独购买，只有在已购买主险的基础上才能购买。也就是说，一名被保险人可以只购买某种主险，也可以在购买主险的基础上购买附加险，但不能只购买附加险。

37. 车辆维修时丢失，保险公司要赔吗？

案例 37　某银行诉保险公司案

事情是这样的

2003 年 6 月 16 日，某银行为其分支机构某路支行所有的一辆本田阿科德小型客车向保险公司投保了非营业用汽车损失保险及附加险中的盗抢险等险种。当日，保险公司向该银行签署了保险期限自 2003 年 6 月 19 日起至 2004 年 6 月 18 日止的车辆保险单。

2004 年 4 月 15 日晚，该银行司机将保险车辆驾驶至某汽车维修企业。次日，当地公安局刑事侦查支队接到该银行员工报案，称该车辆被盗。同时，银行向保险公司提出索赔，但被保险公司拒绝。于是，该银行将保险公司告上法庭。

法院经审理后认为，盗抢险作为附加险，属于投保人需要另行支付保险费用而承保的险种。盗抢险中的特别约定条款优先于保险条款的效力，在二者矛盾时，应当适用盗抢险中的特别约定。本案中，保险公司在盗抢险中规定了保险车辆被盗赔付的条件是：保险车辆被盗窃，经出险当地县级以上公安刑侦部门立案证明，满 60 天未查明下落的全车损失，保险公司就负责赔付。即只要符合盗抢险赔付的上述条件，保险公司就应当予以赔付。这种约定与保险条款中约定的在营业性维修场所修理、养护期间发生车辆损失，保险人不负责赔偿的规定相矛盾，应当适用盗抢险中的特别规定。因此，法院判决保险公司赔偿该银行的损失。

律师专线

本案中的问题，关键仍在于主险与附加险的关系，当主险与附加险条款不同时，以哪种约定为准？主险和附加险之间的关系是主合同与补充合同的关系，即主险条款是主合同，相对应的附加险条款是主合同的补充合同。通常主合同与补充合同之间的关系是补充合同的未尽事宜以主合同为准，相抵触的部分则以补充合同为准。因此，本案中保险公司应依据附加险中的约定予以理赔。

法律规范

中华人民共和国保险法

（1995 年 6 月 30 日第八届全国人民代表大会常务委员会第十四次会议通过，2002 年 10 月 28 日第九届全国人民代表大会常务委员会第三十次会议修正，2009 年 2 月 28 日第十一届全国人民代表大会常务委员会第七次会议修订）

第十条　保险合同是投保人与保险人约定保险权利义务关系的协议。

投保人是指与保险人订立保险合同，并按照合同约定负有支付保险费义务的人。

保险人是指与投保人订立保险合同，并按照合同约定承担赔偿或者给付保险金责任的保险公司。

专家释惑

如果主险的保险责任与附加险的保险责任有抵触，则主险服从附加险，也就是附加险优于主险，以附加险的约定为准。例如，某项责任在主险中属于除外责任，而在附加险中约定予以负责，则保险公司予以负责。但是，在时间效力上，则附加险从属于主险。一般来说，在主险未生效前，附加险也不生效；如果主险失效，则附加险也同时失效。也就是说，主险的生效、失效、复效等是独立的，不依赖于附加险；但附加险效力的产生和存续却要以主险效力的存在为前提条件，附加险的效力不能独立存在。

38. 事故痕迹与报案不符，保险公司赔不赔?

案例 38　盛某诉保险公司案

事情是这样的

2007 年 8 月 7 日，盛某向某保险公司为其所有的轿车投保了车辆损失险、第三者责任保险、车上人员责任险、全车盗抢险及附加险，保险期间自2007年8月8日0时至2008年8月7日24时。

2008年1月10日，盛某至某派出所报案称，2008年1月9日晚9时许，盛某驾驶该车时，与道路限宽桩发生碰撞，致使车辆左前门、左侧轮、发动机损坏。该派出所在盛某的报案资料上注明“来所报案称”字样。当日，盛某将车辆送至某汽车修理厂修理，且向保险公司报案。保险公司接到报案后，于当日委托人员查勘车辆损失情况及到盛某指认的现场进行查勘、拍照等。根据照片显示，左侧前车门、左侧前轮、发动机有损坏。

查勘之后，保险公司委托的人员在盛某填写的机动车辆保险案件处理单上的“查勘情况与结论”栏内写明各项查勘结论以及“报案与事实不符，此单不做理赔依据”字样，同时又在“损失评估”栏内注明车辆核定损失为133 690元。盛某对保险公司作出的拒绝理赔结论表示异议，并向保险公司发出信函。2008年2月13日，涉案轿车修理完毕，盛某共计花费修理费人民币144 200元。保险公司在收到信函后表示不同意理赔，盛某遂向法院提起诉讼。

保险公司在案件审理期间提出司法鉴定申请，司法鉴定科学技术研究所司法鉴定中心出具意见书，其审查意见认为：作为造型物体的限宽桩，其高度明显低于作为承受体的车辆痕迹高度，车体未见限宽桩方形加强筋造型痕迹特征，车体痕迹上没有附着造型物限宽桩上容易转移的红、黄附着物，因此涉案的车辆与指认现场的碰撞不能成立。

因此，保险公司认为，盛某提供的证据仅能证明车辆实际受损，而不能证明造成损失的原因。公安局派出所的报案材料仅能证明事故发生是盛某的单方面陈述，不能作为认定案件事实的证据。根据法律规定，盛某的举证不充分，有伪造事故的嫌疑，保险公司的拒绝理赔符合法律规定。

法院经审理认为，当事人对自己的主张应承担举证责任，如不能提供证据证明自己的主张，应当承担举证不能的法律后果。本案中，虽然盛某向公安机关报案，但公安机关仅注明“来所报案称”，且根据鉴定机关审查意见，轿车与指认现场发生碰撞不能成立。因此，盛某应承担举证不利的法律后果，判决盛某败诉。

律师专线

我国《保险法》明文规定，保险事故发生后，依照保险合同请求保险人赔偿或者给付保险金时，投保人、被保险人或者受益人应当向保险人提供其所能提供的与确认保险事故的性质、原因、损失程度等有关的证明和资料。另外，车辆保险合同中，通常也约定被保险人索赔应当向本公司提供保险单、驾驶人的驾驶证、保险车辆行驶证、事故证明、交通事故认定书、损失清单及其他与确认保险事故性质、原因、损失程度等有关的证明和材料。

本案中，公安部门在报案材料上注明“来所报案称”字样，该证明不能说明公安机关通过技术手段对事故的成因及结果进行了技术判断，仅能证明公安机关对事故的认定是通过盛某的陈述作出的。从该证明的形式和内容看，仅能证明盛某报案陈述的事实，而不能证明事故的性质和原因，盛某诉讼请求所依据的事故基础未能成立。保险公司到盛某所称的现场进行了现场勘查，认为盛某的报案陈述与事实不符，而且，在案件审理过程中，司法鉴定机构作出的鉴定结论也认定事故的原因与报案不符，因此保险公司不予理赔的结论合乎规定，而非无理拒赔。

盛某仅能证明车损发生以及损失程度，但不能证明事故的原因和性质，因此应由盛某承担举证不能的责任。保险公司依据保险法规定及保险合同约定，拒绝理赔并无不当。

法律规范

中华人民共和国保险法

（1995 年 6 月 30 日第八届全国人民代表大会常务委员会第十四次会议通过，2002 年 10 月 28 日第九届全国人民代表大会常务委员会第三十次会议修正，2009 年 2 月 28 日第十一届全国人民代表大会常务委员会第七次会议修订）

第二十二条　保险事故发生后，按照保险合同请求保险人赔偿或者给付保险金时，投保人、被保险人或者受益人应当向保险人提供其所能提供的与确认保险事故的性质、原因、损失程度等有关的证明和资料。

保险人按照合同的约定，认为有关的证明和资料不完整的，应当及时一次性通知投保人、被保险人或者受益人补充提供。

专家释惑

保险赔偿的过程实际上是由被保险人或保险赔偿的受益人在事故发生后，通过举证，试图全面、完整、准确证明所发生的事故，使对事故一无所知的保险人相信事故发生的经过及由此所造成的损失金额的过程。这一过程的成功与否决定了被保险人或受益人能否从保险人处获得预期的赔偿。

"谁主张谁举证"是民事诉讼中举证责任分配的基本原则，《民事诉讼法》第64条规定："当事人对自己提出的主张，有责任提供证据。"根据法律规定，除了特定类型案件适用"举证责任倒置"的原则以外，其他民事诉讼案件均适用"谁主张谁举证"的举证责任分配原则。

从《保险法》第22条规定可以看出，被保险方在发生保险事故向保险人理赔时主要证明的事项包括：1. 保险合同有效存在的法律事实；2. 发生保险事故并且证明事故的性质；3. 保险事故的原因；4. 保险事故造成的损害；5. 被保险方依合同履行相应义务并具备理赔的条件。

通常保险公司在发生保险事故后，首先要求被保险方提供的便是证明保险合同的存在，要求被保险人提供保险单原件或提供保单号码。实践中，有时会遇到发生保险事故时，保险公司只收了投保单和保费，而保单尚未签发；或者保单虽已签发，但尚未送到客户手中的情况。对于法律事实的证明义务，被保险方的义务几乎是绝对的，即无论哪种情况，被保险方均应有相应的证据证明其与保险人存在合同关系。

证明发生保险事故及事故的性质，通常是指保险公司要求被保险方提供的事故证明。事故证明因所承保的险别不同而以不同的形式体现。例如，机动车的事故证明通常是交通大队出具的事故责任裁决书（双方事故）或事故认定书（独立事故）；如果是火灾，则是由公安机关的消防部门出具的火灾原因认定书；如果系人身保险，则是由医院开具的死亡或伤残证明书等。上述文件通常是由与被保险方与保险方均无利害关系的第三方出具，用以证明所发生事故的时间、地点及事故的性质，便于未经历保险事故的保险公司通过以上证据对事故的性质进行甄别，进而确定事故是否是保险事故。

实践中常常出现以下两种情况：一种是事故发生时，被保险方因各种原因，没有及时向第三方机构报案，现场被破坏，事后第三方机构不出具任何事故证明。例如，发生车辆碰撞事故，双方均未向交警报案，致使无法取得关于事故经过及性质认定的相关证明。另一种被保险方是虽向保险公司报案，但报案前也已撤离现场，保险公司亦无法取得事故现场的第一手资料，而被保险方能够提供的就是一辆已受损的车辆，对事故经过的证明仅限于被保险方的单方叙述。被保险方是否已尽到其举证义务要视具体情况而定。如果保险事故发生当时，受自然原因的影响，无法向任何方报案，而被保险方为减少损失，不得不采取撤离现场的办法，最终导致以上局面。如果被保险方确实没有主观过错，则应视为被保险方已尽其举证责任。反之，如果事故发生当时，由于被保险方的主观过错导致无法取得第三方出具的事故证明。例如，交通事故情况下，有条件报案但未报案，且擅自撤离现场，则应当认定由被保险方承担举证不能的风险。

请求保险赔偿的请求方举证证明事故原因也很重要。因为在所有的保险条款中都会列明保险责任与除外责任。而在除外责任中又分为原因除外责任和损失除外责任。如果事故属于保险责任约定的事故，但引发事故的原因是除外责任的原因，则仍不能认定为保险事故。

39. 开车撞了人，5 年后保险公司还赔吗？

案例 39　易某诉保险公司案

事情是这样的

2002 年 11 月 20 日，易某为其新购的轿车向保险公司投保了机动车辆保险，其中第三者责任险的赔偿限额是 10 万元，保险期限自 2002 年 11 月 21 日至 2003 年 11 月 20 日。当天，易某交纳了保险费 5 389 元。

2003 年 11 月 3 日，易某驾驶该车撞倒了行人吴某，易某随即打电话报案。警方认为，由于事件属于非道路交通事故，有关损害赔偿问题，当事人可向法院提起民事诉讼。

此案经过两审，2006 年 12 月 18 日，二审法院终审判决易某赔偿伤者吴某 1 614 元。2006 年 12 月 30 日，易某根据法院判决，将赔偿款支付给了吴某。

其后，易某认为事故发生在保险期限内，保险公司应该承担赔偿义务。于是，2007 年 6 月，易某向保险公司提出索赔，但保险公司以索赔超过法定时效为由拒绝赔偿。多次交涉无效后，易某只好将保险公司告上法庭。

保险公司庭上辩称，我国保险法规定了索赔期限，这个期限是从易某知道保险事故发生之日起两年，如果这两年内不行使索赔权，该权利就消灭了。易某索赔时间明显超过时限，也就意味着易某放弃权利，因此保险公司可以不赔偿。

法院经审理认为，索赔时效应当自被保险人知道保险事故发生之日起算，本案是有关责任保险的争议，其保险事故发生之日是指被保险人的民事责任依法被确定之日。易某对第三人所应承担的民事责任应为法院作出的终审判决生效之日，该判决于 2006 年 12 月 29 日生效，故本案索赔时效应从这天开始起算，计至本案起诉日期尚未超过两年，因此判决保险公司应在10日内向易某支付保险金，并承担本案的受理费。

律师专线

本案的核心问题是，易某索赔是否超过了索赔期限。若超过了索赔期限，则易某无权要求保险公司赔偿；若未超过索赔期限，易某就有权要求保险公司赔偿。那么该索赔期限是应该从何时起算呢？这正是保险公司与易某发生分歧的问题。法院经审理后认为，该期限应该从易某承担的民事责任依法确定之日起算，即从2006年12月29日起算，因此易某的索赔请求是在合法的索赔期限内提出的，保险公司应予理赔。

但应该认为，法院的这种认定与保险法的规定有出入，《保险法》上明确规定索赔权“自其知道保险事故发生之日起二年不行使而消灭”，而非承担民事责任之日起2年。

法律规范

中华人民共和国保险法

（1995年6月30日第八届全国人民代表大会常务委员会第十四次会议通过，2002年10月28日第九届全国人民代表大会常务委员会第三十次会议修正，2009年2月28日第十一届全国人民代表大会常务委员会第七次会议修订）

第二十六条　人寿保险以外的其他保险的被保险人或者受益人，向保险人请求赔偿或者给付保险金的诉讼时效期间为二年，自其知道或者应当知道保险事故发生之日起计算。

人寿保险的被保险人或者受益人向保险人请求给付保险金的诉讼时效期间为五年，自其知道或者应当知道保险事故发生之日起计算。

专家释惑

保险索赔时效，是一种消灭时效，指的是被保险人、受益人得知保险事故发生后，其索赔权经过一定时间没有行使便依法消灭。《保险法》规定，人寿保险的索赔时效期间为5年，人寿保险以外的其他保险索赔时效期间为2年。

投保的目的，就是希望在发生保险事故后能办理索赔并得到保障，为什么要规定索赔权超过规定的时间不行使便归于消灭呢？规定索赔时效的目的，是为了督促当事人及时行使权利，同时稳定保险经济关系。被保险人、受益人如不及时行使权利，一方面会使事故造成的损失不能得到及时的补偿，影响生产生活的稳定；另一方面也不利于保险合同争议的解决。如果在经过了漫长的时间后提出索赔，查明事故的原因、性质及损失情况将非常困难，证据的灭失将使保险纠纷无法得到合理公正的解决。

注意

本案中虽然法院认定索赔期限从投保人承担的民事责任依法确定之日起算，实际上并不符合保险法的规定。为了保障自己的权利，投保人应尽快向保险公司索赔。

40. 是否能通过保险索赔而不当得利？

案例 40　张誉、李亮与保险公司纠纷案

事情是这样的

1997 年 5 月，张誉楼上住户李亮忘关自来水，水流外溢，殃及张誉家。由于发水时是上班时间，未得到及时控制，造成张家财产受损较为严重。张誉回家时，只见家里处处是水，墙上是大块大块的水污，地板也受到水浸泡，家电自然也难逃此难，张家此次损失不小，地板、室内装修、家用电器修理等各项损失近万元，经双方协商同意，李亮赔偿了张誉 5 000 元了结此事，并立下书面协议。事后，张誉的妻子在单位与同事闲谈时说起此事，单位财务人员说可以向保险公司索赔。原来，张誉妻子的单位为每位职工投保了家庭财产险。张妻回家与张誉商量后决定向保险公司索赔。保险公司接到报案后，由于现场已经被破坏，给定损工作带来很大的困难。最后根据实际损失情况，决定赔付 8 000 元结

案。由于损失是由第三者造成的，保险公司在赔付的同时，要求张誉签署权益转让书，准备向责任人李亮追偿损失。张某签字后，保险公司找到李亮，李亮却认为自己已经赔偿了张誉5 000元，并立下了书面协议，不再承担赔偿义务。保险公司、张誉、李亮之间由此引发了纠纷。

在这场纠纷中，张誉声称自己的损失超过1万元，保险公司的赔偿不足以弥补自己的损失，保险公司和李亮的赔款自己均应该得到。李亮认为自己在造成张誉损失后，已经协商赔偿张誉5 000元，并已经立下协议，保险公司8 000元的追偿款不应找自己追偿，这笔款与自己并无关系。保险公司却认为张誉与李亮私下订立的协议是独立于保险合同之外的，保险人按保险合同履行赔偿义务后，对由第三者造成的损失进行追偿是法律赋予的权利，李亮必须支付8 000元的追偿款。

最后，三方达成协议，张誉的实际损失确定为8 000元，超过8 000元以上的5 000元应交出；李亮是造成张誉损失的责任人，理应承担全部损失的赔偿，即应交出追偿款8 000元，扣除张誉已经交出的5 000元外，还应补交3 000元；保险公司在合理赔付后，理应向第三者责任人即李亮追偿8 000元。

律师专线

本案的关键问题是任何一方都不能因保险而不当得利。保险合同是补偿性合同，所谓补偿性的基本含义是指当保险事故发生并导致被保险人经济损失时，保险人给予被保险人的经济赔偿数恰好能弥补其因保险事故造成的经济损失。这一原则包含两层含义：一是发生保险事故造成损失后，被保险人有权得到全部、充分的补偿，如果赔偿数额低于保险标的的实际损失，这一补偿便是不充分的；二是保险人对被保险人的赔偿数额仅以实际损失为限，任何超过保险标的实际损失的赔偿，都会导致被保险人的额外收益，这就违背了财产保险合同的补偿原则。在本案中，保险公司与张誉最后接受的8 000元赔款应视为本案中保险标的的实际损失，而张某自己认为损失过万是得不到法律支持的。

法律规范

中华人民共和国保险法

（1995年6月30日第八届全国人民代表大会常务委员会第十四次会议通过，2002年10月28日第九届全国人民代表大会常务委员会第三十次会议修正，2009年2月28日第十一届全国人民代表大会常务委员会第七次会议修订）

第五十七条　保险事故发生时，被保险人应当尽力采取必要的措施，防止或者减少损失。

保险事故发生后，被保险人为防止或者减少保险标的的损失所支付的必要的、合理的费用，由保险人承担；保险人所承担的费用数额在保险标的损失赔偿金额以外另行计算，最高不超过保险金额的数额。

第五十九条　保险事故发生后，保险人已支付了全部保险金额，并且保险金额等于保险价值的，受损保险标的的全部权利归于保险人；保险金额低于保险价值的，保险人按照保险金额与保险价值的比例取得受损保险标的的部分权利。

第六十条　因第三者对保险标的的损害而造成保险事故的，保险人自向被保险人赔偿保险金之日起，在赔偿金额范围内代位行使被保险人对第三者请求赔偿的权利。

前款规定的保险事故发生后，被保险人已经从第三者取得损害赔偿的，保险人赔偿保险金时，可以相应扣减被保险人从第三者已取得的赔偿金额。

保险人依照本条第一款规定行使代位请求赔偿的权利，不影响被保险人就未取得赔偿的部分向第三者请求赔偿的权利。

第六十一条　保险事故发生后，保险人未赔偿保险金之前，被保险人放弃对第三者请求赔偿的权利的，保险人不承担赔偿保险金的责任。

保险人向被保险人赔偿保险金后，被保险人未经保险人同意放弃对第三者请求赔偿的权利的，该行为无效。

被保险人故意或者因重大过失致使保险人不能行使代位请求赔偿的权利的，保险人可以扣减或者要求返还相应的保险金。

专家释惑

不当得利是指没有法律上或合同上的充分依据，使他人受损而自己获得利益。构成不当得利，须具备四个法律要件：（1）一方获得利益，就是一方因一定事实而使财产总额增加；（2）他方受到损失，就是因一定事实而使其财产总额减少；（3）一方获利与他方受损有因果关系，就是由于一方获得了不当利益，而使他方应得的利益没有得到或不应有的负担增加了；（4）没有合法依据，就是获得利益没有法律上或合同上的根据，这一点是构成不当得利的重要要件。

案例中最后的结果是不当得利的返还，也就是依照法律的规定，取得不当利益的一方应将所获利益返还于受损失的一方，双方因此形成债权债务关系，即不当得利之债。案例中，张誉得到了李亮赔偿的5 000元后，又得到保险公司赔付的8 000元保险金，显然张誉获得的赔偿额大大高于了其所受的实际损失，即保险公司的定损和张誉最后同意确定的8 000元，在这里通过简单计算即可得知张誉所得到的1.3万元中有5 000元属于不当得利，因而成立不当得利之债，应当返还这5 000元。

41. 被保险人调离原工作单位，原单位能解除保险合同吗？

案例41　陈晓兰诉保险公司案

事情是这样的

2003年10月30日，某保险公司为本单位6名女职工（包括陈晓兰）投保妇科癌病普查保险，投保人和保险人均为该保险公司，被保险人和受益人是这6名女职工，保期3年，保险金额1万元，保费每人40元。该保费已由保险公司工会经费中出资一次交清。

2004年6月，原保险公司分立为人寿保险公司和财产保险公司两个单位，陈晓兰被分到被告人保公司工作。2005年7月，陈晓兰从永顺人保调往另一公司工作。同年8月5日，人保公司作出业务批单，以陈晓兰不具有可保利益为由解除了保险合同，但没有书面通知陈晓兰。2006年1月，医院诊断陈晓兰患癌症。陈晓兰患癌后，曾于2006年1月和5月两次向人保公司递交了给付保险金的申请。人保公司以陈晓兰调离后已不具有可保利益，保险合同失效为由，于同年7月21日给陈晓兰下发了保险金拒付通知书。陈晓兰对保险公司的拒绝理赔无法理解，为此于2007年2月8日提起诉讼，同年7月8日，因癌症恶化死亡。

陈晓兰病故后，她的丈夫王连顺就本案提起诉讼。请求法院判令被告按照保险合同的约定给付保险金，并赔偿其妻生前因被告拒绝理赔而遭受的精神损失。

被告人保公司辩称：为自己职工的利益，本单位曾给女职工投保妇科癌病普查保险是事实。但由于陈晓兰后来调出本单位，本单位已没有可保利益，因此以业务批单解除了该保险合同。保险合同不存在了，原告的理赔申请当然无效。应当驳回原告的诉讼请求。

法院认为：任何单位为自己的职工谋取合法利益，都是法律允许并支持的正当行为。由于保险是原保险公司的业务，此次保险是该公司为自己的职工投保，这种特殊情况决定了该保险合同上投保人和保险人的签署是同一人，但这与自己和自己签订的无效合同情况不同，仍然属于两个平等民事主体之间签订合同。根据保费出资的实际情况，应认定这个保险合同的投保人是原保险公司工会，保险人是该公司。维护职工合法权益，关心职工的生活，全心全意为职工服务，是工会的职能。工会在职工同意的情况下为职工投保人身险，是其履行职责的体现。依照《中华人民共和国保险法》第31条的规定，原保险公司工会对保险标的具有保险利益。本案的人身保险合同是当事人真实意思的表示，依法成立有效。

原告王连顺之妻陈晓兰在原保险公司工作期间，既是原保险公司的职工，也是原保险公司工会的会员，有权利享受职工和会员的待遇。原保险公司由该公司工会出资为其女职工投保，是该公司工会给会员的福利待遇。因保险合同的成立，陈晓兰以被保险人和受益人的身份成为合同当事人，享有保险金请求权。

通常的合同，由于是签约双方的意思表示一致，所以只要签约双方协商一致，就可以变更或者解除。但是在保险合同中，由于有被保险人加入，合同与被保险人利害相关，因此只有在通知并征求被保险人的意见后，才能决定合同的订立、变更或解除。原告王连顺之妻陈兰从被告人保公司调离后，人保公司借该人身保险合同为同一人签署的便利，在没有征求陈晓兰意见的情况下，就以业务批单的形式解除合同。此举违背了《保险法》第15条的规定，不能发生解除的效力。

人员流动是社会发展正常现象。以可流动人员的身体作为保险标的的人身保险合同，投保人在投保时对保险标的具有的保险利益，可能由于人员流动而在投保后发生变化。对人身保险合同，只能根据投保人在投保时是否具有保险利益来确定合同效力，不能随保险合同成立后的人事变化情况来确定合同效力，这样才能保持合同的稳定性。被告人保公司以陈晓兰调离后，人保公司已没有可保利益为由，主张本案合同无效，理由不能成立。

依法成立的合同，对各方当事人都有约束力，各方当事人必须按照合同的约定享受权利和履行义务。原告王连顺之妻陈晓兰在保期内患了妇科癌症，符合保险合同约定的承保条件，被告人保公司在接到保险理赔申请后，应当按约定支付保险金。王连顺诉请判令人保公司给付保险金，应当支持；诉请判令人保公司赔偿陈晓兰的精神损失，由于没有提供相应的证据，不予支持。据此，法院作出判决由被告人保公司给付原告王连顺保险金1万元。

律师专线

这起案件的关键在于保险合同是否已经解除，保险公司是否还应承担支付保险金的责任，保险公司是否能以被保险人调离本单位而对其不再具有保险利益为由，事先不告知被保险人就直接解除已经生效的保险合同。从一般合同来看，当事人协商一致，可以解除合同，不受其他条件的限制。根据合同自由原则，当事人有权解除合同，他人无权干涉。在实践中，大部分合同的解除也都是通过当事人协商而实现的。在本案中投保人与保险人实际上为原保险工会，保险人就是该公司，正是因为此次保险是该公司为自己的职工投保，本保险合同才在这种特殊的情况下得以有效，否则合同双方为一人的合同应属无效合同，那就更谈不上解除的问题。那么在本案中为什么保险公司不能自己解除受益人为陈晓兰的保险合同呢？关键在于在保险合同中，由于有被保险人加入，合同与被保险人利害相关，因此只有在通知并征求被保险人的意见后，才能决定合同的订立、变更或解除，而且作为保险人的保险公司以业务批单的形式解除合同也是无效的。保险法中并没有规定保险合同的解除要得到被保险人或受益人的同意，但法院基于诚实信用原则认定保险公司单独以业务批单的方式解除保险合同的行为无效，是在实践上加强了对合同第三方利益的保护，也是值得肯定的。至于被保险人在保险合同生效后调离原单位，是否会对保险合同发生影响，在本书的其他内容中已经提及：人寿保险只要求在投保时投保人对被保险人具有保险利益，在保险事故发生时是否仍具有保险利益则并不发生影响。

注意

这里要明确一点，合同解除与合同撤销、合同无效是 3 个不同的概念。前者是指在合同依法成立后而尚未全部履行前，当事人基于协商或者法律规定或者当事人约定而使合同关系归于消灭的一种法律行为。合同撤销则是当事人因其意思表示不真实而请求撤销合同以否定有效性的行为，其原因是合同当事人的意思表示不真实，如重大误解、显失公平等。合同无效是合同欠缺生效条件而自始没有法律效力。

法律规范

中华人民共和国保险法

（1995 年 6 月 30 日第八届全国人民代表大会常务委员会第十四次会议通过，

2002年10月28日第九届全国人民代表大会常务委员会第三十次会议修正，2009年2月28日第十一届全国人民代表大会常务委员会第七次会议修订）

第十五条　除本法另有规定或者保险合同另有约定外，保险合同成立后，投保人可以解除合同，保险人不得解除合同。

第二十一条　投保人、被保险人或者受益人知道保险事故发生后，应当及时通知保险人。故意或者因重大过失未及时通知，致使保险事故的性质、原因、损失程度等难以确定的，保险人对无法确定的部分，不承担赔偿或者给付保险金的责任，但保险人通过其他途径已经及时知道或者应当及时知道保险事故发生的除外。

第三十一条　投保人对下列人员具有保险利益：

（一）本人；

（二）配偶、子女、父母；

（三）前项以外与投保人有抚养、赡养或者扶养关系的家庭其他成员、近亲属；

（四）与投保人有劳动关系的劳动者。

除前款规定外，被保险人同意投保人为其订立合同的，视为投保人对被保险人具有保险利益。

订立合同时，投保人对被保险人不具有保险利益的，合同无效。

专家释惑

合同的解除有狭义与广义之分。狭义的合同解除是指在合同依法成立后尚未全部履行前，当事人一方基于法律规定或当事人约定行使解除权而使合同关系归于消灭的一种法律行为；广义的合同解除包括狭义的合同解除和协议解除。我国合同法对合同解除采取了广义的概念，包括协议解除、约定解除和法定解除。因此，合同的解除是指在合同依法成立后尚未全部履行前，当事人基于协商或者法律规定或者当事人约定而使合同关系归于消灭的一种法律行为。其特点有：必须以当事人之间存在有效合同为前提；必须具备一定的条件；是一种消灭合同关系的法律行为。解除合同的法律行为，既可以是单方法律行为，也可以是双方法律行为。

合同解除不同于合同变更，主要区别在于：第一，合同变更只是对合同的部分内容作出修改和补充，合同关系并不消灭。从原合同不再履行的角度而言，可以称为合同的相对消灭；合同解除是消灭原合同关系，也不建立新的合同关系。这种消灭是合同关系的绝对消灭。第二，合同变更主要是因双方协商而发生的，一般不涉及一方的变更权问题；而合同解除除因双方协商而发生外，还涉及一方的解除权问题。第三，合同解除通常是一种违约救济方法，当一方当事人违约时，另一方可以解除合同以获得补救；合同变更并不是违约救济方法，一方违约后，另一方并不产生变更合同的权利。

合同解除可以分为法定解除和约定解除。合同解除的条件由法律直接加以规定的，为法定解除；以合同形式约定的，为约定解除。另外还可以划分为单方解除和协议解除。前者是指解除权人行使解除权将合同解除的行为。它不必经对方当事人同意，只要解除权人将解除合同的意思表示直接通知对方即可；后者是当事人双方协商一致解除合同。它是通过订立一个新的合同使当事人之间的合同关系完全归于消灭，至于协议解除后的法律效果均应由双方当事人在协议中一并约定。

保险合同的解除，是指保险合同当事人因保险合同成立后的法定或者约定事由，行使解除权而使保险合同自始无效的法律行为。保险人或者投保人解除保险合同的权利，称为解约权。解约权只需权利人行使就产生保险合同解除的后果，无需对方当事人作出意思表示。解约权或者源于法律的规定，或者产生于保险合同的约定，前者称为法定解约权，后者称为约定解约权。保险合同成立后便具有法律约束力，当事人不得随意解除保险合同。投保人或者保险人欲解除保险合同，应当依照法律的规定或者保险合同的约定。一般原则是，除非法律另有规定或者保险合同另有约定外，投保人可以随时解除保险合同；

除非法律另有规定或者保险合同另有约定外，保险人不得解除保险合同。对于货物运输保险合同以及运输工具航程保险合同，在保险责任开始后，投保人和保险人均不得解除保险合同。

保险合同成立后，基于法律的规定，当事人一方有权解除合同，是法定解除权。对于投保人来说，我国《保险法》规定：除法律另有规定或者保险合同另有约定外，保险合同成立后，投保人可以解除保险合同，保险人不得解除合同。《海商法》规定保险责任开始前，被保险人可以要求解除合同，但是应当向保险人支付手续费，保险人应当退还保险费。除保险合同另有约定外，被保险人在保险责任开始后，不得解除保险合同。除法律或者保险合同的限制外，被保险人在保险责任开始后，不得解除保险合同。投保人解除保险合同，无须向保险人陈述其解除合同的理由，只要向保险人作出解除保险合同的意思表示，即以通知送达保险人即可。依照我国保险法，投保人的解约权只受法律规定的限制或者保险合同约定的限制。

保险人在保险合同成立后，除法律另有规定或者保险合同另有约定外，不得解除保险合同。法律规定如有下列情形之一发生时，保险人取得解除权，可以解除保险合同：1. 投保人违反如实告知义务；2. 投保人（被保险人）违反特约条款。保险特约条款是指对有关保险的任何权利、义务或者事实确认所作出的特别约定。我国《保险法》规定，投保人和保险人可以约定特约条款；3. 违反危险增加的通知义务。保险标的的危险增加，不论投保人或者被保险人是否已将危险增加的情况通知保险人，均产生保险人要求增加保险费或者解除保险合同的选择权；4. 投保人（被保险人）违反防灾减损义务。投保人或者被保险人及其代理或者代表或者代理人，应当以谨慎的合理注意，防止保险标的发生意外事故；5. 骗取保险金给付。被保险人或者受益人意图欺诈保险人给付保险金，或者采取其他欺骗手段图谋保险金，构成道德危险，属于违法行为；6. 故意制造保险事故；7. 误报年龄超过限制；8. 效力中止的保险合同逾法定期间等。

提醒

依照我国保险法，投保人的解约权只受法律规定的限制或者保险合同约定的限制。本案中虽然法院认为保险公司在未通知被保险人的情况下不能自己解除保险合同，但我国在法律上并没有这样的规定，实际上限制了投保人的解约权。因此在实践中仍应按照法律的规定和合同的约定行事，只有这样才能切实保护自己的权益，不能完全依赖法院对被保险人或受益人的扩大保护。

42. 投保人能要求解除保险合同吗?

案例 42　李某诉保险公司案

事情是这样的

2003 年 3 月 1 日，鉴于最近一段时间李某所在的居民小区治安环境太差，经常发生偷盗行为，李某向某保险公司投保了家庭财产保险附加条款，保险期间为 1 年，约定自李某交纳保险费后保险公司开始承担保险责任。李某投保后不久，所在地派出所专门就李某所在的居民小区治安情况重点盯防，抓获大批违法犯罪分子，小区环境也大有改善。同年 11 月 3 日，李某到保险公司要求解除保险合同，并退还已经交纳的保险费 200 元，遭到保险公司的拒绝，并被告知保险合同成立后投保人不能任意退保，否则要承担违约责任。李某愤愤不平地回到家后，立即到书店买了本保险法律法规认真研究，发现《保险法》第 15 条规定，除本法另有规定或者保险合同另有约定外，保险合同成立后，投保人可以解除保险合同。次日，李某携刚买的这本书前往保险公司，向保险公司业务员说明自己要求退保是有根据的。但是，保险公司再次拒绝李某的要求，并威胁说如果李某退保，保险公司将追究李某的违约责任。迫于无奈，李某向法院起诉，要求解除保险合同，保险公司退还保险费。

在法庭争辩中，保险公司提出，合同成立后，双方当事人就应该尊重合同，不能随意解除合同。《保险法》第15条并不意味投保人可以随意解除合同，而只有在保险公司同意后才能解除合同。法院查明，双方订立的保险合同已经成立并生效，投保人按约交纳了保险费，保险人的保险责任已经开始。根据《保险法》第15条的规定，投保人有权解除保险合同。此外，根据《保险法》第54条，保险责任开始后，投保人要求解除合同的，保险人可以收取自保险责任开始之日起至合同解除之日止期间的保险费，剩余部分退还投保人。经计算，李某自保险公司保险责任开始之日起至合同解除之日止应负担保险费125元，因此判令保险公司退还李某75元。

律师专线

根据《保险法》第15条和第50条，投保人原则上有保险合同的任意解约权，但货物运输保险合同以及运输工具航程保险合同例外，这两类合同当事人在保险责任开始后不得解除保险合同，此种解约权为法定的解约权利，性质上为形成权，即只需权利人行使就产生保险合同的解除后果，无须对方当事人作出意思表示。因此，李某当然有解除保险合同的权利，而不需承担违约责任。

此外，根据《保险法》第54条，保险责任开始后，投保人要求解除合同的，保险人可以收取自保险责任开始之日起至合同解除之日止期间的保险费，剩余部分退还投保人。法院的判决是合理的。

法律规范

中华人民共和国保险法

（1995年6月30日第八届全国人民代表大会常务委员会第十四次会议通过，2002年10月28日第九届全国人民代表大会常务委员会第三十次会议修正，2009年2月28日第十一届全国人民代表大会常务委员会第七次会议修订）

第十五条　除本法另有规定或者保险合同另有约定外，保险合同成立后，投保人可以解除合同，保险人不得解除合同。

第五十条　货物运输保险合同和运输工具航程保险合同，保险责任开始后，合同当事人不得解除合同。

第五十四条　保险责任开始前，投保人要求解除合同的，应当按照合同约定向保险人支付手续费，保险人应当退还保险费。保险责任开始后，投保人要求解除合同的，保险人应当将已收取的保险费，按照合同约定扣除自保险责任开始之日起至合同解除之日止应收的部分后，退还投保人。

专家释惑

本案涉及《保险法》第15条的规定是否赋予投保人保险合同法定解除权，还是仅仅规定投保人可以同保险人协商解除合同的问题。

《保险法》第15条通过法律的形式直接规定原则上投保人可以解除合同，但保险人不得解除合同。投保人解除保险合同，无须向保险人陈述其解除合同的理由，只要向保险人作出解除保险合同的意思表示就发生解除合同的效果。投保人的这种解除权显然是法定解除权，而不是本案保险公司所主张的协议解除权。

值得注意的是，海上货物运输保险合同以及运输工具保险合同的解除问题比较特殊。我国《海商法》第226条规定，保险责任开始前，被保险人可以要求解除合同，但是应当向保险人支付手续费，保险人应当退还保险费。第227条规定，除合同另有约定外，保险责任开始后，被保险人和保险人均不得解除合同。根据合同约定在保险责任开始后可以解除合同的，被保险人要求解除合同，保险人有权收取自保险责任开始之日起至合同解除之日止的保险费，剩余部分予以退还；保险人要求解除合同，应当将自合同解除之日起至保险期间届满之日止的保险费退还被保险人。第228条规定，虽有本法第227条规定，货物运输和船舶的航次保险，保险责任开始后，被保险人不得要求解除合同。可见，这两类合同的解除是受到较多限制的。

提醒

合同的解除，包括协议解除、法定解除和约定解除。协议解除是在合同依法成立后尚未全部履行之前，当事人通过协商而解除合同，实际上是通过订立一个新合同来解除原来的合同。约定解除是在合同成立后尚未全部履行前，当事人基于双方约定的事由行使解除权而解除合同，是事先按解除合同的条件解除合同。法定解除是合同依法成立后尚未全部履行之前，当事人基于法律规定的事由行使解除权而解除合同，其基本特征是有法律直接规定解除合同的条件，在具备该条件时，当事人可以行使合同解除权。

43. 投保人能否未经被保险人同意而任意解除保险合同?

案例 43　吕某诉保险公司案

事情是这样的

1988 年至 1994 年左右，吕某所在的熔炼厂为包括吕某在内的职工交付了养老保险金，2000 年 1 月 31 日，该厂被工商部门注销。2001 年，熔炼厂会计宦某离厂时未将其保管的保险单、公章移交给熔炼厂。2004 年 2 月，宦某以熔炼厂名义向保险公司申请办理解除养老保险合同；同年 3 月 9 日，宦某领取了保险金。2005 年 8 月 1 日，宦某被该市人民法院以诈骗罪依法判处有期徒刑 3 年，缓刑 4 年。

为保护自己的权益，吕某对保险公司及宦某提起诉讼，诉称：宦某以非法占有为目的，私自申请解除其养老保险合同的行为侵犯了其合法权益；保险公司在退保过程中未尽审查义务，也存在过错，要求法院确认保险公司与宦某之间解除其养老保险合同的行为无效，判令恢复吕某与保险公司之间养老保险合同关系，金额为1 696.7元。

保险公司辩称：保险合同的解除是双方当事人真实意思的表示，法律未规定解除保险合同需经被保险人同意，故保险公司同意退保未违反法律强制性规定。同时，宦某作为熔炼厂会计，保险公司有理由相信其退保行为是职务行为，保险公司在审核了保险单的真实性后，已尽了相应的审查义务，故保险合同的解除有效。

宦某则辩称：因熔炼厂结欠其集资工资，故其到保险公司领取了该笔保险款。退保时保险公司未要求出具被保险人的身份证，未进行严格审查，存在过错。

法院经审理认为，2004年2月1日，被告宦某以非法占有为目的，隐瞒养老保险合同中投保人已被注销营业执照的真相，虚构投保人要求解除保险合同的申请，从而骗取保险费的行为已构成诈骗罪。保险公司作为从事人寿保险业务的专业公司，理应知道养老保险合同系长期合同，由于被保险人吕某的加入，该合同与吕某利害相关，只有征得吕某的同意才能解除合同。但保险公司未尽审查义务，仅根据宦某的申请即办理解除合同手续，并退还保险费，故该解除养老保险合同的行为无效。原告吕某要求确认宦某与保险公司订立的解除养老保险合同无效的诉讼请求，应予以支持，最后判决保险公司与宦某解除保险合同的行为无效。

律师专线

本案的焦点为：(1) 未经被保险人同意，投保人能否解除养老保险合同；(2) 投保人解除养老保险合同时，保险公司应尽何种审查义务。

1. 特殊情况下，投保人不能随意解除保险合同

保险合同的解除，是在保险合同有效成立后，法律规定或当事人约定的解除条件具备时，双方协议或当事人一方或双方行使解除权而使保险合同消灭的法律行为。保险合同有效成立后，具有法律约束力，当事人不得随意解除保险合同，投保人或者保险人欲解除保险合同的，应当依照法律的规定或者保险合同的约定。

《合同法》第93条规定："当事人协商一致，可以解除合同。"通常，无论是当事人在合同中事先约定解除合同的条款，还是在合同成立以后另行订立解除合同的协议，只要其内容不违反法律、行政法规的强制性规定，不违反社会公共利益，就是有效的。《保险法》第15条规定："除本法另有规定或者保险合同另有约定外，保险合同成立后，投保人可以解除合同，保险人不得解除合同。"依此规定，投保人可以随时提出解除保险合同，经双方当事人协商一致后，保险合同解除。但有些保险合同因其种类特殊性，法律规定投保方在保险责任开始后，不能解除也不能要求退还保险费，如货物运输保险及运输工具的航程保险。《保险法》对人身保险合同的订立和变更作了较其他保险合同更为严格的规定，例如该法规定：以死亡为保险事故的保险合同，应当经被保险人书面同意并认可保险金额，否则保险合同无效；以死亡为保险事故的保险合同，未经被保险人书面同意，不得转让和质押。投保人指定、更改受益人时，须经被保险人同意。《保险法》对养老保险合同的解除未作明确规定，但有些养老保险合同有其特殊性，投保人也不能随意提出解除。

本案的养老保险合同应是企业提供给职工的福利待遇，关系职工生活的稳定性和安定性，是企业支付给劳动者的合理报酬，不可随意撤销。此外，在我国目前实行的是"广覆盖、低保障"的养老保险制度下，被保险人在退休时能领到的保险金实际非常有限，如随意解除本案类似情况的养老保险合同，可能影响被保险人日后的基本生活。

2. 投保人解除养老保险合同时，保险公司的应严格审查相关手续

《保险法》未对养老保险合同的解除作出明确规定，但养老保险合同事关被保险人利益，其解除需履行较普通合同更为严格的程序，投保人需提供相应的证明材料，保险公司需进行严格的审查。在投保人提出退保时，保险公司除应审查保险单的真实性外，还应当要求投保人出具被保险人知悉退保事宜的证明，或与被保险人核实，并对投保人的退保手续进行严格的审查后，才能作出同意解除合同的决定。对此，中国保险监督管理委员会起草的《养老保险管理办法（草案）》第20条规定：投保人解除保险合同时，人寿保险公司、养老保险公司应当要求投保人提供被保险人知悉退保的有效证明，退保金应当通过银行转账方式支付并退至原缴款账户。

法律规范

中华人民共和国保险法

（1995 年 6 月 30 日第八届全国人民代表大会常务委员会第十四次会议通过，2002 年 10 月 28 日第九届全国人民代表大会常务委员会第三十次会议修正，2009 年 2 月 28 日第十一届全国人民代表大会常务委员会第七次会议修订）

第十三条　投保人提出保险要求，经保险人同意承保，保险合同成立。保险人应当及时向投保人签发保险单或者其他保险凭证。

保险单或者其他保险凭证应当载明当事人双方约定的合同内容。当事人也可以约定采用其他书面形式载明合同内容。

依法成立的保险合同，自成立时生效。投保人和保险人可以对合同的效力约定附条件或者附期限。

第十五条　除本法另有规定或者保险合同另有约定外，保险合同成立后，投保人可以解除合同，保险人不得解除合同。

中华人民共和国合同法

（1999 年 3 月 15 日第九届全国人民代表大会第二次会议通过）

第九十三条　当事人协商一致，可以解除合同。

当事人可以约定一方解除合同的条件。解除合同的条件成就时，解除权人可以解除合同。

第九十四条　有下列情形之一的，当事人可以解除合同：

（一）因不可抗力致使不能实现合同目的；

（二）在履行期限届满之前，当事人一方明确表示或者以自己的行为表明不履行主要债务；

（三）当事人一方迟延履行主要债务，经催告后在合理期限内仍未履行；

（四）当事人一方迟延履行债务或者有其他违约行为致使不能实现合同目的；

（五）法律规定的其他情形。

专家释惑

在本案中，养老保险合同是企业为职工提供的福利，构成职工劳动报酬不可分割的一部分。劳动者对于该养老保险合同已经同意，并存在合理预期，如果允许投保人不经被保险人同意，径自可以与保险人协议解除合同，必然损害被保险人利益。

即使依照保险法的规定，投保人可以解除合同，保险公司也应当在办理退保手续过程中进行严格的审查。

44. 保险合同什么情况下中止和复效？

案例 44　李某诉保险公司案

事情是这样的

李某在 2005 年时考虑到买保险可以为自己和家人提供更多的保障，于是在好友张某的推荐下，在当地保险公司为自己投保了一份终身寿险，并指定自己的妻子杨某为受益人，合同成立并生效的时间为 2005 年 3 月 1 日，并约定分期交纳保险费。其后，李某又考虑到自己的工资不高，家里各方面的开销也不少，还要按期拿出钱来交纳保险费实在有点力不从心，再加之工作压力大，李某也没有将交纳保险费的事情放在心上。于是，因李某未履行按期交纳续期保费的义务，此保险合同的效力遂于 2006 年 5 月 2 日中止。但其后，李某还是补交了其所拖欠的保险费及利息。经保险双方协商达成协议，此合同效力在 2007 年 5 月 1 日恢复。

长期以来，李某一直感觉生活压力太大，又有一连串工作、生活上不顺心的事不停地刺激着李某的神经，李某陷在精神压力的困境中无力自拔，家人见到李某终日忧心忡忡眉头紧锁也不知该如何开导他。到 2007 年 10 月 10 日，李某自杀身亡，这使生活状况本来就不好的李家雪上加霜。办理完李某的后事之后，保险合同的受益人杨某便向保险公司提出给付保险金的请求。而保险公司则认为合同效力的起算日应为复效日，即 2007 年 5 月 1 日。根据《保险法》第 44 条规定，以死亡为给付保险金条件的合同，自成立之日起满2年后，如果被保险人自杀的，保险人可以按照合同给付保险金。于是保险公司便以合同效力不足2年为理由予以拒赔。但杨某不能接受这种理由，认为合同是在2005年3月1日就已经成立并生效的，只是因为中间没有按期交纳保险费使得保险合同中止，但后来补交保险费及利息又通过协议使合同效力恢复，这也不能被认为是在2007年保险合同才开始生效，从2005年3月1日开始计算到李某自杀已经超过了2年时间，而且此期间的保险费已经交纳或补交了的，保险公司当然应当给付保险金。双方观点针锋相对，遂引起保险纠纷，杨某将保险公司告到了法院。

法院审理后认为，合同效力的“中止”不同于“终止”，“终止”是保险合同效力的绝对失效，而“中止”仅仅是合同效力的暂时中断即暂时失去效力，而非永久性失去效力。当投保人与保险人达成协议并补交了保费及利息后，合同效力恢复。根据合同法的相关原理，所有原条款包括自杀条款在内，若没有特别约定的情况下，其效力应该回溯到原始状态（即合同成立之日），因此将自杀条款的效力起算日延后是不合理和显失公平的。故本案中保险合同的自杀条款效力应该从合同成立日算起，并且已满2年期限，保险公司应按合同规定给付保险金。

律师专线

我国《保险法》第44条规定：“以被保险人死亡为给付保险金条件的合同，自合同成立或者合同效力恢复之日起二年内，被保险人自杀的，保险人不承担给付保险金的责任，但被保险人自杀时为无民事行为能力人的除外。保险人依照前款规定不承担给付保险金责任的，应当按照合同约定退还保险单的现金价值。”那么，复效合同的自杀条款效力究竟是从合同成立日算起，还是从复效日算起呢？上述法院的观点是正确的，“中止”与“终止”是完全不同的两个概念，若保险合同终止，则合同效力自终止时起消灭而不再继续，并不溯及既往，所以双方当事人均无恢复原状的义务。而保险合同的效力中止，是指保险合同生效后，由于某种法定事由的出现使合同效力暂时中止，在符合法定条件或者约定条件时，可以恢复合同的效力。一般认为，寿险合同复效是原保险合同的继续而不是新保险合同的订立。效力中止是复效的前提，但复效并不是中止的必然结果，如果保险合同中止后，在一定期间内投保人不申请复效，保险合同就从效力中止时解除。

注意

保险合同的效力中止和复效，通常认为只能发生在人身保险合同中，理由是只有在人身保险合同中才有分期支付保险费的做法。保险合同中止后、复效前若发生保险事故，保险人也没有义务按合同约定对投保人、被保险人或者受益人承担赔偿或者给付保险金的责任。自保险合同效力中止之日起 2 年内双方未能达成复效协议的，保险人有权解除保险合同。

法律规范

中华人民共和国保险法

（1995 年 6 月 30 日第八届全国人民代表大会常务委员会第十四次会议通过，2002 年 10 月 28 日第九届全国人民代表大会常务委员会第三十次会议修正，2009 年 2 月 28 日第十一届全国人民代表大会常务委员会第七次会议修订）

第三十五条　投保人可以按照合同约定向保险人一次支付全部保险费或者分期支付保险费。

第三十六条　合同约定分期支付保险费，投保人支付首期保险费后，除合同另有约定外，投保人自保险人催告之日起超过三十日未支付当期保险费，或者超过约定的期限六十日未支付当期保险费的，合同效力中止，或者由保险人按照合同约定的条件减少保险金额。

被保险人在前款规定期限内发生保险事故的，保险人应当按照合同约定给付保险金，但可以扣减欠交的保险费。

第三十七条　合同效力依照本法第三十六条规定中止的，经保险人与投保人协商并达成协议，在投保人补交保险费后，合同效力恢复。但是，自合同效力中止之日起满二年双方未达成协议的，保险人有权解除合同。

保险人依照前款规定解除合同的，应当按照合同约定退还保险单的现金价值。

第四十四条 以被保险人死亡为给付保险金条件的合同，自合同成立或者合同效力恢复之日起二年内，被保险人自杀的，保险人不承担给付保险金的责任，但被保险人自杀时为无民事行为能力人的除外。

保险人依照前款规定不承担给付保险金责任的，应当按照合同约定退还保险单的现金价值。

专家释惑

本案涉及的是保险合同的效力中止和恢复。

长期人身保险具有投资和储蓄的价值，在投保人交付第一期保险费以后，投保人可以分期交付保险费，除非保险合同另有约定，保险合同不能因为投保人暂时逾期未缴保险费而失效，投保人逾期未支付保险费只是保险合同效力中止的条件之一，依照我国法律的规定，保险合同在投保人逾期未支付保险费的情况效力如何应首先依照保险合同的约定办理；如果保险合同没有对这种情况作出约定，则在投保人逾期未交保险费超过法定60日期间后，保险合同的效力中止，一种是投保人从合同约定的支付日届满60日后未能支付保险费；另一种是指保险合同中约定了投保人支付保险费的宽限期，这种情况应是投保人在交费宽限期届满后60日未能支付保险费。除合同效力中止外，还可以按照约定的减少保险金额的条件，由保险人减少保险金额。总的来说，中止保险合同的效力，应当满足3个基本条件：（1）投保人逾期未缴保险费。投保人在支付首期保险费后，不能在保险合同约定的交纳保险费的日期或者交费宽限期向保险人交纳保险费。（2）投保人逾期未缴保险费的期间已经超过60日。投保人在保险合同约定的交费日期后经过60日没有交纳保险费，或者保险合同对投保人交纳保险费约定有交费宽限期，投保人在交费宽限期经过后逾60日没有交纳保险费。（3）保险合同没有约定其他补救办法。保险合同对于如何处理投保人未缴保险费的情形，没有规定中止合同效力以外的其他解决办法。只有满足上述三个条件，保险合同的效力才可以中止。

保险合同的中止，仅是暂时中止其合同的效力，在一定的条件下仍可以依一定的程序使其效力恢复，但保险合同的效力中止期间中若发生保险事故，保险人不负给付保险金的责任。保险合同中止后，除非保险合同中止2年以上的，保险人没有解除合同的权利。

已经中止效力的人身保险合同，在符合一定的条件时，可以恢复合同的效力。恢复保险合同的效力，即为保险合同的复效。

按照我国《保险法》的有关规定，保险合同的复效应当具备的条件包括：1. 投保人向保险人提出复效请求。保险合同效力中止后，投保人若期望恢复保险合同的效力，应当正式提出复效请求。投保人不提出复效请求的，合同效力不能自行恢复。在保险合同效力中止后2年内，投保人请求复效的，保险人应当和投保人协商复效的各项条件。2. 投保人应当在一定期间内申请复效。投保人只能在保险合同效力中止后2年内申请复效，效力中止2年后再请求复效的，保险人不予恢复合同效力。但若2年后保险人没有解除保险合同，而且愿意接受投保人提出的复效申请，投保人逾复效申请保留期即中止之日起2年的也并非没有意义。3. 被保险人请求复效时应当符合投保条件。在保险合同效力中止期间，投保人或者被保险人的有关情况可能发生变化，如果情况变化后不符合保险人的承保条件，保险人可以拒绝投保人的复效请求。4. 投保人应当补交保险费。补交的保险费应当包括保险合同效力中止前欠交的保险费和保险合同中止期间应当支付的保险费及其利息，投保人应当一次交清。5. 投保人与保险人应当就复效条件达成协议。投保人与保险人协商并达成恢复合同效力的协议，协议的实质是保险人与投保人又签订意向合同来恢复原来合同的效力。投保人请求保险人恢复保险合同的效力，只有保险人同意接受投保人的复效请求的，保险合同才能恢复效力。如果保险人和投保人关于保险合同的复效不能达成协议，保险合同则不能复效。

保险合同复效的，从恢复之日起，在保险合同期限内如果发生保险事故，保险人应当根据合同约定承担赔偿或者给付保险金的责任。可以认为中止效力的保险合同恢复效力后，原保险合同视为自始没有中止效力。也就是说复效是原保险合同的继续而不是新保险合同的订立，合同的生效时间仍应当为最初的合同生效时间而不是复效的时间。但保险合同自其效力中止之日起 2 年内，投保人和保险人未能达成复效协议的，保险人有权解除合同。

45. 农村散户买简易人身保险中的问题

案例 45　王某诉保险公司案

事情是这样的

1993 年，王某之妻许某在保险公司投保了简易人身保险，并按约定履行了交费义务。2005 年 6 月，许某不幸病故，王某作为受益人向保险公司提交理赔申请等相关材料。2006 年 4 月 12 日，保险公司书面通知王某给付赔偿金 725 元，王某见到此通知大惊，因为按照保险合同约定，保险公司应当赔付保险金 4 265 元整。于是，王某将保险公司告上法庭。

保险公司则辩称：1. 投保人交保费到 2004 年 4 月，原保单效力终止；2. 被保险人许某于 2005 年 6 月 19 日死亡，而在 2005 年 6 月 29 日，王某提出恢复保单效力申请，该申请无效；3. 根据保险法和合同约定，被告只应退回保费，不负给付保险金责任。

法院经审理查明：1993 年 6 月 13 日，王某之妻许某在保险公司投保 30 年期简易人身保险，保险公司向许某交付了简易人身保险卡，保险卡上载明“保险份数5份，保险金额4 265元，每月保费5元，受益人王某，公元1993年6月21日签发”，保险的经办人为刘某。根据保险卡交费记录中的登记，投保人交费时间不一，大部分是按年度交纳保费。其中1996年度、1997年度、1998年度是投保人年底一次交清，1999年度和2000年度是投保人一次性提前交清，2001年度至2004年4月，保费是投保人一次性于2002年11月21日交清。2004年12月前的保费是刘某垫交后，王某再给付刘某的，最后一次缴交保费时间是2005年6月29日。

刘某在此案中提供了证词，证明：因乡下情况特殊，客户是农民散户，每月收集较困难，一般做法是一年交一次，没有交的暂时由本人先垫付出来，在客户手册上登记就行了，许某属于散户。2004年元月以后没有这样做，但没有口头通知许某每月交保费，记不清有无通知王某。对于散户客户每月交保费的要求，服务部没有公示过，也没有听说公司要求散户客户每月交保费的公示。

法院认为：根据保险法的有关规定，保险公司应向王某或投保人许某明确告知保险合同条款内容及保险人的免责条款，原告之妻办理保险时，被告方仅向原告方交付简易保险卡，保险卡没有关于简易人身保险条款内容，被告也无证据可以证实已经向原告、投保人告知该保险条款的内容。根据该保险条款的第10条规定，缴交保险费可以按月缴付，经保险人同意也可以按季、半年，按年交付，也可以多年保险费或一次性交清。从原告之妻保险卡交费记录的事实，本院认定被告事实已同意原告或投保人可以按年或预交多年形式缴交保险费，并且被告无证据证实已向原告或投保人通知过每月缴交保险费。本案被告不按约定给付保险金，应承担本案的全部民事责任，被告保险公司应当向原告王某支付保险金4 265元。

律师专线

本案中，农村散户缴交保险费由于条件特殊，采取了比较灵活的方法。保险公司认为由于保险费没有及时交付，因此保险合同效力中止，但法院调查的结果是，散户交费一般做法是一年交一次，没有交的暂时由经办人先垫付出来。另外，保险条款中也规定，缴交保险费可以按月交付，经保险人同意也可以按季、半年，按年交付，也可以多年保险费一次性交清。可见，双方并没有约定必须按月交付，保险公司也未能证明其明确告知了投保人应每月支付，因此保险公司不能主张保险合同效力中止，应按约定支付保险金 4 265 元。

法律规范

中华人民共和国保险法

（1995 年 6 月 30 日第八届全国人民代表大会常务委员会第十四次会议通过，2002 年 10 月 28 日第九届全国人民代表大会常务委员会第三十次会议修正，2009 年 2 月 28 日第十一届全国人民代表大会常务委员会第七次会议修订）

第十六条　订立保险合同，保险人就保险标的或者被保险人的有关情况提出询问的，投保人应当如实告知。

投保人故意或者因重大过失未履行前款规定的如实告知义务，足以影响保险人决定是否同意承保或者提高保险费率的，保险人有权解除合同。

前款规定的合同解除权，自保险人知道有解除事由之日起，超过三十日不行使而消灭。自合同成立之日起超过二年的，保险人不得解除合同；发生保险事故的，保险人应当承担赔偿或者给付保险金的责任。

投保人故意不履行如实告知义务的，保险人对于合同解除前发生的保险事故，不承担赔偿或者给付保险金的责任，并不退还保险费。

投保人因重大过失未履行如实告知义务，对保险事故的发生有严重影响的，保险人对于合同解除前发生的保险事故，不承担赔偿或者给付保险金的责任，但应当退还保险费。

保险人在合同订立时已经知道投保人未如实告知的情况的，保险人不得解除合同；发生保险事故的，保险人应当承担赔偿或者给付保险金的责任。

保险事故是指保险合同约定的保险责任范围内的事故。

专家释惑

本案中投保人投保的是简易人身保险。简易人身保险是手续简便、保障充分的一种长期性人身保险。凡16周岁以上、65周岁以下，身体健康，能正常劳动或工作的人，都可以成为被保险人。投保人可以是本人，也可以是经本人同意的配偶、直系亲属及其他有扶养关系的人。机关、企业、事业单位和社会团体也可在经被保险人同意后，为其办理投保手续。

保险期限：简易人身保险的保险期限分为5年期、10年期、15年期、20年期、30年期5种。投保人可选一种或多种投保，但以保险期限届满时被保险人年龄不超过70周岁为限。

保险责任包括：（1）生存给付。被保险人生存到保险期满，给付保险金全数。（2）疾病死亡给付。被保险人自保险单生效之日起180天后，因疾病死亡，给付保险金全数。（3）意外伤害死亡给付。被保险人因意外伤害事件所致死亡，给付保险金全数。（4）残疾给付。被保险人因意外伤害事件造成身体残疾，按有关给付标准的规定给付保险金。

除外责任包括：（1）投保人或被保险人对投保条件有隐瞒或欺骗行为；（2）被保险人自杀、犯罪行为，或因被保险人、投保人、受益人的故意行为所致残疾或死亡；（3）因疾病所致的残废；（4）被保险人自保险单生效之日起180天内因疾病死亡；（5）因战争、军事行动所致伤亡。

不论一次或连续多次，发生意外伤害事件给付保险金累计总额不得超过保险金额。被保险人因意外伤害领取保险金后，如果生存到保险期限届满，保险人不扣除已给付的保险金，仍给付保险金额全数。

每份保险费一律每月人民币1元。每份保险金额按投保时被保险人的不同年龄的投保期限分别规定。每一被保险人可以投保一份或多份简易人身保险。保险费应按月交付，也可按季、半年、年交付，也可预交多年或一次交清。保险单在投保人交付第一期保险费后才生效。

保险金给付，生存给付凭被保险人保险单证及身份证件领取；伤残给付、死亡给付凭被保险人或受益人持保险单证、证明材料及身份证件领取。

注意

在投保简易人身保险时，投保人也应查阅有关保险条款，以明确自己的权利和义务。

46. 故意制造保险事故诈骗会有什么后果？

案例46　钟某制造保险事故诈骗案

事情是这样的

钟某租用某房地产开发公司的场地开了一家酒店，并为酒店财产投了意外事故保险。酒店开业后一度生意十分红火，但后来因经营不善，负债累累，无力支付租金，只好被迫关门。为还债，走投无路的钟某想起当初曾为酒店投了意外事故保险，万般无奈下钟某决定铤而走险放火烧毁酒楼，以骗取高额保险金。下了决心后，钟某准备了汽油，一日深夜，趁四下无人，钟某将汽油倒在地上后点燃，将酒楼烧毁。看着熊熊燃烧的火焰，钟某心里越来越不安，竟定不下神来。

钟某放火后在向保险公司索赔中，语言露出破绽，保险公司工作人员报案引起案发，钟某被公安机关抓获归案。

本案在处理过程中，对被告人钟某的行为构成犯罪无异议，但对于钟某构成一罪或数罪，应如何定性，出现意见分歧。

第一种意见认为，被告人钟某在公共场所实施放火，足以使公共安全处于危险状态，且造成一定经济损失，其行为已构成放火罪。同时，钟某放火的直接动因和根本目的是骗取保险金，客观上钟某又到保险公司索赔，构成保险诈骗罪。前者是方法行为，后者是目的行为，两者之间具有牵连关系，属于牵连犯。根据牵连犯的处罚原则，应择一重罪放火罪处罚。

第二种意见认为，被告人钟某的行为既构成放火罪，又构成保险诈骗罪（未遂），根据刑法的相关规定，应实行数罪并罚。

法院肯定并采纳了第二种意见。

律师专线

本案中，关键在于以下几点：首先，被告人钟某的行为构成保险诈骗罪（未遂）。本案中，被告人钟某犯罪的直接动因和根本目的是为了骗取保险金，就其侵犯的客体来看，被告人故意制造保险事故、骗取保险金，侵犯了国家的保险管理制度、管理秩序和公共财产所有权。就犯罪的客观方面来分析，被告人钟某故意人为地制造保险标的出险的保险事故，造成财产损失，又到保险公司要求理赔，但由于其意志以外的原因未得逞，是未遂。故被告人钟某的行为构成保险诈骗罪（未遂）。其次，被告人钟某的行为构成放火罪。从钟某放火焚烧的对象及所处的环境看，酒楼处在繁华大街的道路旁，明显属于公共场所。钟某在客观方面实施了使用引火物点燃侵害对象，制造火灾的放火行为。就钟某的主观方面来说，其放火行为明显是有预谋、有准备的，尽管其犯罪动机是为了骗取保险金，但其主观方面的故意是不言而喻的。这些都符合放火罪的构成条件，所以钟某的行为构成放火罪。最后，对被告人钟某应将放火罪和保险诈骗罪实行并罚。

注意

就本案而言，被告人钟某在放火烧毁酒楼之后，又向保险公司索赔，前者是方法行为，后者是目的行为。两者之间有因果关系，触犯了不同的罪名，属于牵连犯。对特定犯罪的牵连犯的处断应坚持双重处断原则。在本案中，即应对被告人钟某以放火罪和保险诈骗罪（未遂）实行并罚，而不应择一重罪放火罪处断。

法律规范

中华人民共和国保险法

（1995 年 6 月 30 日第八届全国人民代表大会常务委员会第十四次会议通过，2002 年 10 月 28 日第九届全国人民代表大会常务委员会第三十次会议修正，2009 年 2 月 28 日第十一届全国人民代表大会常务委员会第七次会议修订）

第四十三条　投保人故意造成被保险人死亡、伤残或者疾病的，保险人不承担给付保险金的责任。投保人已交足二年以上保险费的，保险人应当按照合同约定向其他权利人退还保险单的现金价值。

受益人故意造成被保险人死亡、伤残、疾病的，或者故意杀害被保险人未遂的，该受益人丧失受益权。

第一百七十六条　投保人、被保险人或者受益人有下列行为之一，进行保险诈骗活动，尚不构成犯罪的，依法给予行政处罚：

（一）投保人故意虚构保险标的，骗取保险金的；

（二）编造未曾发生的保险事故，或者编造虚假的事故原因或者夸大损失程度，骗取保险金的；

（三）故意造成保险事故，骗取保险金的。

保险事故的鉴定人、评估人、证明人故意提供虚假的证明文件，为投保人、被保险人或者受益人进行保险诈骗提供条件的，依照前款规定给予处罚。

中华人民共和国刑法

（1979 年 7 月 1 日第五届全国人民代表大会第二次会议通过，1997 年 3 月 14 日第八届全国人民代表大会第五次会议修订）

第一百九十八条　有下列情形之一，进行保险诈骗活动，数额较大的，处五年以下有期徒刑或者拘役，并处一万元以上十万元以下罚金；数额巨大或者有其他严重情节的，处五年以上十年以下有期徒刑，并处二万元以上二十万元以下罚金；数额特别巨大或者有其他特别严重情节的，处十年以上有期徒刑，并处二万元以上二十万元以下罚金或者没收财产：

（一）投保人故意虚构保险标的，骗取保险金的；

（二）投保人、被保险人或者受益人对发生的保险事故编造虚假的原因或者夸大损失的程度，骗取保险金的；

（三）投保人、被保险人或者受益人编造未曾发生的保险事故，骗取保险金的；

（四）投保人、被保险人故意造成财产损失的保险事故，骗取保险金的；

（五）投保人、受益人故意造成被保险人死亡、伤残或者疾病，骗取保险金的。

有前款第四项、第五项所列行为，同时构成其他犯罪的，依照数罪并罚的规定处罚。

单位犯第一款罪的，对单位判处罚金，并对其直接负责的主管人员和其他直接责任人员，处五年以下有期徒刑或者拘役；数额巨大或者有其他严重情节的，处五年以上十年以下有期徒刑；数额特别巨大或者有其他特别严重情节的，处十年以上有期徒刑。

保险事故的鉴定人、证明人、财产评估人故意提供虚假的证明文件，为他人诈骗提供条件的，以保险诈骗的共犯论处。

专家释惑

保险事故是指保险合同约定的保险责任范围内的事故。保险事故的本质，从学理上可解释为客观上可能存在的偶然事故。首先，保险事故本质上以具有偶发性者为限，所谓“偶然”，系指危险之发生，出于意料之外而言，因此偶然事故又可称为“意外事故”；从保险之技术性角度来理解，保险契约以保险事故之或然率为基础，而据以收付保险费，其对价为保险人承担危险，因此“偶然事故”又可称为“或然性事故”或“不确定性事故”，即保险事故在发生的原因或时间上具有或然性或不确定性，不能由被保险人所左右。

保险事故的范围之所以被限定在偶然性或意外性事故范围内，其目的在于排除被保险人通过自己的意志或行为所引致的保险事故。首先，从保险人角度而言，保险并不承保由被保险人故意引起的损失。这种限制的原因是与保险的概念以及对可能的道德危险和逆向选择相关的。保险是防范风险的一种保护机制，通过这种机制，个体同意支付一定金额的保险费，以保证在出现损失时能得到补偿。如果保险赔偿不是被大于保险收益的损失所引起的，那么，保险就会刺激人们去主动触发保险事故发生。其次，从投保人的角度而言，损失必须是偶然的或者意外的。因为若投保人对损失控制的程度越高，保险机制应用的可能性就越小，保险降低了投保人会预防和控制的激励；投保人控制程度越高，其结果就越具有戏剧性。

作为保险人一项法定免责条款，保险事故的发生不得出于故意，被保险人故意制造保险事故的，不得主张契约上的权利。其法理依据在于：首先，在于被保险人故意制造保险事故，违背了保险事故为偶然事故之保险法则。其次，是保险领域公共政策的基本要求所使然。英美法系普通法中关于契约效力在公共政策上的一个基本规则是："非法的或不道德的约因不能诉请履行。"该规则运用到保险领域，有两个可供具体适用的基本准则，即"行为不产生于错误原因"和"一个人不能从自己的错误或犯罪中赢利"。因此，从社会的角度来看，对被保险人的故意行为引起的损失，仍然给予赔偿的公共政策，显然有失社会正义。最后，是为预防和遏制被保险人的道德危险的基本要求所使然。投保人、受益人故意造成被保险人死亡、伤残或者疾病，骗取保险金的，该行为人丧失收益权，但仍应具体分配保险金。受益人杀害被保险人不意味着可免除保险人的责任。相反，保险人应向无辜的顺位受益人给付保险金，没有顺位受益人的应按《保险法》以被保险人的遗产作处理，由被保险人的法定继承人继承。根据《继承法》第10条规定："遗产按照下列顺序继承：第一顺序：配偶、子女、父母；第二顺序：兄弟姐妹、祖父母、外祖父母。继承开始后，由第一顺序继承人继承，第二顺序继承人不继承。没有第一顺序继承人继承的，由第二顺序继承人继承。……"同一顺序继承人对遗产按遗产总额平均继承。

提醒

在故意制造保险事故骗取保险金的行为中还存在一个数罪并罚的问题。《刑法》第 198 条第 2 款规定："有前款第四项、第五项所列行为，同时构成其他犯罪的，依照数罪并罚的规定处罚。"第 4 项、第 5 项的行为总体来说就是故意制造保险事故骗取保险金的行为。例如在本案例中，行为人的行为就构成了放火罪和保险诈骗罪（未遂），应数罪并罚。所谓数罪并罚，是指一人犯数罪的情况下，对其合并处罚的制度。

47. 杀夫骗保，要承担刑事责任

案例 47　钱某制造保险事故诈骗案

事情是这样的

喜新厌旧的钱某了解到参加保险后一旦被保险人死亡，可以获取全部保险金额的赔付后，遂产生了投保后杀夫的恶念。这样，既可以摆脱丈夫，又可以获得高额赔付，可谓一举两得。2003 年 4 月 25 日，钱某作为投保人，将自己作为受益人，为丈夫杨某办理了康宁定期保险，年交保费 3 150 元，保险金额为 9 万元。

为了达到罪恶的目的，钱某于 2004 年 5 月 8 日晚雇佣尤某等人杀夫未遂，但将杨某打成了重伤，杨某因而住进了临沂矿务局医院抢救室。5 月 28 日下午 6 时许，尤某等二人带着水果以探望病号为名混进医院，将杨某杀死在病床上，然后逃离现场。

公安机关接到报案后，通过现场勘查分析，发现"5 · 8"案件与"5 · 28"杀人案件具备并案条件，钱某有雇凶杀人的嫌疑。但在对钱某进行审查时，钱某拒不承认，使侦破工作搁浅。为此，警方采取多种方式和手段进一步侦查，并对钱某进行了测谎。通过综合测试分析后，在许多现象说明该案应系钱某雇人所为的基础上，警方对钱某进行了审讯，在高科技的压力下钱某的心理防线彻底崩溃，很快供述了其花2.5万元雇佣尤某等人两次杀夫的罪行。当晚，警方便将杀人主犯尤某抓获归案。

由于发生案件后公安机关行动迅速，破案及时，使钱某无机可乘，未能到中国人寿保险临沂市罗庄区支公司报案索赔。

律师专线

本案中的事实是受益人故意杀害被保险人，此时保险合同中约定的受益人是否还有受益权，保险人是否仍承担给付保险金责任？根据《保险法》的有关规定，只要投保人、受益人故意造成被保险人死亡、伤残或者疾病，保险人就不承担给付保险金的责任。在本案中，受益人即钱某虽然有意图骗取保险金，但因公安机关破案及时，钱某还未实施骗取保险金的行为。但若本案中报案不及时，公安机关未迅速破案，钱某在杀死其丈夫后，立即向保险公司索赔，则构成保险诈骗，保险公司不仅不需向钱某赔付保险金，保险单现金价值也不需退还给钱某。

法律规范

中华人民共和国保险法

（1995年6月30日第八届全国人民代表大会常务委员会第十四次会议通过，2002年10月28日第九届全国人民代表大会常务委员会第三十次会议修正，2009年2月28日第十一届全国人民代表大会常务委员会第七次会议修订）

第四十三条　投保人故意造成被保险人死亡、伤残或者疾病的，保险人不承担给付保险金的责任。投保人已交足二年以上保险费的，保险人应当按照合同约定向其他权利人退还保险单的现金价值。

受益人故意造成被保险人死亡、伤残、疾病的，或者故意杀害被保险人未遂的，该受益人丧失受益权。

第一百七十六条　投保人、被保险人或者受益人有下列行为之一，进行保险诈骗活动，尚不构成犯罪的，依法给予行政处罚：

（一）投保人故意虚构保险标的，骗取保险金的；

（二）编造未曾发生的保险事故，或者编造虚假的事故原因或者夸大损失程度，骗取保险金的；

（三）故意造成保险事故，骗取保险金的。

保险事故的鉴定人、评估人、证明人故意提供虚假的证明文件，为投保人、被保险人或者受益人进行保险诈骗提供条件的，依照前款规定给予处罚。

中华人民共和国刑法

（1979年7月1日第五届全国人民代表大会第二次会议通过，1997年3月14日第八届全国人民代表大会第五次会议修订）

第一百九十八条　有下列情形之一，进行保险诈骗活动，数额较大的，处五年以下有期徒刑或者拘役，并处一万元以上十万元以下罚金；数额巨大或者有其他严重情节的，处五年以上十年以下有期徒刑，并处二万元以上二十万元以下罚金；数额特别巨大或者有其他特别严重情节的，处十年以上有期徒刑，并处二万元以上二十万元以下罚金或者没收财产：

（一）投保人故意虚构保险标的，骗取保险金的；

（二）投保人、被保险人或者受益人对发生的保险事故编造虚假的原因或者夸大损失的程度，骗取保险金的；

（三）投保人、被保险人或者受益人编造未曾发生的保险事故，骗取保险金的；

（四）投保人、被保险人故意造成财产损失的保险事故，骗取保险金的；

（五）投保人、受益人故意造成被保险人死亡、伤残或者疾病，骗取保险金的。

有前款第四项、第五项所列行为，同时构成其他犯罪的，依照数罪并罚的规定处罚。

单位犯第一款罪的，对单位判处罚金，并对其直接负责的主管人员和其他直接责任人员，处五年以下有期徒刑或者拘役；数额巨大或者有其他严重情节的，处五年以上十年以下有期徒刑；数额特别巨大或者有其他特别严重情节的，处十年以上有期徒刑。

保险事故的鉴定人、证明人、财产评估人故意提供虚假的证明文件，为他人诈骗提供条件的，以保险诈骗的共犯论处。

专家释惑

本案例同样是故意制造保险事故，意图通过欺诈来取得保险公司的赔偿。有关分析介绍详见案例66“专家释惑”。

第二编　财产保险合同纠纷案例

48. 怎样订立和解除财产保险合同?

案例 48　某玩具厂与保险公司财产保险赔偿纠纷案

事情是这样的

2005 年 1 月 12 日，某市玩具厂与某保险公司签订了一份企业财产保险合同。合同约定：该玩具厂向保险公司投保企业财产险，总保险金额为人民币 3 645 803 元，保险费为人民币 1 276. 31 元，保险期限为 2005 年 1 月 13 日至 2006 年 1 月 12 日。同日，保险公司向玩具厂出具了企业财产保险单，并在玩具厂没有交付保险费的情况下向其开具了保险费收据。随后保险公司多次向玩具厂催要保险费，但玩具厂以经济困难、无力还款为由拖延付款。2005 年 2 月 22 日上午 7 时，玩具厂的原料仓库被人纵火，造成了很大的损失，玩具厂随即通知了保险公司。保险公司派员赶赴现场后得知玩具厂一直没有交付保险费，便退出火灾现场，拒绝理赔。同日上午 9 时左右，玩具厂以转账支票的形式向保险公司交付保险费 1 276. 31 元，保险公司未表异议。2 月 28 日，玩具厂向保险公司发出申请书，要求保险公司赔偿火灾损失共计 325 974. 46 元。保险公司以玩具厂未按期交纳保险费，合同已解除为由拒赔。玩具厂诉至法院要求保险公司赔偿损失。

经侦查，火灾系该厂职工纵火所致。案发后，检察院会同有关部门对火灾损失进行了鉴定，并出具了物品价值认定书。

一审法院审理认为，玩具厂与保险公司签订的保险合同合法有效，合同背面的《企业财产保险条款》应作为该合同的组成部分，双方均应严格遵守。玩具厂未按期交纳保险费，属违约行为，应支付延期交费的利息。保险公司在玩具厂未实际交纳保险费时即出具了收费收据，事故发生后，又收取了玩具厂的保险费，其行为是对玩具厂迟延履行交纳保险费义务的认可。保险公司以玩具厂没有按期交纳保险费为由拒绝赔偿，理由不当不予支持。判决由保险公司赔偿玩具厂火灾损失290 796.08元和违约金17 241.50元。

保险公司不服，提起上诉。二审法院审理认为，双方签订的保险合同意思表示真实，并经双方签字盖章认可，依法有效成立，保险公司按合同约定的保险责任期间承担保险责任。玩具厂未按期交纳保险费属违约行为，根据法律规定，保险公司可以依法终止合同。但保险公司不仅没有提出终止合同，而且在事故发生后又收取了玩具厂的保险费，该行为实际上是对投保人延迟付款的认可。因此，原审法院判决保险公司承担赔偿责任并无不当，但赔偿数额过高缺乏依据，应依据有关部门出具的物品价值认定书予以赔偿。故改判保险公司赔偿玩具厂火灾损失91 041.74和违约金7 510元。

律师专线

本案的关键问题在于发生保险事故时，保险责任期间是否已经开始，保险公司是否应当按保险合同的约定给付保险金，而投保人未支付保险费对保险合同的生效将产生何种影响。本案中，保险合同双方当事人在订立合同时，双方意思表示真实。然而，在合同签订后，玩具厂并未支付任何保费。那么该保险合同在保险事故发生时是否生效了呢？保险公司是否开始承担保险责任了呢？根据《保险法》的有关规定，对于分期支付保费的人身保险合同，投保人必须在合同成立时支付首期保险费，否则合同将不能成立。但是对于财产保险合同，法律没有类似的规定，因为财产保险合同属于诺成合同，即便投保人没有支付保费，只要双方签订了合同，并且意思表示真实，合同就宣告成立，保险公司应依照合同中约定的保险责任期间承担保险责任。另外，投保人一直未支付保险费是否能构成保险公司解除合同的理由呢？在本案中，保险公司在发生保险事故前并未通知投保人解除该保险合同，并且接受了该玩具厂补交的保险费，实际上是对投保人延迟付款的认可，保险合同仍然是有效的，保险公司应当承担赔偿责任。

法律规范

中华人民共和国保险法

（1995 年 6 月 30 日第八届全国人民代表大会常务委员会第十四次会议通过，2002 年 10 月 28 日第九届全国人民代表大会常务委员会第三十次会议修正，2009 年 2 月 28 日第十一届全国人民代表大会常务委员会第七次会议修订）

第十四条　保险合同成立后，投保人按照约定交付保险费，保险人按照约定的时间开始承担保险责任。

第十五条　除本法另有规定或者保险合同另有约定外，保险合同成立后，投保人可以解除合同，保险人不得解除合同。

中华人民共和国合同法

（1999 年 3 月 15 日第九届全国人民代表大会第二次会议通过）

第九十六条　当事人一方依照本法第九十三条第二款、第九十四条的规定主张解除合同的，应当通知对方。合同自通知到达对方时解除。对方有异议的，可以请求人民法院或者仲裁机构确认解除合同的效力。法律、行政法规规定解除合同应当办理批准、登记等手续的，依照其规定。

专家释惑

本案涉及的第一个问题是该财产保险合同是否已经生效，保险责任期间从何时开始。在本案中玩具厂与保险公司签订的保险合同中明确约定保险期限为 2005 年 1 月 13 日至 2006 年 1 月 12 日。也就是说双方约定保险责任期间从 2005 年 1 月 13 日开始，而以 2006 年 1 月 12 日为终期。在保险责任期间始期届至前发生的保险事故，保险人不论是否已收取保费或已签发保险单或其他凭证，均可不负保险责任；反之，始期届至后发生的保险事故，保险人不论是否已收取保费或已签发保单或其他凭证，均应负保险责任。保险合同成立后，保险人从何时承担保险赔偿或者给付保险金责任，往往由保险合同约定。保险合同对保险人开始承担保险责任的时间没有约定的，保险人在投保人向其支付保险费时开始承担赔偿或者给付保险金责任。本案中明确约定了保险责任期间，则保险公司应按合同的约定来承担赔偿责任。

由此可见，本案中只要合同已经成立，保险公司就应当赔付保险金。

第二个问题在于保险公司在纠纷中主张保险合同已经解除，那么其主张是否有法律依据呢？保险人是否可以单方解除合同，解除合同又应当以何种方式作出呢？依照《保险法》与《合同法》的有关规定，保险人在保险合同成立后，除法律另有规定或者保险合同另有约定外，不得解除保险合同。法律规定如有下列情形之一发生时，保险人取得解除权，可以解除保险合同：1. 投保人违反如实告知义务；2. 投保人（被保险人）违反特约条款。保险特约条款是指对有关保险的任何权利、义务或者事实确认所作出的特别约定；3. 违反危险增加的通知义务。保险标的的危险增加，不论投保人或者被保险人是否已将危险增加的情况通知保险人，均产生保险人要求增加保险费或者解除保险合同的选择权；4. 投保人（被保险人）违反防灾减损义务；5. 骗取保险金给付。被保险人或者受益人意图欺诈保险人给付保险金，或者采取其他欺骗手段图谋保险金，构成道德危险，属于违法行为；6. 故意制造保险事故；7. 误报年龄超过限制；8. 效力中止的保险合同逾法定期间等。很明显，《保险法》中并没有规定投保人未支付保险费可以构成保险人单方解除保险合同的理由，而玩具厂与保险公司签订的保险合同中也没有这样的特别约定。因此，依据《保险法》，保险公司不能单方解除该保险合同。

但《合同法》第 94 条规定，当事人解除合同的法定条件是：

1. 因不可抗力致使不能实现合同目的；2. 在履行期限届满之前，当事人一方明确表示或者以自己的行为表明不履行主要债务；3. 当事人一方迟延履行主要债务，经催告后在合理期限内仍未履行；4. 当事人一方迟延履行债务或者有其他违约行为致使不能实现合同目的；5. 法律规定的其他情形。除了法定解除合同的条件之外，当事人也可以约定一方解除合同的条件。因此，若依照《合同法》的规定，投保人一直未支付保险费，而且保险公司多次向玩具厂催要保险费，但玩具厂一直以经济困难，无力还款为由拖延付款，已经构成当事人一方迟延履行主要债务，经催告后在合理期限内仍未履行。因此根据平等有偿的法律原则，保险人应当有权单方决定解除合同。

与之相关的另一个问题是保险公司若主张解除合同，应以何种方式作出。合同解除方法，可以概括为三种情况：1. 协议解除。即合同成立以后，未履行或未完全履行前，当事人双方通过协商而解除合同，使合同效力消灭的行为。2. 约定解除权。是指当事人约定在一定情况下由一方或双方享有解除权。3. 法定解除，是指在合同成立以后，没有履行或者没有完全履行以前，当事人一方行使法定的解除权而使合同效力消灭的行为。《合同法》第 94 条规定了法定解约权。在约定解约权赋予或法定解约权条件成就时，解除权人可直接行使解除权，将合同解除，而不必征得对方同意，又称为“单方解约权”。单方解约权是一种形成权，解除权人在行使解除权的时候，只需要向对方作出意思表示即可产生效力。我国立法的态度为合同解除应为明示。《合同法》第 96 条亦作出了规定，即当事人解除合同时，应当通知对方。合同自通知到达对方时解除。对方有异议的，可以请求人民法院或者仲裁机构确认解除合同的效力。

那么如果解除权人没有通知对方时，合同的解除是否发生法律效力？此项义务应当属于法定义务，如果当事人没有履行告知义务，合同解除就不能发生效力。反而解约方应当对于由于解约而给对方造成的损失承担责任。因此当保险公司决定单方解除合同时，必须履行通知的义务。如果保险公司没有履行该义务，解除合同便不发生法律效力。

本案中保险公司在保险事故发生前并未通知投保人解除合同，也就是没有就解除合同的意思明示投保人，因此该保险合同并未解除。

对于保险事故发生后补交保险费的效力问题。投保人一直没有支付保险费构成迟延履行，而保险公司收取了该迟延支付保险费并未提出任何异议，这是对投保人延迟付款的认可，但保险公司并未明示同意投保人即玩具厂迟延履行，因而非对原合同的变更，即对投保人交付保险费期限的变更。因此，保险公司只是对于迟延履行的受领，并没有改变投保人迟延履行的实质，保险公司仍然享有请求对方给付违约利息的权利。

提醒

财产保险合同不同于人身保险合同，财产保险合同属于诺成合同，即便投保人没有支付保费，只要双方签订了合同，并且意思表示真实，合同就宣告成立。所谓诺成合同，又称为“不要物合同”，是指以当事人的意思表示一致为成立要件的合同。这种合同不以交付标的物作为合同的成立要件，只要当事人意思表示一致时合同就成立了，大多数合同都属于诺成合同。与之相对的是实践合同，即除当事人意思表示一致外，还需要交付标的物才能成立的合同。这种合同仅凭当事人的意思表示一致还不能成立，还需要有一方交付标的物的行为，是法律特别规定的一种合同。可见，本案中保险合同依照法律是已经成立的。

49. 保险人保险责任的承担是否以交纳保险费为前提?

案例 49 一起重大灾民索赔案件

事情是这样的

1998 年年末，一笔 380 万元巨款从中国平安保险公司深圳总部汇往安乡县。这笔巨款对正处于冬天里的因洪灾失去家园的灾民来说，无疑是雪中送炭。灾民们对于这笔巨款，更多的是一份意外的惊喜，因为整个索赔过程颇为曲折。

1998 年盛夏的惊世洪灾，使位于洞庭湖畔的安乡县遭受了新中国成立以来最大的灾难。该县防洪大堤有 400 公里长，占全省防洪大堤的 1/8。在长江、澧水、洞庭湖的夹击下，安乡从 6 月就开始苦苦挣扎。7 月 24 日深夜，洪水终于撕开了安造垸堤防，吞没了黄山头镇、安全乡、安障乡和一个农场，10 万余百姓被赶上大堤。9 月中旬，洪水才慢慢退去。灾民们回到家园，眼前的景象如同经历了一场核战争，田野失去了绿色，房屋倒塌了 60%，重建家园的工作相当艰难。虽然政府和社会提供了援助，但还远远不够。寒冬如期来临，面对资金紧缺的现状，灾民们和地方官员焦虑不安。

于是，安全乡的灾民想到保险理赔。该乡农户曾向中国平安保险公司投保。出险后，乡政府负责人多次要求平安保险公司派员勘灾理赔。9 月 24 日，平安保险公司以安全乡未交保费为由，向乡政府发出了拒赔通知书。

事情还得从头说起。1998 年 4 月，安全乡政府决定由乡保险代办站为各村农户代投农村家庭财产保险。为了拓展平安保险公司的保险业务，5 月上旬，平安保险公司安乡建行代理处负责人多次找乡政府负责人，要求安全乡的农户在平安保险公司投保。几个回合后，这笔业务就有了些眉目：5 月 20 日，平安公司又到安全乡商谈此事，该乡保险代办站的工作人员接待了他们。平安公司提出要安全乡办理投保手续，每户只需交7.5元，保额为2 500元；在“特别约定”栏中注明，保费分两次交付，11月交清；平安公司填写完后交乡代办站经办人过目，加盖了安全乡保险代办站的公章；随后平安公司又向安全乡保险代办站签发了家庭财产保险单（正本）（代保险费收据），并盖上了“中国平安保险股份有限公司安乡建行代理处”的公章。没料到这张保单成了日后纠纷的导火索。7月20日前，平安方面多次到安全乡政府催讨保费。乡负责人许诺在早稻上市后（8月份）将付部分保费，棉花上市后（11月）全部付清。但是，一场突如其来的灾难淹没了这个承诺，保险公司虽然感叹失去了一笔业务，但万万没想到，没交一分钱保费的安全乡灾民却向他们愤然起诉。

安全乡19个村、场的6 657户农户，除了108户没有受损外，6 549户的家庭财产都受到了不同程度的损害，他们推选出19位代表，于10月5日诉至安乡县人民法院，要求平安保险公司立即理赔，以便他们重建家园。

安乡县人民法院接待了来访的灾民，但这个县级法院还从来没有受理过标的额如此之大的家财保险纠纷案，此种类型的案子在全国还没有先例，如果操作失误，很可能引发社会矛盾。后经请示，常德市中级人民法院决定将此案交由安乡县人民法院审理。1998年10月23日，安乡县人民法院第一次公开开庭审理了此案。被告是中国平安保险公司常德市支公司和中国平安保险公司安乡建行代理处。平安保险公司从深圳总部派出了委托代理人。

此次庭审，19个农民代表也请了两位诉讼代理人。原告席上，代理人坐在前面，法庭在其身后为农民加了19把椅子，如此庞大的原告阵容，在国内庭审中都是罕见的。

双方在法庭上进行了激烈的辩论，辩论的焦点是：本案中投保单、保险单哪个是家财保险合同的有效形式，被保险人按期交纳保费是否是保险人承担保险责任的前提条件。

经过三轮辩论，双方均不退让，法庭主持调解，但在具体问题上没有达成一致意见，法庭宣布休庭。

为进一步查明案件事实，根据案情需要，一场大规模的财产损失鉴定工作开始了。法院聘请了房地产、物价部门对灾民的受损房屋、家具和家电进行鉴定；安乡县人民法院动用了2/3的警力进行协助，对安全乡6 000多投保户的保险财产损失逐一鉴定，这支队伍自带生活费，与灾民同吃同住，历尽了艰辛。当时，洪水刚刚退去，垸内还残留着难闻的气味，鉴定人员每到一户查勘，灾民都要围拢来诉说。他们既要对灾民负责，又要对保险公司负责，完全来不得半点差错。灾民投保时有一份名册，起诉时又持一份名册，鉴定时要一一核对重新造册，三份名册上的名字一个也错不得。

经过20天的鉴定工作，灾民财产受损情况终于确定。

经安乡县人民法院审理认为，保险合同是一种要式合同，保险人向被保险人签发的保险单是保险合同的主要表现形式，保险合同的主要条款都应在保险单上载明。保险合同成立后，除《保险法》明确规定和双方另有约定外，保险人不得解除保险合同。本案中，被告向原告的委托保险代理人安全乡政府签发了保险单，原被告之间的保险合同即告成立，保险合同所约定的双方的权利义务应受法律保护。本案原告及其委托代理安全乡政府应按约定交纳保费。对投保所欠保费及利息，保险人可以向投保人索讨或通过起诉的方式追讨。但是，原告是否交纳保费和是否按约定交保费，不是本案被告按约定保险期限承担保险责任的前提条件，除非在保险单上特别约定保单自交费之日起生效。否则，即使投保分文未交，保险人也必须承担保险责任。

平安保险公司尽管坚持自己的一些观点，但是面对数万灾民和法院的认定，他们还是提出协商解决纠纷的意见。

1998年12月8日，本案双方当事人在法院主持的调解下，终于达成如下协议：被告中国平安保险股份有限公司常德市支公司一次性给付原告安乡县安全乡曾贤辉等6 549户承保农户赔款及各种开支费用共计人民币380万元，原告向被告交纳保险费及利息3.5万元。

律师专线

本案涉及的主要问题仍然是两个，即保险合同的形式和保险人保险责任的承担是否以交纳保险费为前提。

对于第一个问题，我国《保险法》第13条规定，投保人提出保险要求，经保险人同意承保，保险合同成立。保险人应当及时向投保人签发保险单或者其他保险凭证。保险单或者其他保险凭证应当载明当事人双方约定的合同内容。当事人也可以约定采用其他书面形式载明合同内容。从这条规定，我们可以看出，保险合同为非要式合同，我们不能认为保险单或保险凭证才是保险合同，它们只是保险合同的证明形式，是保险合同内容的物质载体。本案中，平安保险公司签发了家庭财产保险单（正本），该保险单可以作为保险合同的主要形式。

对于第二个问题，我国《保险法》并没有明确规定，保险责任的承担必须以交纳保险费为前提。《保险法》第14条规定，保险合同成立后，投保人按照约定交付保险费；保险人按照约定的时间开始承担保险责任。该条只是强调了当事人按约履行的义务，至于谁负有先履行的义务则交给当事人自己约定。我们知道保险合同是民事合同中的一种，《保险法》中关于保险合同的规定属于特别法，而《民法通则》和《合同法》中的规定则属于一般法，根据特别法优先适用的原则和特别法没有规定的适用一般法的原则，该问题应该从《民法通则》、《合同法》的规定和民法一般理论中找答案。保险合同属于双务合同，投保人对保险人有交纳保险费的义务，保险人对被保险人或受益人有给付保险赔偿或保险金的义务。根据《合同法》的规定和一般理论，如果没有约定履行先后顺序，双方当事人都有同时履行抗辩权，如果一方有先履行的义务，则后履行方有先履行抗辩权。本案中，双方在“特别约定”栏中注明，保费分两次交付，但是没有约定交纳保险费和承担保险责任的先后关系。原则上，对没有约定先后履行顺序的保险合同，应理解为保险人有先履行抗辩权，即投保人不交纳保险费，保险人就可以拒绝赔偿。

注意

本案中，法院认为保险合同为要式合同以及“原告是否交纳保费和是否按约定交保费，不是本案被告按约定保险期限承担保险责任的前提条件，除非在保险单上特别约定保单自交费之日起生效。否则，即使投保人分文未交，保险人也必须承担保险责任”的看法是不当的。

法律规范

中华人民共和国保险法

（1995 年 6 月 30 日第八届全国人民代表大会常务委员会第十四次会议通过，2002 年 10 月 28 日第九届全国人民代表大会常务委员会第三十次会议修正，2009 年 2 月 28 日第十一届全国人民代表大会常务委员会第七次会议修订）

第十三条　投保人提出保险要求，经保险人同意承保，保险合同成立。保险人应当及时向投保人签发保险单或者其他保险凭证。

保险单或者其他保险凭证应当载明当事人双方约定的合同内容。当事人也可以约定采用其他书面形式载明合同内容。

依法成立的保险合同，自成立时生效。投保人和保险人可以对合同的效力约定附条件或者附期限。

第十四条　保险合同成立后，投保人按照约定交付保险费；保险人按照约定的时间开始承担保险责任。

第三十条　采用保险人提供的格式条款订立的保险合同，保险人与投保人、被保险人或者受益人对合同条款有争议的，应当按照通常理解予以解释。对合同条款有两种以上解释的，人民法院或者仲裁机构应当作出有利于被保险人和受益人的解释。

中华人民共和国合同法

（1999 年 3 月 15 日第九届全国人民代表大会第二次会议通过）

第六十六条　当事人互负债务，没有先后履行顺序的，应当同时履行。一方在对方履行之前有权拒绝其履行要求。一方在对方履行债务不符合约定时，有权拒绝其相应的履行要求。

第六十七条　当事人互负债务，有先后履行顺序，先履行一方未履行的，后履行一方有权拒绝其履行要求。先履行一方履行债务不符合约定的，后履行一方有权拒绝其相应的履行要求。

专家释惑

保险合同中，如果约定了保险人在投保人交纳保险费之前就承担保险责任或者只有在交纳保险费之后才承担保险责任，就不会发生本案的争议。而对于没有约定履行的先后顺序的保险合同，原则上不理解为保险人对对方的履行要求有同时履行抗辩权，而是有先履行抗辩权。因为保险合同是射幸合同，或者称为“机会性合同”，保险事故的发生与否事先不确定，被保险人或受益人的利益的损失或赔偿表现为一种机会。保险人在保险事故发生之前，虽然其给付保险赔偿的义务尚未发生，但是保险人已经暴露于危险之中。如果允许在保险费交纳之前就令保险人承担责任，势必会发生这样的后果，即投保人将相机而动，如果没有发生保险事故，自然更不愿意交纳保险费；如果发生了保险事故，先可以取得保险赔偿，再补交保险费。这样对保险人而言，就很不公平了。就本案来说，无论保险人行使同时履行抗辩权，还是先履行抗辩权，都有理由拒绝给付赔偿。从最后的处理结果，我们也可以看出，出于各方压力，平安保险公司虽然作出了赔偿的决定，但是决非心甘情愿。或许有人对此问题会搬出《保险法》第30条的规定，即对于保险合同的条款，保险人与投保人、被保险人或者受益人有争议时，人民法院或者仲裁机关应当作有利于被保险人和受益人的解释，借此来说明此案中法院的判决是有道理的。但是，我们应该注意到本案的争议不是对已有保险合同条款的争议，而是对没有约定的条款的争议，对《保险法》第30条的适用应该作严格限制，避免滥用以免破坏当事人之间的利益的平衡。

提醒

保险业应把此案当做永久的教材。保险本身是高风险高回报的事业，在多家保险公司激烈竞争的情况下，如何走出“推销型”保险和“关系型”保险的误区，使操作更加规范化，是值得每个保险人探讨的课题。本案原告在没交一分保费的情况下获得了380万元的赔偿，这不仅对农民，对地方政府和保险公司，都是一个耐人寻味而又值得深思的问题。尽管平安公司与法院方面在观点上还存在着一些分歧，但已付出了沉重的代价，值得整个保险业警醒。

50. 租车人将损坏车辆修复后，能否获得保险赔偿金？

案例50　龙某诉罗某及保险公司案

事情是这样的

2004年10月24日，龙某与罗某签订车辆租赁合同，罗某将一辆新红旗车出租给原告龙某，租赁期间自2004年10月24日起，以实际使用天数为准，租金为每年1 250元。合同签订当日，龙某付款500元。该红旗车投保于某财产保险公司，被保险人为某商贸公司罗某，保险日期自2004年5月11日至2005年5月10日。

2004年10月26日，龙某驾驶该车行至沙漠公路2828公里+100米路段时，因车辆左右轮胎突然没气，加之龙某操作不当，车辆冲出路基翻滚，造成车辆损坏。事发后龙某通知保险公司进行了现场勘验。龙某向保险公司出具了勘查报告、出险通知书、定损单、拖车发票、照片、保户申明等材料后，保险公司于2005年1月25日出具通知单，载明某商贸公司罗某车辆，出险时间为2004年10月26日，送交的赔款资料齐全无误后，在10个工作日后电话联系取款时间；若被保险人为个人，领取赔款时携带被保险人身份证复印件及委托人身份证复印件，若被保险人为单位，出具证明，需加盖单位财务印章，凭单取款。2005年2月23日，保险公司将理赔款20 147.1元交付被告罗某。

2005年1月25日，当龙某持票据前往保险公司索赔时，保险公司向龙某出具了理赔凭单，并要求原告在10个工作日后电话联系取款时间。此后，龙某多次到保险公司取款，却被告知罗某已将款取走。龙某为维护自己的合法权益，诉至法院，请求法院判令罗某和保险公司给付保险理赔款22 000元，并承担本案诉讼费。

保险公司辩称：红旗车的所有权人和被保险人均为罗某，我方将赔款20 147.1元已交付罗某。原告龙某与我方不存在保险合同关系，无权向我方提出理赔。

被告罗某则辩称：2004年10月26日，龙某将我的车辆损坏十分严重，在未通知我的情况下私自通知保险公司。保险公司理赔的20 147.1元根本无法将车辆修复，我方不同意龙某的诉讼请求，请法院予以驳回。

法院经审理认为：原告龙某与被告罗某为租赁合同关系，原告龙某在使用车辆时发生交通事故，虽然该车辆向保险公司进行了投保，但龙某并非被保险人或受益人，且原告龙某与被告罗某签订的车辆租赁合同亦未对龙某在车辆保险合同中设定权利，由此龙某与保险公司之间不存在法律关系，龙某无权主张保险公司的赔款。判决驳回龙某的诉讼请求。

龙某不服判决，上诉称：一审法院认定事实不清，适用法律不当，处理结果明显不当，严重显失公正。我及时向保险公司报案并将有关票据交给保险公司，为此保险公司给我出具了理赔凭单。但保险公司未将理赔款支付给我，却给了罗某。因受损车辆是我花钱修复的，理赔款理应赔付给我。请求二审法院判令保险公司、罗某偿付我理赔款22 000元。

保险公司答辩称：红旗车的所有权人和被保险人均为罗某，我方将理赔款20 147.1元交付罗某是符合规定的。龙某与我方不存在保险合同关系，无权向我方索要理赔款。

罗某答辩称：2004 年 10 月 26 日，龙某将我承包给其的车辆损坏，在未通知我的情况下私自通知保险公司。虽该车龙某已修复并交付给我，但该车在运行中，出现好多问题，为此我将领取的 20 147.1 元理赔款全部用在该车的修理上。请求二审法院驳回上诉，维持原判。

当地中级人民法院认为，龙某租赁罗某的车辆发生交通事故，致使车辆受损，龙某已出资将受损车辆修复，并将修复的车辆交付罗某使用。因该车辆罗某已在保险公司投保，故而保险公司将受损车辆理赔款付给投保人罗某并无不妥。原审法院驳回龙某要求保险公司向其支付受损车辆理赔款是正确的，法院予以维持。因保险公司理赔款是对受损车辆的赔付，而受损车辆维修费用是龙某支付的，故罗某应将保险公司支付的受损车辆理赔款偿付给龙某。原审法院驳回龙某要求罗某支付保险理赔款的诉讼请求是不妥的，法院应予以纠正。最后判决罗某支付龙某保险理赔款 22 000 元。

律师专线

罗某就保险车辆与龙某签订了租赁合同，在合同履行期间，作为承租人的龙某驾驶保险车辆发生交通事故，造成该保险车辆损坏，在通常情况下，龙某应支付赔偿金。但龙某没有支付赔偿金，而是将该车辆损坏部分加以修理，恢复了原状。龙某这样做，可以认为其向罗某支付了赔偿金，赔偿了损失。由于该交通事故同时又属于保险事故，依据保险合同，作为承保该车辆的保险公司有义务向被保险人给付保险事故赔偿金。这就是说，从出租人、被保险人角度说，罗某基于同一交通事故损坏保险车辆之事实，可以同时向原告龙某和被告保险公司主张赔偿损失的权利。实际上，罗某正是提出了这两种主张，并且得到了满足，既从保险公司处获得一笔保险金，又从龙某处获得一笔赔偿金。本案的争议正是由此而引发，其焦点就是被告罗某的两种主张是否应均得到支持，其应否将获得的保险金支付给龙某。

因同一损害事实获得两份赔偿金，这在理论和实务上涉及是否适用损益相抵规则的问题。我国《保险法》第 60 条第 1 款规定：“因第三者对保险标的的损害而造成保险事故的，保险人自向被保险人赔偿保险金之日起，在赔偿金额范围内代位行使被保险人对第三者请求赔偿的权利。”该条第 2 款规定：“前款规定的保险事故发生后，被保险人已经从第三者取得损害赔偿的，保险人赔偿保险金时，可以相应扣减被保险人从第三者已取得的赔偿金额。”按照此规定，在第三者的行为造成保险事故发生而应当负有责任时，被保险人既可以向致害第三者请求损害赔偿，也可以向保险人请求给付保险金。但如果被保险人从第三者处获得部分赔偿的，保险人在给付保险金时，要扣除被保险人已经从第三者处取得的赔偿数额。据此可以认为，《保险法》的这一规定，含有“损益相抵”规则的精神，旨在限制被保险人基于同一财产保险事故损害事实获得双份赔偿金，以平衡各方当事人之间的利益，维护公平原则。本案原告龙某驾驶保险车辆，途中发生保险事故，是由于该车辆本身出现故障和龙某操作不当造成的。由于龙某只是保险车辆的承租人，并不是被保险人，这对作为承保人的保险公司和被保险人罗某来说，其是造成保险事故的第三者，罗某可以向龙某主张赔偿。但在龙某已将损坏的车辆修复并交给罗某后，实际上罗某已经获得了全部赔偿。在此情况下，罗某应当受到损益相抵规则的限制，不能获得两份赔偿金，应将已从被告保险公司处获得的赔偿金偿付给龙某。否则，就意味着罗某因同一财产保险事故发生获得双份赔偿，显然违背公平原则。

法律规范

中华人民共和国保险法

（1995 年 6 月 30 日第八届全国人民代表大会常务委员会第十四次会议通过，2002 年 10 月 28 日第九届全国人民代表大会常务委员会第三十次会议修正，2009 年 2 月 28 日第十一届全国人民代表大会常务委员会第七次会议修订）

第六十条　因第三者对保险标的的损害而造成保险事故的，保险人自向被保险人赔偿保险金之日起，在赔偿金额范围内代位行使被保险人对第三者请求赔偿的权利。

前款规定的保险事故发生后，被保险人已经从第三者取得损害赔偿的，保险人赔偿保险金时，可以相应扣减被保险人从第三者已取得的赔偿金额。

保险人依照本条第一款规定行使代位请求赔偿的权利，不影响被保险人就未取得赔偿的部分向第三者请求赔偿的权利。

专家释惑

在本案中要关注的是“损失补偿原则”，损失补偿原则是指保险合同生效后，当保险标的发生保险责任范围内的损失时，通过保险赔偿，使保险人恢复到受灾害前的经济原状，但不能因损失而获得额外收益。这条原则包含两层含义：一是补偿以保险责任范围内损失的发生为前提，二是补偿以被保险人的实际损失为限。损失补偿原则体现在以下几点：1. 在保险财产遭受部分损失后仍有残值的情况下，保险人在进行赔偿时要扣除残值；2. 在保险事故是由第三者责任引起的情况下，保险人在赔偿被保险人的损失后取代其行使对第三者责任方的追偿权；3. 在善意的重复保险情况下，如果各保险人的保险金额总和超过了保险标的的价值，则应采用分摊原则分摊损失；4. 在不足额保险的情况下，对被保险人所遭受的损失应采取比例赔偿方式进行赔偿。

51. 抢救出了投保财产，保险公司还赔吗？

案例 51　王某索赔案

事情是这样的

王某于 2003 年投保家庭财产保险，他只选择投保了电视机与 DVD 各一台，保额 3 000 元。两个月后，因为使用酒精炉时不慎引发大火。王某情急之下，抢救出彩电和 DVD，却来不及救出其他物品，结果导致损失 4 500 元。王某遂向保险公司提出索赔，对此保险公司内部出现了 3 种不同意见。

第一种意见认为，保险公司不予赔偿。理由是《保险法》第 25 条明确规定：“……对不属于保险责任的，应当向被保险人或者受益人发出拒绝赔偿或者拒绝给付保险金通知书。”之所以说这起事故不属于保险责任范围，是因为它没有发生保险事故。所谓保险事故是指按保险合同约定的保险人对保险标的的损失承担保险责任的事故事件。保险公司承保的是电视机与DVD，非保险标的的损失，保险公司完全可以不承担赔偿责任，保险人有理由拒赔。

第二种意见认为，第一种观点从法律上站得住脚，但实际中却很难让人接受，合法而不合情理，建议保险公司应通融给付，弥补王某精神上的损失。

第三种意见认为，应该奖励王某积极施救的行为，王某是为抢救保险标的而导致其他损失的，施救行为本身也减少了保险公司的损失，如果保险公司对王某的行为给予奖励，会起到一个带头作用，其他保户在发生事故时，也会尽力采取措施，防止减少损失，这对保险公司来说也有利。

最后，保险公司向王某支付了保险金3 000元。

律师专线

以上意见，从表面上看各有道理，处理本案的关键是王某的损失能否认作是施救费。灾害发生时，若王某抢救其他物品，而不是彩电和DVD的话，保险公司无疑要承担3 000元的保险金赔偿责任。但火灾发生时，王某救出了投保财产，无暇顾及其他物品而导致损失，其目的是为了尽量防止或减少标的损失，从这一点上看，我们仍可认将其他物品的损失金额认为是施救费用，只不过表现形式是实际财产而不是金钱。根据《保险法》第57条："保险事故发生后，被保险人为防止或者减少保险标的的损失所支付的必要的、合理的费用，由保险人承担……"因此，保险公司应该赔付，这不是对王某的奖励，更不是施舍同情，而是合情合理的赔偿义务。另外要说明的是，王某虽造成损失4 500元，但保险公司的赔付金额必须在3 000元以内，即不能超过保险金额。

法律规范

中华人民共和国保险法

（1995年6月30日第八届全国人民代表大会常务委员会第十四次会议通过，2002年10月28日第九届全国人民代表大会常务委员会第三十次会议修正，2009年2月28日第十一届全国人民代表大会常务委员会第七次会议修订）

第五十七条　保险事故发生时，被保险人应当尽力采取必要的措施，防止或者减少损失。

保险事故发生后，被保险人为防止或者减少保险标的的损失所支付的必要的、合理的费用，由保险人承担；保险人所承担的费用数额在保险标的损失赔偿金额以外另行计算，最高不超过保险金额的数额。

专家释惑

施救费用，指保险事故发生后，被保险人为防止或者减少保险标的的损失所支付的必要的、合理的费用。构成施救费用需要以下几个要件：

1. 必须是在保险事故发生后产生

施救费用产生的前提是承保危险必须已经发生，或者说保险标的已处于危险之中，而非仅仅是担心很可能会发生危险。这一要件使施救费用与防灾费用相区别。凡在灾害、事故发生之前支出的费用即属预防性质，保险人不予负责，但在某些特殊情况下，灾害、事故虽未发生，但已接近发生而施救刻不容缓，为了避免保险财产遭受更大的损失，采取保护保险财产的紧急必要措施而支出的费用，事后证明是及时有效的，应视同施救费，负责予以赔偿。另外，这种保险标的所处的危险必须是本保险所承保的风险，亦即必须是保险人应负责的风险。如果发生的危险不是本保险所承保的危险，或者危险所造成的损失不是本保险所应补偿的，对保险人来说，施救费用当然也就根本不存在。

2. 必须是出于防止或减少保险标的的损失的目的

施救费用产生的另一前提是必须有潜在的损失存在，亦即如果不采取施救措施这种损失就肯定会发生。换句话说，施救的目的必须是为了防止或减少保险标的的损失，但是否达到防止或减少保险标的的损失的效果则在所不问。

3. 必须是必要的合理的费用

施救费用必须是必要的合理的费用，这实质是一个事实问题而非法律问题。判断某项费用是否必要合理，通常只能按照“一个谨慎的未投保的所有人在危险发生的情况下可能会采取的措施”这一标准来要求。如某一参保了车辆损失险的汽车发生交通事故后被拖车拖走维修，发生拖车费300元。如果任由事故车辆停放在肇事地不予理睬，车辆的损失必将扩大，该300元的支出符合为防止或减少保险标的的损失所支付的要求。但是，要得到保险公司的赔偿，其还应以必要、合理的标准进行考察——如果该车丧失了行驶能力，不用拖车无法移动，那么使用拖车是必要的，拖车费300元也在合理范围内，综合两方面的因素，可以认定被保险人的300元支出应予赔付。如果该车虽然发生了事故，但仍能正常行驶，使用拖车将其拖走实属没有必要，即使拖车是由交通管理部门强制所为亦不属于合理的施救费，由此而支付的拖车费不应从保险公司处获得赔偿。

52. 驾驶员下车修理受伤，保险公司为什么不赔？

案例52　车主丁某与保险公司纠纷案

事情是这样的

2007年5月的一天凌晨2时，熊某驾驶的货车正在江西境内的昌金高速公路上全速疾驰。突然，一声巨响过后，车身剧烈颠簸起来，他立刻刹车下车察看，发现右前轮胎爆裂了。

熊某与车主丁某商量后，决定自己动手换胎。熊某将爆胎拆下，将备用胎装到一半的时候，突然轮胎掉落，重重地砸在熊某的左手掌上，顿时血流不止。丁某装好备用胎后，见熊某痛苦呻吟、脸色苍白，担心出现意外，立即调转车头将熊某送到南昌救治。经X线检查，熊某左手中指骨折，需住院医疗。

熊某是丁某雇请的驾驶员，丁某支付了熊某的全部医疗费用。熊某出院后，到司法鉴定中心对自己的伤情作了鉴定，结果评定为伤残九级。熊某希望丁某赔偿护理费、误工费、交通费、住院伙食补助费等共计4.9万元。丁某没有答应熊某的要求。熊某于是向法院提起诉讼。后经法院调解，丁某一次性向熊某支付赔款4万元，双方对此赔偿纠纷互不追究。

但事情并没有结束，丁某想起，在2006年年初买这辆二手货车跑货运时，还按惯例向保险公司投保了车损险、第三者责任险、附加车上人员责任险等险种。于是，就向保险公司提出保险赔偿。保险公司业务员查勘后却告诉他：熊某受伤的时候已经下了货车，不是在车上受的伤，熊某下了车就不能算是车上人员。因为不是车上人员，所以不能享受附加车上人员责任险的保障。熊某受伤是他在换货车轮胎时，自己不小心压伤的，并不是货车发生意外造成的，熊某自身的过失造成自己受伤，保险公司是不可能赔付的。丁某反驳：凌晨时刻，货车在高速公路上突然爆胎，高速公路上是不能长久滞留的。在深更半夜，前后又没有修理厂的紧急情况下，驾驶员不下车怎么换轮胎呢？

此后，丁某多次找到保险公司索赔，都没有结果。最后，只得按照保单上的双方约定，将此事提交仲裁委员会处理。

仲裁委员会依法受理、开庭审理了此案。一开庭，丁某就与保险公司发生了激烈的争辩，争辩的焦点主要集中在熊某受伤是不是属于附加车上人员责任险的保障范围上。

丁某的观点有三：一是伤者熊某作为保险车辆上人员，事故的发生是在被保险车辆正常使用过程中，在高速公路上发生非正常情况（轮胎爆裂）下发生的，伤者左手是被保险车辆上的轮胎压伤，和被保险的货车具有直接的因果关系。

二是《保险法》和双方的保险合同都没有明确约定，附加车上人员责任险中的车上人员在发生事故后，只要下车就不能认定为车上人员，受到伤害后就不能得到保险公司的理赔。假如货车突然起火，车上人员该不该跳车？如果他跳车就不能得到赔付，车上人员为了得到赔偿也不能逃离车辆？

三是货车是在高速公路正常运行时突然爆胎，这完全是保险车辆发生意外。如果车上人员不下车换轮胎，那货车是不是就只能停在高速公路上等待修理工来维修呢？

保险公司答辩称：《车上人员责任险条款》第1条规定，保险车辆在使用过程中，发生意外事故，造成保险车辆人员的人身伤亡，依法应由被保险人承担的经济赔偿责任，保险人负责赔偿。熊某是在下车后、换轮胎时受伤的，因为人已经下了车，事实上已不是车上人员，他被轮胎压伤左手也不是在被保险的货车上。熊某作为车下人员并不享有车上人员责任险的保障，不属于车上人员责任险的保险范围。熊某受伤的直接原因是换轮胎疏忽造成的，不是保险车辆发生意外造成。货车修理的时候，熊某自身的过失修理行为不属于保险事故。

仲裁庭主持双方进行调解，但未能达成调解协议。最后，仲裁委员会作出了裁决。仲裁庭的意见为：货车正常运行时发生轮胎爆裂的时候，熊某确实属于车上人员，但轮胎发生爆裂的当时，熊某并没有遭受到任何伤害；熊某选择下车自行修理轮胎时并没有发生新的或后续的保险事故，其就已经是事实上的车下人员，而不属于车上人员，而且是由于熊某疏忽过失的修理行为才造成左手被轮胎压伤。因此，货车发生轮胎爆裂事故与熊某被轮胎压伤两者之间不存在直接的因果关系。因此仲裁庭裁决驳回丁某的仲裁请求，仲裁费2 450元由丁某自行承担。

律师专线

本案中，实际上发生了两次意外事故，第一次是突然爆胎，第二次是修理过程中轮胎掉落。如果熊某是在第一次突然爆胎时受伤，保险公司就应该作出相应赔偿。但熊某是在第二次事故中受伤，而此时，他已经不属于承保范围内的车上人员，该事故也不属于保险事故，因此保险公司不需对此作出赔偿。《保险法》第16条第7款规定，保险事故是指保险合同约定的保险责任范围内的事故。本案涉及的是车上人员责任险，因此，是否车上人员的界定就成为本案的关键。

法律规范

中华人民共和国保险法

（1995 年 6 月 30 日第八届全国人民代表大会常务委员会第十四次会议通过，2002 年 10 月 28 日第九届全国人民代表大会常务委员会第三十次会议修正，2009 年 2 月 28 日第十一届全国人民代表大会常务委员会第七次会议修订）

第十六条　订立保险合同，保险人就保险标的或者被保险人的有关情况提出询问的，投保人应当如实告知。

投保人故意或者因重大过失未履行前款规定的如实告知义务，足以影响保险人决定是否同意承保或者提高保险费率的，保险人有权解除合同。

前款规定的合同解除权，自保险人知道有解除事由之日起，超过三十日不行使而消灭。自合同成立之日起超过二年的，保险人不得解除合同；发生保险事故的，保险人应当承担赔偿或者给付保险金的责任。

投保人故意不履行如实告知义务的，保险人对于合同解除前发生的保险事故，不承担赔偿或者给付保险金的责任，并不退还保险费。

投保人因重大过失未履行如实告知义务，对保险事故的发生有严重影响的，保险人对于合同解除前发生的保险事故，不承担赔偿或者给付保险金的责任，但应当退还保险费。

保险人在合同订立时已经知道投保人未如实告知的情况的，保险人不得解除合同；发生保险事故的，保险人应当承担赔偿或者给付保险金的责任。

保险事故是指保险合同约定的保险责任范围内的事故。

第六十五条　保险人对责任保险的被保险人给第三者造成的损害，可以依照法律的规定或者合同的约定，直接向该第三者赔偿保险金。

责任保险的被保险人给第三者造成损害，被保险人对第三者应负的赔偿责任确定的，根据被保险人的请求，保险人应当直接向该第三者赔偿保险金。被保险人怠于请求的，第三者有权就其应获赔偿部分直接向保险人请求赔偿保险金。

责任保险的被保险人给第三者造成损害，被保险人未向该第三者赔偿的，保险人不得向被保险人赔偿保险金。

责任保险是指以被保险人对第三者依法应负的赔偿责任为保险标的的保险。

第六十六条　责任保险的被保险人因给第三者造成损害的保险事故而被提起仲裁或者诉讼的，被保险人支付的仲裁或者诉讼费用以及其他必要的、合理的费用，除合同另有约定外，由保险人承担。

专家释惑

本案例中还涉及一个概念——责任保险。

我国《保险法》第 65 条第 4 款对责任保险的定义是："责任保险是指以被保险人对第三者依法应负的赔偿责任为保险标的的保险。"对此概念的理解，可以从以下几个方面把握：

1. 责任保险的保险目的是补偿因偶然或意外事件发生所致被保险人在法律上对第三者的损害赔偿责任。即责任保险的目的不是补偿因意外事件导致被保险人自己的生命、身体或财产的损失，而是保障第三者即受害人的权益。

2. 责任保险的保险对象是与保险人签订保险合同的被保险人。从保险目的来看，责任保险保障的是第三者即受害人的权益，但从保险合同的性质来看，责任保险的保险对象是合同的一方主体——被保险人。被保险人有保险合同约定的民事损害赔偿发生，保险人就进行补偿。特别的是，被保险人这种损失是因被保险人的直接或间接原因导致第三者遭受损害依法应由被保险人承担的民事赔偿损失，因此，责任保险也就有了间接保险对象——不确定的第三者，即受害人。保险人的经济补偿可以在被保险人补偿第三者后补偿给被保险人，也可以直接补偿给第三者。

3. 责任保险的保险标的是被保险人致人损害而应当承担的损害赔偿责任。在责任保险中，被保险人转嫁的是责任风险，该责任风险一般是法律责任风险，但经过特别约定，合同责任风险也可以成为保险标的。

4. 责任保险承保的责任风险必须是法律责任风险中的民事责任风险，而不论法定或约定责任风险均包括在内。责任保险所承保的必须是民事责任，而不是行政责任或刑事责任。

5. 责任保险的保险事故必须是被保险人依法应对第三者的损失负有赔偿责任且受到损失后的第三者向被保险人提出赔偿要求而保险人又承保了的赔偿责任事故。

53. 未按合同更换配件，保险公司怎么赔？

案例 53　吴某诉保险公司案

事情是这样的

2005 年 7 月 29 日，吴某在保险公司为自己新购置的一辆汽车投保了车辆损失险。2006 年 3 月 14 日，吴某驾驶该车在马路上行驶，为避让一个横穿马路的行人撞上了路边的护栏，造成了车辆的损坏。事后，吴某立即向交通部门报案并通知了保险公司，交通部门认定，吴某对此次交通事故负全部责任，保险公司随后对车辆进行了定损，确定修理费总计金额为 15 479. 6 元。

其后，吴某将车送往修车厂进行修理。但修理过程中，该车散热器、正时皮带、电子扇风圈等部件均没有重新更换，仅仅是对原来的损坏处进行了修理。当吴某向保险公司请求赔偿时，却遭到了保险公司的拒绝。在保险公司第一次向投保人出具的理赔书中规定，投保人修车后，须把车送回保险公司检验，并将更换后的旧配件交回保险公司。但通过对吴某修理后的车辆进行检验发现，该车散热器、正时皮带、冷凝器、电子扇风圈等七大部件并未更换，因此认为，该车的修理费用远远低于更换配件的费用。因此保险公司经过二次定损认为，总共应赔偿投保人 9 541. 6 元。

吴某认为，保险公司此前制作的定损单中对修理费用的估算是按照将车辆损坏部分全部更换零件的费用标准作出的。修理厂认为没有必要更换配件，修理可以有效缩减事故损失。因此原告认为，保险公司应该按照第一次定损金额赔付投保人相关费用。保险公司拒绝按定损数额向自己赔偿保险金，严重损害了自己的合法权益，遂将保险公司告上法庭，请求法院判令保险公司依约支付赔偿款。

保险公司则认为，由于修理旧零件的费用明显比更换新零件的费用低，所以吴某比照确认书所主张的修车费肯定高于实际支付的费用，也就不能按照此前确定的费用数额进行赔偿。

针对保险公司的辩解，吴某提交了修车清单、修车费用发票作为证据，以期证明自己为修理汽车实际花销的费用确实与保险公司的第一次定损金额相符。然而，保险公司坚持认为，此车并没有按照自己先前提出的全部更换受损部件的修理意见进行维修处理，因此只能按照二次定损金额进行赔付。

法院经审理认为，吴某在修车时没有按照保险公司理赔书中的规定，更换相关配件，也没有及时通知保险公司，属于单方面变更保险合同，超出了保险合同所规定的范围，因此保险公司应在 10 日内按照第二次定损的额度赔付投保人 9 541.6 元。

律师专线

车辆保险合同属于补偿性保险合同，其宗旨是补偿投保人发生事故后遭受的损失，减低风险，而不能够由于保险赔付而使被保险人过分受益。因此，本案中原告虽然开具了保险公司额定范围内的修理发票，但没有按照相关合同更换配件，而是以修理原配件的方式完成修车过程。若按第一次定损金额赔付则可能造成投保人超额受益，这与保险的补偿性原则相悖。因此保险公司在对车辆检查后拒绝按照第一次定损的价格进行赔付。法院也支持保险公司按第二次定损金额进行赔付。

法律规范

中华人民共和国保险法

（1995 年 6 月 30 日第八届全国人民代表大会常务委员会第十四次会议通过，2002 年 10 月 28 日第九届全国人民代表大会常务委员会第三十次会议修正，2009 年 2 月 28 日第十一届全国人民代表大会常务委员会第七次会议修订）

第二十二条　保险事故发生后，按照保险合同请求保险人赔偿或者给付保险金时，投保人、被保险人或者受益人应当向保险人提供其所能提供的与确认保险事故的性质、原因、损失程度等有关的证明和资料。

保险人按照合同的约定，认为有关的证明和资料不完整的，应当及时一次性通知投保人、被保险人或者受益人补充提供。

第二十三条　保险人收到被保险人或者受益人的赔偿或者给付保险金的请求后，应当及时作出核定；情形复杂的，应当在三十日内作出核定，但合同另有约定的除外。保险人应当将核定结果通知被保险人或者受益人；对属于保险责任的，在与被保险人或者受益人达成赔偿或者给付保险金的协议后十日内，履行赔偿或者给付保险金义务。保险合同对赔偿或者给付保险金的期限有约定的，保险人应当按照约定履行赔偿或者给付保险金义务。

保险人未及时履行前款规定义务的，除支付保险金外，应当赔偿被保险人或者受益人因此受到的损失。

任何单位和个人不得非法干预保险人履行赔偿或者给付保险金的义务，也不得限制被保险人或者受益人取得保险金的权利。

专家释惑

保险的损失补偿原则是指投保人与保险人订立保险合同，将特定的危险转移给保险人承担；当保险事故发生时，保险人给予被保险人的经济赔偿恰好填补被保险人遭受保险事故的经济损失。填补损失，在保险关系中称为“补偿”。保险补偿的原则是经有关法律确定的，它通常包括两层含义：

一是保险合同订立以后，保险标的遭受保险事故而产生损失，被保险人有权按合同的约定，获得全面、充分的补偿；

二是保险人对被保险人的赔偿恰好使保险标的恢复到未出险前的状况，即保险补偿以被保险人的实际损失为限，被保险人不能因保险赔偿而获得额外的经济利益。

损失补偿原则除以所受损失为限外，往往还受到保险合同中约定的其他一些限制，如以保险金额为限、按比例投保因而按比例赔偿的限制。另外还受赔偿方法的限制，如某些保险中规定了免赔额或赔偿限额等。

损失补偿原则只适用财产保险及人身保险合同中带有费用报销型的保险，如太平洋保险公司的附加住院医疗保险和附加意外伤害医疗保险等，而对定额给付型的人身保险是不适用的。

遵循损失补偿原则的目的在于：真正发挥保险的经济补偿职能，避免将保险演变成赌博行为，防止诱发道德风险。补偿原则的实现方式通常有现金赔付、修理、更换和重置。

54. 车被盗，破案后保险公司还赔吗？

案例54　李某轿车失窃案

事情是这样的

李某于2006年4月3日购买了一辆小轿车，并向保险公司投保了机动车辆保险附加盗抢险，保险期限从2006年4月5日0时起至2007年4月4日24时止。2006年8月21日早上，李某准备去上班，却发现车辆不在昨晚停放地点，四处寻找后没有找到，怀疑车辆是被盗走了，于是向保险公司和公安机关报案。2006年12月3日，李某从小区物业处得知，公安机关带人来小区指认盗窃车辆犯罪现场。在和公安机关的交涉过程中得知：车辆确实已经被公安机关追回，但是该车的颜色发生了变化，车辆的发动机被更换，车架号也被打磨掉，车辆牌照已经不知去向，车辆保险杠、轮胎等一些部件也进行了更换。

得知此情况后，李某向保险公司要求赔偿。但保险公司却认为，根据保险条款中规定的“保险车辆全车被盗窃、被抢劫、被抢夺，经县级以上公安刑侦立案证实，满三个月未查明下落的，保险人予以赔偿”，保险公司对于被盗车辆进行赔偿的前提是满3个月未查明下落，而标的车辆已经查明下落，所以保险人不能按照全车损失进行赔偿。

律师专线

本案不属于满3个月未查明下落，而属于保险车辆被盗窃后受到损坏。从保险条款规定看，保险人应当承担赔偿责任。从条款内容看，此处的“满三个月查明下落”应当是指车辆在何处、被何人控制或者使用是明确的、肯定的，既包括车辆已经被公安机关追回，也应当包括车辆已经查明下落，还没有被公安机关追回的情况。“满三个月未查明下落”应当是针对全车而言的。

本案件中，车辆被追回后，尽管一些足以标明“合法身份”的明显特征已经消失，但通过嫌疑人的供述、被保险人的辨认，确定车辆就是标的车辆，尽管部分部件下落不明，但不属于全车未查明下落的情况。所以李某不应以车辆下落不明为由要求保险公司全车赔偿。根据保险条款的规定，“保险车辆在被盗窃、被抢劫、被抢夺后受到损坏或车上零部件、附属设备丢失需要修复的合理费用”都属于盗抢险的保险责任。投保车辆被盗窃后，犯罪嫌疑人将车辆发动机更换、车牌号丢弃、车身颜色涂改等，这些行为是盗窃行为的延续，造成了车辆受损，保险公司应当对于被保险人给予赔偿。

但保险人理赔时，只需按照部分损失进行赔偿。标的车辆被追回，虽然损失较大，但还是属于部分损失。另外，盗抢险条款中也规定保险车辆在被盗窃后受到损失或车上零部件、附属设备丢失需要修复的合理费用予以赔偿，即按实际修复费用计算赔偿，但最高不超过全车盗抢险的保险金额。保险人应当支付被保险人车辆的修理费用。

法律规范

中华人民共和国保险法

（1995年6月30日第八届全国人民代表大会常务委员会第十四次会议通过，2002年10月28日第九届全国人民代表大会常务委员会第三十次会议修正，2009年2月28日第十一届全国人民代表大会常务委员会第七次会议修订）

第二十三条　保险人收到被保险人或者受益人的赔偿或者给付保险金的请求后，应当及时作出核定；情形复杂的，应当在三十日内作出核定，但合同另有约定的除外。保险人应当将核定结果通知被保险人或者受益人；对属于保险责任的，在与被保险人或者受益人达成赔偿或者给付保险金的协议后十日内，履行赔偿或者给付保险金义务。保险合同对赔偿或者给付保险金的期限有约定的，保险人应当按照约定履行赔偿或者给付保险金义务。

保险人未及时履行前款规定义务的，除支付保险金外，应当赔偿被保险人或者受益人因此受到的损失。

任何单位和个人不得非法干预保险人履行赔偿或者给付保险金的义务，也不得限制被保险人或者受益人取得保险金的权利。

专家释惑

盗抢险的保险责任通常包括三项：一是保险车辆被盗窃、抢劫、抢夺，经出险当地县级以上公安刑侦部门立案证明，满60天未查明下落的全车损失；二是保险车辆全车被盗窃、抢劫、抢夺后，受到损坏或车上零部件、附属设备丢失需要修复的合理费用；三是保险车辆在被抢劫、抢夺过程中，受到损坏需要修复的合理费用。与此相对应的是，诸如非全车遭盗抢，仅车上零部件或附属设备被盗窃等情形都是属于盗抢险的责任免除事项，是不予赔偿的。

55. 超额保险，保险公司如何处理？

案例55　李某诉保险公司案

事情是这样的

2003年5月，李先生到当地保险公司为他新买的夏利车购买了保险。李先生开车已有很多年，自认为开车的技术不错，车速一向很高。2004年1月，李先生一时失误，驾驶夏利车发生了交通事故，车被烧毁，交警部门鉴定由李先生负全部责任。李先生立即找到保险公司要求赔偿。保险公司在理赔中发现李先生投保的保险金额超出了该夏利车的实际价值，发生的事故确实属于保险责任范围，因此保险公司承担赔偿责任，但仅按实际价值给付保险金。而李先生却认为自己是与保险公司签订了合同的，应该按照保险合同上的约定的保险金额来进行赔偿，自己也已经交纳了足额保险费，保险公司不应当违反合同。

李先生与保险公司对是按照保险金额还是实际价值进行赔偿协商未

果，7 月，李先生向法院起诉了保险公司。

被保险人李先生认为，在发生全损时应当按照保险金额赔偿，其理由是：第一，我国《保险法》第 55 条规定，保险标的的保险价值，可以由投保人和保险人约定并在合同中载明，也可以按照保险事故发生时保险标的的实际价值确定。第二，保险公司自保险合同签订之日起，一直是按照双方约定的保险金额收取保费，而不是按照车辆的实际价值收取。如果发生全损，却按出险时的实际价值进行赔偿，明显是权利和义务的不对等。第三，即便是按照保险公司的出险时的实际价值计算，保险公司的计算方法也存在诸多问题。因为一辆没有上牌的新车和一辆办妥手续的新车，其价值是完全不一样的。

而保险公司则坚持应该按照出险时的实际价值赔偿，其理由有以下几点：第一，出险时按照实际价值赔偿是行业惯例，已经经过多年实践的检验；第二，从保险原理上看，保险的基本功能在于补偿被保险人的财产损失，一切法律制度的设计都要围绕这个大的原则；第三，中国保险监督管理委员会颁布的《机动车辆保险条款》第 7 条规定，车辆的保险价值根据新车购置价确定。车辆损失险的保险金额可以按投保时保险价值或实际价值确定，也可以由保险人与被保险人协商确定，但保险金额不得超过保险价值，超过部分无效。第 12 条还规定，车辆损失险按以下规定赔偿：（一）全部损失，按保险金额计算赔偿，但保险金额高于实际价值时，以不超过出险当时的实际价值计算赔偿……在一般相关案例中，保险标的出险时的实际价值远低于约定的保险金额，应按照出险时保险标的的实际价值的损失计算赔偿。

法院采纳了保险公司的意见，支持保险公司仅须支付出险时的实际价值。

律师专线

在保险合同中，保险金额是投保人对保险标的的实际投保金额，也是保险人计算保费的主要依据和承担赔偿责任的最高限额。财产保险合同的保险目的在于补偿遭受的实际损失，保险金额一般不得高于保险财产的实际价值。根据保险金额和保险财产的实际价值关系，一般可将保险金额分为三种情况：其一为足额保险，又称为“全额保险”，是指保险金额相当于财产实际价值的保险。足额保险是一种最为理想的保险，被保险人财产所具有的保险标的的价值可以得到完全的保护。其二为不足额保险，又称“低额保险”，是指保险金额低于保险财产的实际价值的保险，其不足部分应看做被保险人自保，出险时可从保险人那里获得有比例的赔偿，《保险法》第55条第4款作了“保险金额低于保险价值的，除合同另有约定外，保险人按照保险金额与保险价值的比例承担赔偿保险金的责任”的相关规定。第三种情况是超额保险，即保险金额大于保险价值的保险，就是本案当事人系争的这种情况。保险合同中约定的保险金额不得超过保险价值，超过保险价值的，超过部分无效。车辆保险条款中也有相关的条款。这一规定是基于财产保险基本原则之一的损失补偿原则，即被保险人只能在保险标的发生损失时得到相应的补偿，而不能因为购买保险从中获取超出保险标的的价值的收益。因此，李先生只能获取标的价值的足额赔偿，超过部分无效，但合同的其他部分仍然有效。

注意

有人以为，超额保险虽然多交一点保险费，但万一发生保险事故，则可以获得超过保险财产实际价值的赔偿。但根据法律的规定，当保险事故发生时，超过财产实际价值的部分是不可能得到赔偿的。

法律规范

中华人民共和国保险法

（1995年6月30日第八届全国人民代表大会常务委员会第十四次会议通过，2002年10月28日第九届全国人民代表大会常务委员会第三十次会议修正，2009年2月28日第十一届全国人民代表大会常务委员会第七次会议修订）

第五十五条　投保人和保险人约定保险标的的保险价值并在合同中载明的，保险标的发生损失时，以约定的保险价值为赔偿计算标准。

投保人和保险人未约定保险标的的保险价值的，保险标的发生损失时，以保险事故发生时保险标的的实际价值为赔偿计算标准。

保险金额不得超过保险价值。超过保险价值的，超过部分无效，保险人应当退还相应的保险费。

保险金额低于保险价值的，除合同另有约定外，保险人按照保险金额与保险价值的比例承担赔偿保险金的责任。

机动车辆保险条款

（2000 年保监会颁布）

第七条 车辆的保险价值根据新车购置价确定。车辆损失险的保险金额可以按投保时保险价值或实际价值确定，也可以由被保险人与保险人协商确定，但保险金额不得超过保险价值，超过部分无效。

专家释惑

本案涉及的法律问题是超额保险是否能够得到赔偿，首先要了解几个基本的概念。

保险价值，又称“保险价额”，是指投保人与保险人订立合同时投保人对保险标的所享有的保险利益在经济上以货币计算的价值额，是确定保险金额的基础；或在保险事故发生造成损失时保险标的的实际价值。保险价值，简单地说，就是保险标的的价值。从其本质上来说，保险价值是一个变量。从保险合同订立到保险事故发生这段时间内，由于市场供求的变化、科学技术的进步、固定资产的折旧等原因，保险标的的价值总是处在变化之中。正因为如此，投保人在投保时、保险人在理赔时就要确定保险价值。保险价值是投保时保险标的的实际价值（适用于定值保险合同）或者是保险事故发生时保险标的的实际价值（适用于不定值保险合同）。在海上保险合同中，若当事人事先未约定，则保险价值为保险责任开始时保险标的的实际价值和保险费之和。

保险金额，是指投保人对保险标的的实际投保金额，也是保险人承担赔偿责任的最高限额。定值保险合同的保险金额在全额保险的情况下，就等于保险价值。不定值保险合同的保险金额确定有3种方法：1. 由投保人根据保险标的的实际价值自行确定；2. 由当事人双方根据保险标的的实际情况协商确定；3. 按照投保人会计账目最近的账面价值确定。但无论哪种方法，保险金额的确定都是以保险标的的价值为基础的。

超额保险合同是指保险金额超过保险价值的保险合同。产生超额保险合同的原因大致有以下几种：1. 基于投保人的善意而产生的超额保险。即投保人在未违反善良管理人的注意义务的情况下，不知保险金额高于保险价值而为超额投保产生的超额保险。2. 基于投保人的恶意而产生的超额保险。即投保人明知或根据善良管理人的注意义务应该知道保险金额超过保险价值而为超额投保产生的超额保险。恶意超额投保的投保人一般是居心叵测，企图利用超额保险合同对保险人欺诈，以谋取不正当的利益。3. 经保险人允许或根据保险人提供的保险条款条件，经保险双方当事人特别约定按照保险标的重置成本投保，使保险金额高于保险标的实际市场价格。4. 保险合同成立后，因保险标的物的市场价格跌落，导致保险事故发生时保险金额超过保险价值，这种超额保险合同的法律效力与善意超过保险相同。因为超额保险极易诱发道德危险，对保险事业的发展危害极大。所以各国的保险立法对超额保险合同均加以严格限制。首先，对重置成本保险的适用范围及保险金的给付都有严格限制；其次，基于投保人的善意产生的超额保险合同，其超过部分无效。在保险事故前，投保人可以请求保险人返还无效部分的保险费；再次，对恶意超额保险合同，各国法律一般规定，凡投保人意图以此获得不法利益的，保险合同全部无效。造成保险人损失的，恶意投保人负损害赔偿责任。

从道德风险考虑，保险公司亦不应赔偿超额部分。保险制度从设立之初，其基本原则和出发点就是补偿功能，补偿被保险人因为意外而遭受的财物损失，不能也不应该因为发生事故而使被保险人额外受益。因为，如果被保险人超额部分获得赔偿，则有可能造成这样一种后果：被保险人将设法追求这种利润。被保险人将大大超额投保，并促使其纵容甚至制造这种保险事故的发生。

提醒

超额保险又不同于定值保险，定值保险合同是指合同双方当事人在订立合同时即已确定保险标的的价值，并将其载于合同当中的保险合同。"超额定值"与"超额保险"的概念并不相同。所谓"超额保险"是指保险金额大于保险标的价值之保险契约而言，但定值保险之保险标的价值是由当事人双方所约定之定值，此约定之定值即为保险金额，故理论上于定值保险并不会有保险金额大于保险标的价值之情形。在定值保险合同中，保险价值由双方自愿确定，如果保险人对保险标的缺乏经验或专业知识，投保人即可能过高地确定保险标的的价值，谋取不正当利益。因此，为避免损失，保险人对订立定值保险合同多持谨慎态度，其适用范围受到一定限制。中国保险监督管理委员会在 2000 年颁布的《机动车辆保险条款》中明确规定："本保险合同为不定值保险合同……"因此，在机动车辆保险中不能采用定值保险。

56. 重复保险，保险公司如何赔偿？

案例 56　丰达加工厂诉保险公司案

事情是这样的

2002 年 4 月，南方某市丰达加工厂为生产需要在东北购买了一批价值30万元的原料，准备用火车将其运回，并向A保险公司投保了货物运输险，保险金额20万，保险责任期限为该原料从出售地仓库到该加工厂仓库。其后该厂就这批货物又向B保险公司投保了相同保险责任和保险金额的货运险。在该批货物到达该加工厂所在城市的火车站后，该厂委托C化工仓库将其分装，运到该厂仓库。C化工仓库职工分装货物时，因违规操作，引起火灾，货物全部被烧毁。该加工厂遂分别向A、B保险公司提出索赔。两家保险公司却都拒绝按保险合同约定保险金额进行赔偿，认为丰达加工厂分别在两家保险公司投保的行为构成了重复保险，只能按比例承担保险责任。另外，保险事故的发生是因为C化工仓库职工的违规操作引起的，应当由C化工仓库来承担责任。丰达加工厂坚持要求两家保险公司按照当时订立的保险合同上约定的保险金额进行赔偿，认为保险事故确实发生在保险责任期间，货物已经运出且尚未到达本厂的仓库，完全符合保险合同对保险责任期间的约定，保险公司应当按照合同来承担赔偿责任。

双方就赔偿问题未能达成一致意见，丰达加工厂遂将两家保险公司告上了法院。法院审理后，认为丰达加工厂在两家保险公司投保的行为构成了重复保险，该加工厂就同一批货物，同一保险利益和保险责任分别向A、B两个保险公司投保了同一险种，属于重复保险，由于两个保险公司的承保金额之和达40万元，超过了保险价值，根据法律规定，各保险人按比例承担赔偿责任，以防止投保人获取额外利益。根据此案的实际情况和保险责任比例分摊原则，A、B保险公司只需各赔付15万元。

两家保险公司赔偿后，取得代位求偿权，因保险事故是由于第三者责任引起，保险人在向投保人履行赔付义务后，可对第三者责任人进行追偿。在此案中，保险事故是因C化工仓库职工违规操作引起的，因而A、B保险公司在向该加工厂进行赔付后，可向C化工仓库进行追偿。

律师专线

本案涉及的关键问题是重复保险如何进行赔偿。重复保险，是相对于单保险而言的，通常是指投保人以同一标的、同一利益、同一事故分别与两个以上保险人订立保险合同的行为。重复保险必须同时符合以上3个要件，如果投保人就同一保险标的的不同保险利益，或就同一保险标的就不同的保险责任分别向不同的保险人签订不同的保险合同，都不是重复保险。《保险法》第56条对重复保险作了规定。重复保险的赔偿应遵循重复保险的分摊原则。重复保险的分摊原则是指投保人对同一标的、同一保险利益、同一保险事故分别向两个以上保险人订立保险合同，构成重复保险，其保险金额的总和往往超过保险标的的实际价值，发生事故时，按照补偿原则，不能由几个保险人同时赔偿实际保险金额，只能由这几个保险人根据不同比例分摊此金额，以免造成重复赔款的原则。按照《保险法》的规定，重复保险的构成需要满足4个条件：第一个条件是重复保险必须是对同一个保险标的的保险，否则，即使投保人向不同的保险人投保了多份保险，也不是重复保险。例如同一投保人向两家保险公司分别投保了家财险和机动车辆保险，就不会构成重复保险。第二个条件是重复保险必须是对同一保险利益提供的保险，否则，即使投保人就同一保险标的向不同的保险人投保了多份保险，也不会构成重复保险。例如债务人以房屋为抵押向债权人贷款，债务人和债权人均可以为房屋投保，但是债务人和债权人为房屋同时投保并不构成重复保险。第三个条件是重复保险必须是对同一保险事故提供的保险，否则，即使投保人就同一标的的同一保险利益向不同的保险人投保多份保险，也无法构成重复保险。例如投保人就一批产品向两家保险公司分别投保产品质量保证保险和产品责任保险，就不是重复保险。第四个条件是重复保险必须是向两个以上保险人订立保险合同的保险。如果投保人就同一保险标的、同一保险利益、同一保险事故向同一保险人订立多份保险合同，就不会构成重复保险。在本案中，丰达加工厂分别向两个保险公司投保的行为完全符合这几个条件，属于典型的重复保险，因此不能按保险合同约定的保险金额取得保险金，而只能获得两家保险公司按比例给付的保险金。

法律规范

中华人民共和国保险法

（1995年6月30日第八届全国人民代表大会常务委员会第十四次会议通过，2002年10月28日第九届全国人民代表大会常务委员会第三十次会议修正，

2009 年 2 月 28 日第十一届全国人民代表大会常务委员会第七次会议修订）

第五十六条　重复保险的投保人应当将重复保险的有关情况通知各保险人。

重复保险的各保险人赔偿保险金的总和不得超过保险价值。除合同另有约定外，各保险人按照其保险金额与保险金额总和的比例承担赔偿保险金的责任。

重复保险的投保人可以就保险金额总和超过保险价值的部分，请求各保险人按比例返还保险费。

重复保险是指投保人对同一保险标的、同一保险利益、同一保险事故分别与两个以上保险人订立保险合同，且保险金额总和超过保险价值的保险。

专家释惑

重复保险的存在，可能使被保险人获得较实际损失更多的保险金，从而违反了保险法禁止不当得利的意旨。因而，多数国家在保险立法中都规定，投保人应将重复保险的情况通知各保险人。我国《保险法》第 56 条第 1 款也规定："重复保险的投保人应当将重复保险的有关情况通知各保险人。"《保险法》没有对通知方式作出的特别要求，因此投保人履行通知义务可以采用口头通知的方式，但是，如果当事人在合同中约定须以书面方式通知的，则从其约定。须指出的是，投保人履行通知义务，应主动通知各保险人，而无须保险人询问。

提醒

从法律上对重复保险加以规制，是现代各国保险立法的通例，由此可见，规范调整重复保险对保险良性运行的重要性。法律对重复保险的规定，主要意图在于：第一，防止超额保险。损失填补是保险的重要特性，通过填补被保险人或投保人所遭受的损失，达到消化危险、分担损失、安定社会的目的。第二，避免不当得利。保险的目的在于消化危险于无形、分摊损失于大众，其基本理念应为填补损失，而非使人获利，投保人就同一危险分别与数个保险人订立数个保险合同，当保险事故发生时，倘若投保人或被保险人从数个保险人处皆能得到补偿，那么保险不仅填补了实际损失本身，还将使其获得额外的利益。如此，无异于鼓励投保人故意重复投保，甚至使保险金额之总和超过保险价值，以期获取非法利益。保险立法为使保险制度沿着既定的轨道运行，对重复保险加以有效控制是十分必要的。第三，防止道德危险。道德危险指因保险而引起之“幸灾乐祸”的心理，即有保险契约上之利益者或被保险者，在其内心深处所潜伏期望危险发生或扩大之私愿。此种道德危险如酝酿日久，必将产生负面效应，甚至使投保人或被保险人将之付诸实践，其最终的结果无疑将使灾害横行，人人自危，保险制度本身亦会招受毁灭性的打击。保险所承保之危险虽不必均由于不可抗力所导致，但绝不可基于故意行为而引发。因为保险旨在消灾，而非使灾害增多。如果任凭重复保险恣意妄为，那么，为获取不正当利益，投保人或被保险人铤而走险的情形甚而会成为常态，社会秩序为之紊乱。第四，增强安全保障。以上皆为从保障保险制度本身及维护保险人利益的角度出发而体现的立法旨趣。除此之外，重复保险制度还具有保护要保人或被保险人利益的功能——增强安全保障。也正是基于此，立法上对重复保险的评价并非全盘否定，而是有区别地进行调整，使之发挥积极作用。在存在重复保险的情况下，投保人可能是善意，也可能纯粹是出于多一份安全保障的考虑，而非意图谋利，故区分善意重复保险与恶意重复保险而为不同的处分，应是必要且可能的。再者，如出现保险人破产或偿付能力下降之情事，合理设置重复保险的效力，投保人或被保险人则可以减少或避免因保险人资力不足所承担的风险，达到填补损失的目的，使其利益不至于落空，从而增强保险对投保人或被保险人的安全保障。

57. 撞车超过两年，保险公司是否还会赔偿？

案例57 公交公司诉保险公司案

事情是这样的

2002年6月7日，某市一辆公交车和一辆摩托车发生碰撞事故，摩托车车主向某受重伤，两车俱损。事故发生后，公交公司立即向保险公司报案，并把向某送到医院抢救。6月27日，交警作出了公交车驾驶员雷某负全部责任的认定，并出具《道路交通事故责任认定书》。

其后，向某在该市一家医院进行了初步治疗，后转院至另一家医院，直到2004年4月23日他才出院。同年7月28日，广州法医学会法医专家认定向某伤残等级为三级。2004年12月31日，事故双方在交警的主持下达成调解，公交公司负担医药费40万元，并一次性赔偿向某88万元。

此次事故发生前不久，该公交公司曾向某保险公司投保了机动车辆第三者责任险，因此在其支付了赔款以后，公交公司向保险公司提出索赔申请。但该保险公司称：我国《保险法》第26条规定："人寿保险以外的其他保险的被保险人或者受益人，向保险人请求赔偿或者给付保险金的诉讼时效期间为二年，自其知道或者应当知道保险事故发生之日起计算。"因此，公交公司的索赔已经超过法定索赔时效，不予赔偿。保险公司不服，向人民法院提起诉讼。

一审法院认为，公交公司只有在与受害人达成了调解协议以后，才能知道自己应承担的赔偿金额，因此该案的索赔时效应当从赔偿协议作出的时间起算。保险公司应当承担保险合同约定的赔偿责任。保险公司不服，提起上诉。二审法院维持了一审判决。

律师专线

本案主要涉及的问题仍然是保险金的索赔时效问题以及责任保险金索赔时效的起算时间问题。

机动车辆第三者责任险是一种责任保险合同。所谓的责任保险合同是以被保险人的民事损害赔偿责任为保险标的，为被保险人可能承担民事损害赔偿责任而丧失的利益提供经济补偿的一种保险合同。因此，只有被保险机动车发生道路交通事故并对该事故承担责任的情况下，该交通事故才属于保险合同约定的保险责任范围内的事故，即保险事故。

换句话说，交通事故并不完全等于保险意义上的保险事故，只有投保方需要负责并因此导致利益丧失的交通事故，才属于保险事故。这样一来，交通事故发生以后，在投保人知道保险责任归属以及赔偿金额之前，并不能确定保险事故有没有发生。根据《保险法》第 26 条规定，索赔时效自被保险人或受益人知道保险事故发生之日起计算，因此在本案中投保人公交公司的保险金索赔时效应当是以事故双方达成调解协议之时，即 2004 年 12 月 31 日起算的。只要公交公司在 2006 年 12 月 31 日之前提出索赔申请，保险公司就不能以超过法定索赔时效而拒赔。

保险公司拒赔的理由乍看起来有理有据，但是他们把交通事故完全等同于保险事故的理解显然是不符合常理的。一般来说，发生交通事故以后，事故责任的归属确定起来往往并不容易。而且，一旦双方关于赔偿金额协商不成进入诉讼程序，就很可能会超过 2 年。如果保险金索赔时效从交通事故发生时算起，被保险人的合法权益显然不能得到有效保护。为了便于正确适用《保险法》，公正、及时审理保险纠纷案件，保护保险活动当事人的合法权益，《最高人民法院关于审理保险纠纷案件若干问题的解释（征求意见稿）》第 18 条第 2 款也对责任保险的索赔时效起算点进行了规定，即“责任保险的保险事故发生之日是指依法确定被保险人的民事责任之日”。这里的“确定被保险人的民事责任”包括民事责任归属和民事责任的大小。只有两者都得到确认以后，受益人才能向保险公司提出索赔申请。

法律规范

中华人民共和国保险法

（1995 年 6 月 30 日第八届全国人民代表大会常务委员会第十四次会议通过，2002 年 10 月 28 日第九届全国人民代表大会常务委员会第三十次会议修正，2009 年 2 月 28 日第十一届全国人民代表大会常务委员会第七次会议修订）

第二十六条　人寿保险以外的其他保险的被保险人或者受益人，向保险人请求赔偿或者给付保险金的诉讼时效期间为二年，自其知道或者应当知道保险事故发生之日起计算。

人寿保险的被保险人或者受益人向保险人请求给付保险金的诉讼时效期间为五年，自其知道或者应当知道保险事故发生之日起计算。

专家释惑

所谓索赔时效是指受益人或被保险人得知保险事故发生后，其索赔权经过一定的期间没有行使，便归于消灭的制度。由此可以看出保险索赔时效是一种消灭时效。

投保人之所以向保险人投保，是希望在保险事故发生后取得保险人赔付的保险金，以保护自己的利益。而法律规定保险金索赔时效的原因在于保险事故发生后，如果被保险人或受益人不及时行使索赔权，不仅其损失得不到及时补偿，保险人的给付义务也将长期处于不确定状态，不利于保险经济秩序的稳定。

同时，由于时过境迁，事关保险事故性质、原因、损害程度等证明文件及材料都可能发生取证困难的情况，使得保险人的赔付处于尴尬的境地。法律规定索赔时效的目的就在于督促被保险人或受益人及时索赔，从而补偿被保险人的损失，同时稳定保险经济秩序。

58. 车辆遇险驾驶员自救，保险公司为什么不赔?

案例 58　用吊车施救，保险公司拒赔案

事情是这样的

张某是某储运有限公司的卡车驾驶员，2004 年 10 月份，驾车前往浙江运送公司货物。当车辆行驶到 318 国道 70 公里处左右，突然从公路一旁冲出一位骑自行车的人横穿马路，张某赶紧采取紧急避让措施，猛打方向盘，刹车往道路右侧急转弯。结果是自行车被避让过去了，但

由于车速太快，方向盘打得也比较大，使得张某驾驶的车辆右侧陷入松软地带，挂车的右边轮子陷了进去，造成车子倾斜。

为了能使车子返回原来的路面，张某继续发动车辆，但是车辆却越陷越深，倾斜的角度越来越大。面对这种情况，张某停止了自救。

为防止事故损失进一步扩大，张某向储运公司求助。收到求助信息后，储运公司的值班负责人及时和当地的相关部门取得联系，在当地警方的帮助下，用吊车将卡车恢复了原状。

张某整理相关理赔材料去保险公司申请理赔时，却遭到拒绝，理由是张某采取用吊车的自救措施，这种方式是不属于保险责任赔偿范围的。

但储运公司则持相反意见：自己单位的车辆遭遇意外事故后，车辆处于倾斜状态，失去了正常行驶状态和继续行驶的能力，不经施救不能恢复行驶，而且出事的路面又是318国道，不是乡间小路。公司通过相关部门组织施救，避免了更大的损失。为什么这种正常的救援措施不能获得理赔呢？

该保险公司的负责人王小姐对此疑问解释道，在收到张某的理赔材料后，为慎重处理此次案件，特派理赔人员到案发当地调查该案，向事故处理民警了解了案件经过，并调取了事故照片，在此基础上才作出了拒赔决定。事故经过是该车驾驶员由于避让骑车人而驶入路边松软地并陷入泥中，并未接触他物，更谈不上倾覆，保险标的（车辆）无损失，仅发生施救费用3 700元。而依照保险公司的条款解释：倾覆是指由于被保险车辆因自然灾害或意外事故，造成本车翻倒、车体触地，使其失去正常行驶状态和行驶能力，不经施救不能恢复行驶的状况。而张某的车辆在当时并没有发生和条款相吻合的任何一种情况，根据现场照片分析，该车出险后并未发生损失，只是右侧车轮陷入泥中造成驱动力分配不均，车辆无法行驶。这种情况下该车只需牵引即可恢复行驶能力，而客户接受了整车起吊这样明显不必要施救措施，产生大笔施救费用，致使自身承担较大的经济损失。因此，无论从哪一条看，此次的意外事件都不属保险责任赔偿范围。

律师专线

我国的《保险法》第 57 条规定：“保险事故发生时，被保险人应当尽力采取必要的措施，防止或者减少损失。保险事故发生后，被保险人为防止或者减少保险标的的损失所支付的必要的、合理的费用，由保险人承担；保险人所承担的费用数额在保险标的损失赔偿金额以外另行计算，最高不超过保险金额的数额。”这其中，需要特别强调的是：施救必须是必要的、合理的，否则保险公司不会承担相应的费用。

因此客户在发生保险事故时，切不可实施盲目或过度的施救措施，否则保险公司就会拒赔。储运公司用吊车施救的方案虽然可行，但却不是合理且必要的。

法律规范

中华人民共和国保险法

（1995 年 6 月 30 日第八届全国人民代表大会常务委员会第十四次会议通过，2002 年 10 月 28 日第九届全国人民代表大会常务委员会第三十次会议修正，2009 年 2 月 28 日第十一届全国人民代表大会常务委员会第七次会议修订）

第五十七条　保险事故发生时，被保险人应当尽力采取必要的措施，防止或者减少损失。

保险事故发生后，被保险人为防止或者减少保险标的的损失所支付的必要的、合理的费用，由保险人承担；保险人所承担的费用数额在保险标的损失赔偿金额以外另行计算，最高不超过保险金额的数额。

专家释惑

合理施救，是获得保险施救赔偿的前提。如何理解合理施救，一般认为，施救应以减少损失为目的。例如当汽车自燃时，车主用车载灭火器扑灭火苗，甚至借用其他车辆的灭火器，只要车主能提供这些灭火器是用于扑灭汽车火苗的证据，保险公司都会按灭火器市场价格给予理赔。

有时汽车行驶在山路上，由于受到撞击而无法行驶，这时车主应该立刻报案，要求保险公司派遣专业施救员前往解救汽车。擅自通过人力推车而使汽车脱离险境，有时不但无法奏效，反而令汽车失控而发生再次撞击，甚至会倾覆，保险公司对这类损失是不理赔的。

若发生本案中这种情况，应采取更合理的方式加以施救，整车起吊虽然可以解决问题，但已经超出了合理的范围，花费了不必要的费用，因此，保险公司不予理赔。

59. 保险人的代位求偿权是什么意思？

案例 59　保险公司与某工商局公平交易监督局纠纷案

事情是这样的

2001 年 5 月 19 日，华达公司将其合法购进的奔驰牌汽车一辆（保险价值 79 万元）向某保险公司投保，保险公司除承保了车辆损失险、第三者责任险外，还承保了全车盗抢险、车上责任险等附加险，保险期限 1 年，保险金额为 79 万元。2002 年 2 月 25 日，该车被盗。此后不久，某私营企业主陈小东买到此车。同年 11 月 20 日，陈小东将该车开到外地某宾馆停放时，被省工商局公平交易监督局（以下简称“监督局”）查获。因陈小东提供不出购买此进口汽车的合法手续，监督局于 2003 年 3 月 12 日作出对该车没收处理的处罚决定。

2002 年 12 月 3 日，保险公司依据保险条款赔偿被保险人华达公司 79 万元，华达公司出具了《权益转让书》，由保险公司代位行使被保险人的一切追偿权利。华达公司汽车被盗一案由于没有查到偷窃者而未能最后侦破。2003 年 6 月，保险公司得知被盗的车辆被监督局没收的消息之后，就持有关的凭证证明，要求监督局返还该车。遭到拒绝后，保险公司于 2003 年 9 月 11 日向人民法院提起诉讼。保险公司认为：自己按保险条款对华达公司投保的奔驰轿车赔偿以后，已取得该车的所有权及代位追偿权，这种权利并不因该车被盗或非法转让而改变。监督局在知道该车的合法所有者为保险公司以后，拒绝保险公司提出的返还要求，侵犯了保险公司的合法权益，应承担返还财产或折价赔偿的责任。

监督局则认为：该局的处罚决定是针对无合法手续的进口小汽车车主陈小东作出的。陈小东既没有申请复议，又没有提起行政诉讼，说明监督局的行政处罚完全没有错，是依法行政。本案的奔驰车不属于有关退赃规定的范畴。原告的损失应由盗车者或买车者赔偿，而不是监督局。

一审法院经审理认为：监督局依据国家有关的法律规定对陈小东购买的无合法手续的进口奔驰小轿车作出没收的处罚决定，并没有过错，被告不存在侵犯原告合法权益的问题，原告诉请被告返还汽车没有法律依据。裁定驳回保险公司的起诉。保险公司不服，提起上诉。二审法院经审理后裁定：驳回保险公司上诉，维持原裁定。

律师专线

分析本案争论的焦点问题之一，就是保险公司取得代位求偿权是否就是取得了保险标的的所有权。代位权是指保险人享有的，代位行使被保险人对造成保险标的损害而负有赔偿责任的第三人的求偿的权利。广义的代位求偿权既包括代位权，也包括物上代位权。所谓物上代位权是指保险人赔偿被保险人财产的全部损失之后，有直接取得保险标的的物权的权利。

《保险法》第60条对狭义的保险代位求偿权作了明确规定："因第三者对保险标的的损害而造成保险事故的，保险人自向被保险人赔偿保险金之日起，在赔偿金额范围内代位行使被保险人对第三者请求赔偿的权利。"当保险标的因保险事故而发生的损失是由于第三人的侵权或违约行为所致时，被保险人就有权向他提出赔偿请求。这时就在被保险人与第三人之间形成一种新的债权债务关系，也就是损害赔偿关系，同时也产生了被保险人与保险人之间的保险赔偿关系。被保险人既是侵权损害关系的当事人，又是保险赔偿关系的当事人。为了避免被保险人行使两种请求权而获得双重利益，被保险人获得赔偿款后，就必须将向第三人求偿的权利转让给保险人。这样，被保险人的债权因保险补偿得以实现，但被保险人与第三人之间的债权债务关系并未因此消灭，而是权利主体发生了变更，即被保险人将对第三人的赔偿请求权转让给保险人，保险人因替代原债权人（被保险人）而成为新的债权人。债权的内容和客体未发生任何变更（即对第三人的损害赔偿请求权未变）。在这个新的法律关系中，保险人是债权人，债务人仍然是第三人，只有当第三人向保险人履行应尽义务后，保险人的代位求偿权才得以实现。因此，保险代位求偿权本质上是一种债权请求权的转移，而不是物权的转移。因此根据《保险法》第 59 条，保险公司是没有办法追回汽车的。

但是，《保险法》第 59 条也规定，保险事故发生后，保险人已支付了全部保险金额，并且保险金额相等于保险价值的，受损保险标的的全部权利归于保险人；保险金额低于保险价值的，保险人按照保险金额与保险价值的比例取得受损保险标的的部分权利。该条规定的是保险人的物上代位权。在本案中，保险公司对该汽车足额承保，而且在保险事故发生后已经支付了全部保险金额，根据该条保险公司即取得了汽车的所有权。所有权作为一种核心物权形态，是具有支配力的权利，可以对抗任何人妨碍物权的行为，也含有物上请求权，即要求收回脱离自己占有的所有物。

注意

本案中，汽车被盗，最后落入陈小东之手，监督局认为陈小东为该汽车车主的看法是错误的。我们知道，物权法定，一物一权，保险公司全额赔付后，享有汽车的所有权。汽车被盗后，无论流转多少个环节，除非发生动产善意取得的情形，不会截断所有权人物上请求权的效力。陈小东从卖主手中买得汽车，而该卖主没有产权证，也没有办理汽车过户，他应该清楚该汽车来历不明，无论如何不会发生动产善意取得，因此陈小东并非车主。车主应该是保险公司，根据有关规定查获盗赃物，应该退还失主，监督局理应返还汽车给保险公司。法院的判决不当。

法律规范

中华人民共和国保险法

（1995 年 6 月 30 日第八届全国人民代表大会常务委员会第十四次会议通过，2002 年 10 月 28 日第九届全国人民代表大会常务委员会第三十次会议修正，2009 年 2 月 28 日第十一届全国人民代表大会常务委员会第七次会议修订）

第五十九条　保险事故发生后，保险人已支付了全部保险金额，并且保险金额等于保险价值的，受损保险标的的全部权利归于保险人；保险金额低于保险价值的，保险人按照保险金额与保险价值的比例取得受损保险标的的部分权利。

第六十条　因第三者对保险标的的损害而造成保险事故的，保险人自向被保险人赔偿保险金之日起，在赔偿金额范围内代位行使被保险人对第三者请求赔偿的权利。

前款规定的保险事故发生后，被保险人已经从第三者取得损害赔偿的，保险人赔偿保险金时，可以相应扣减被保险人从第三者已取得的赔偿金额。

保险人依照本条第一款规定行使代位请求赔偿的权利，不影响被保险人就未取得赔偿的部分向第三者请求赔偿的权利。

专家释惑

本案之所以会出现误判，是因为没有区分保险代位权同物上代位权。

一、代位求偿权的含义

代位求偿权是一种转移的请求权，是指在财产保险中，保险人在补偿被保险人的损失后，如果第三人对保险标的的损失根据法律或合同规定，尚应承担赔偿责任，被保险人应将对该第三人享有的赔偿请求权转移给保险人，由保险人代位行使。保险人所取得的这项权利，即为代位求偿权。

我国《保险法》第 60 条规定：保险标的发生保险责任范围内的损失，应当由第三者负责赔偿的，投保方应当向第三者要求赔偿。如果投保方向保险方提出赔偿要求时，保险方可以依保险合同规定，预先赔偿，但投保方必须将向第三者追偿的权利转让给保险方，并协助保险方向第三者追偿。第59条规定，保险事故发生后，保险人已支付了全部保险金额，并且保险金额相等于保险价值的，受损保险标的的全部权利归于保险人；保险金额低于保险价值的，保险人按照保险金额与保险价值的比例取得受损保险标的的部分权利。可见，我国保险立法同时规定了代位求偿权和物上代位权。此外，我国《海商法》第249条规定，保险标的发生推定全损，被保险人要求保险人按照全部损失赔偿的，应当向保险人委付保险标的。保险人可以接受委付，也可以不接受委付，但是应当在合理的时间内将接受委付和不接受委付的决定通知被保险人。委付不得附带任何条件。委付一经保险人接受，不得撤回。该条确立了委付制度，也是最为典型的物上代位权的例子。物上代位权的性质为物权请求权，与作为损害赔偿请求权的保险代位权，存在巨大差别。

二、代位制度在保险业务中的依据

财产保险的目的是使被保险人因保险事故所致损失得到补偿，被保险人所得到的补偿应以所受损失为限，不能因投保而获得额外的利益。在财产保险中，第三人对因保险事故造成的损失负有赔偿责任，保险人在履行赔偿义务之后，如果被保险人仍享有对该第三人的赔偿请求权，其所获得的利益必将超过所受损失，这与财产保险的目的是相违背的。同理，保险标的灾后留有的残值所有权，于保险人依保险合同给付全部赔偿金后，应由该保险人取得。否则，被保险人也会取得额外的利益。为了避免被保险人因保险关系而额外获利，真正实现保险的补偿目的，因此各国的保险立法才对代位制度加以规定。代位权仅适用于财产保险，在人身保险中不存在代位的问题。

三、代位求偿权的成立要件

代位求偿权的成立要件是指保险人能够代位享有赔偿请求权的必要条件。代位求偿权的成立要件一般有3项：

1. 被保险人对第三人享有赔偿请求权。首先，保险标的所受损失是第三人的原因所造成的。其次，根据法律或合同的规定，该第三人对保险标的的损失应负赔偿责任。

2. 保险人对保险标的的损失负有赔偿义务。也就是说，该项损失的产生符合保险人承担保险责任的条件，根据保险合同的规定，保险人应对此给予赔偿。其中最重要的一点是造成保险标的损失的原因，即第三人行为或由第三人行为导致的危险事故，必须是保险合同所规定的责任事故。否则，与保险人无关，不存在保险人代位享有求偿权的问题。

3. 保险人已给付了赔偿金。被保险人的赔偿请求权只有在保险人给付赔偿金之后才能由该保险人代位行使。因为，代位求偿权实质上是一种转移的请求权，保险人在给付赔款之前，与第三人之间无任何权利义务关系，不存在享有请求权的法律事实。而保险人给付赔款则是请求权转移的事由，即保险人因履行了赔偿义务而自动取代了被保险人的请求权人的地位，可以代位向第三人请求赔偿。

四、代位求偿权的行使

1. 行使代位求偿权的名义。代位求偿权是一种转移的请求权，请求权是一种对人权，而保险人与第三人之间并不存在直接的权利义务关系，所以，起初保险人在取得代位求偿权后，仍以被保险人的名义行使。现在，随着法律制度的发展，各国司法实践普遍认为保险人在获得代位求偿权后，可以以被保险人的名义，也可以以保险人自己的名义向第三人追偿，这极大地方便了保险追偿案件的诉讼程序。在我国，代位请求权应理解为一种法定的权利，保险人当然可以以自己的名义求偿。

2. 代位求偿的对象。任何对保险标的的损害负有赔偿责任的第三人，都可以成为保险人代位求偿的对象。但在一些国家中，对代位求偿的对象有所限制，即保险人对被保险人本人和其一定范围的亲属或雇员不能行使代位求偿权。其意义在于，如果保险人向被保险人本人追偿，则被保险人所受损失无法得到保险的补偿，保险也就失去其存在的意义。而被保险人的近亲属或雇员的故意行为所造成保险标的损失，保险人仍享有代位求偿权，如果是被保险人本人故意行为所造成的损失，保险人不负赔偿责任。

各国对代位求偿权对象的限制并不一致，有些国家则没有明确规定。目前，我国保险立法尚无此类规定，但中国人民保险公司某些涉外条款中有这方面的规定。

3. 代位求偿权的范围。保险人的代位求偿权应以其实际支出的赔偿金额数为限，而对于没有赔偿的部分不得主张代位求偿权。如果保险人行使代位求偿权获得赔偿金额超出其实际支出的赔款数额，应将超过部分归还被保险人。根据我国保险立法的规定，凡涉及代位求偿的保险赔案，应先由投保人向负有赔偿责任的第三人行使赔偿请求权，如获赔偿，则保险人免去赔偿责任。但在实践中，被保险人为节约时间和精力往往直接向保险人求偿，保险人应根据合同规定先预赔偿，然后行使代位求偿权，依法向第三人请求赔偿。如果被保险人已从第三人处获得赔偿。保险人在不知情的情况下又给付赔偿金，事后有权请求被保险人返还。

五、被保险人抛弃追偿权的限制

保险人只有在赔付之后才能取得代位求偿权，而在保险事故发生之后保险人赔付之前的这段时间里，对第三人的赔偿请求权仍由被保险人享有，如果被保险人抛弃该请求权，即使保险人赔付后亦不能取得代位求偿权，使保险人的利益受到损害。因此，保险立法一般规定，未经保险人许可，被保险人不得抛弃对第三人的赔偿请求权，否则，保险人可免除其赔偿义务。另外，为保护保险人的利益，有些保险立法还规定，保险事故发生后，保险人有权要求被保险人向有赔偿责任的第三人请求赔偿，被保险人有义务按保险人的要求行使请求权，由此而支出的费用由保险人承担。

提醒

代位求偿权并非保险法律关系所专有，在其他法律关系中也存在着各种各样的代位权。广义上的代位权有两种，一种是权利代位，即前述的代位求偿权；另一种是物上代位权，在保险法律关系当中的物上代位权是指保险人赔偿全部损失后的残余物，如果没有作价在保险赔款中扣除，其所有权应当归保险人所有。在许多国家的保险立法中，将保险人的代位求偿权与物上代位权作为代位权而统一加以规定。

60. 被保险人放弃索赔权会有什么后果?

案例 60　保险公司诉某运输公司案

事情是这样的

A 公司与保险公司于 2006 年 1 月签订了货物运输保险合同，保险期限 1 年。同年 2 月，A 公司与某运输公司签订了货物运输合同，合同期限 1 年。

A 公司向运输公司支付的运费中含运输费用、司机劳务费、规定的路桥费及运输过程中的相关费用，不含保险费。同年 6 月，A 公司又与运输公司签订了货物运输协议补充条款，约定运输货物的保险由 A 公司办理，运输公司不需要重复投保；在运输过程中如货物出现重大损失，运输公司应当协助 A 公司向保险公司索赔，A 公司有权对运输公司就当票事故处罚 2 000 元；补充条款在货物运输协议有效期内有效。同年 9 月，运输公司承运 A 公司货物的车辆在匝道口发生交通事故，导致 A 公司货物受损。保险公司在接到 A 公司理赔通知后，对上述事故产生的货物损失进行了理赔，取得了 A 公司的权利转让书，并据此代位向运输公司请求赔偿损失。

运输公司认为，即便发生事故而且造成损失，但他们已经同 A 公司达成了协议，A 公司放弃了追偿权，因此，不同意向保险公司进行损害赔偿。

保险公司为此向法院提起了诉讼，请求代位行使 A 公司的损害赔偿权，要求法院判决运输公司对损失的货物进行损害赔偿。

法院认为，保险公司要求运输公司赔偿损失的诉讼请求没有事实和法律依据，判决保险公司败诉。

律师专线

代位求偿权是形成权，其形成必须满足以下 3 个要件：一是须保险人已依保险合同，给付全部之赔偿金额于被保险人；二是须被保险人对于第三人依法有损失赔偿请求权；三是代位请求的数额以不逾赔偿金额为限。

在不考虑 A 公司放弃对运输公司损失赔偿权的前提下，保险公司已向 A 公司赔付保险金，其能否行使代位求偿权就在于 A 公司对运输公司是否享有损失赔偿请求权。而在货运合同中，除不可抗力、货物自身自然性质、合理损耗、托运人过错、收货人过错 5 种法定免责事由之外，承运人对运输过程中货物的毁损、灭失承担无过错责任。故本案运输公司因交通事故导致货损不在免责事由之内，其应当向 A 公司承担赔偿责任，同时保险公司向 A 公司赔付后，其理应享有代位求偿权。

但在本案中，由于 A 公司放弃损失赔偿权的行为阻却了保险公司代位求偿权的形成，故保险公司向运输公司主张代位求偿权不能得到法律支持。法院的判决是合理的。法理解释见“专家释惑”部分。

法律规范

中华人民共和国保险法

（1995 年 6 月 30 日第八届全国人民代表大会常务委员会第十四次会议通过，

2002 年 10 月 28 日第九届全国人民代表大会常务委员会第三十次会议修正，2009 年 2 月 28 日第十一届全国人民代表大会常务委员会第七次会议修订）

第六十条　因第三者对保险标的的损害而造成保险事故的，保险人自向被保险人赔偿保险金之日起，在赔偿金额范围内代位行使被保险人对第三者请求赔偿的权利。

前款规定的保险事故发生后，被保险人已经从第三者取得损害赔偿的，保险人赔偿保险金时，可以相应扣减被保险人从第三者已取得的赔偿金额。

保险人依照本条第一款规定行使代位请求赔偿的权利，不影响被保险人就未取得赔偿的部分向第三者请求赔偿的权利。

专家释惑

投保人放弃损失赔偿权能否阻却代位求偿权的形成，依其提出放弃权利的时间分两种情形，即保险金赔付之前和保险金赔付之后。

一、保险金赔付之前

在保险人赔付保险金之前，投保人放弃对第三人的损失赔偿权，当然地阻却代位求偿权形成要件的成就。但代位求偿权不是保险人享有的期待权，故投保人放弃损失赔偿权阻却代位求偿权的形成并不侵害保险人利益，其弃权对保险人有约束力。

在保险金赔付之前，保险人虽不能干涉投保人放弃对第三人的损失赔偿权，但依投保人弃权的不同时间，其应履行相应的义务。首先，在订立保险合同时，就放弃对第三人损失赔偿权的相关事宜，投保人应向保险人履行告知义务；其次，在合同订立后至保险金赔付前这段期间内，投保人若放弃对第三人的损失赔偿权，投保人则应及时向保险人履行通知义务。然而不管上述何种情形，若投保人不履行告知义务或危险增加通知义务，法律都赋予了保险人解除合同的权利，并且一旦发生保险事故，保险人依法有权拒绝赔付保险金。

二、保险金赔付之后

保险人赔付保险金之后，代位求偿权的要件已经成就。若保险人及时通知第三人由其代位行使投保人损害赔偿权后，保险人取代了投保人的角色成为真正的侵权之债的债权人，由第三人直接向其履行债务。投保人无权放弃其对第三人享有的损失赔偿权，即使行使，第三人也无力对抗保险人。

然而分歧点出在当保险人已向被保险人赔付后未及时通知第三人代位权行使之前，投保人免除第三人的损害赔偿权能否对抗保险人的代位权的行使。这时需要区分第三人的主观态度，分两种情况：

若第三人明知保险人享有代位权还与被保险人串通，损害保险人利益，则被保险人的弃权行为应被认定为无效民事行为，不能对抗保险人。若第三人未被通知且不知情的状态下，依据合同法和民法原理，被保险人免除第三人损失赔偿义务，使得第三人的损失赔偿义务得以消失，是可以对抗保险人代位权的行使。

对于保险人能否因投保人的弃权行为而免除赔付保险金的责任，理论上存在两种观点：第一种观点认为，为了维持保险人的保险赔偿义务，保险人未赔付保险赔偿金的，仍需要赔付；已经给付的，亦不得请求保险金、赔偿金的返还。然而保险人丧失代位求偿权，显然保险人可以就其本可以代位范围内向投保人请求损害赔偿。第二种观点认为，因投保人的弃权行为违反保险代位权的立法意旨，保险人已赔付保险金的，应当依据不当得利的民法理论请求保险金的返还。未给付者，免除保险人的赔偿责任。笔者认同第二种观点。

综上所述，本案由于A公司放弃损失赔偿权的行为阻却了保险公司代位求偿权的形成，故保险公司向运输公司主张代位求偿权不能得到法律支持。法院的判决是合理的。

保险人可以以不当得利为由向A公司主张返还保险金。

61. 车辆保险合同如何转让?

案例61 投保人李某诉保险公司车辆保险责任纠纷案

事情是这样的

个体户李某为其所有的一辆日本五十铃牌翻斗汽车投保了机动车辆损失险和第三者责任险，保险金额10万元，保险期限自2005年11月19日起至2006年11月18日止。

2006年5月，李某与另一个体户张某在汽车交易市场外达成协议，李某将该翻斗汽车连同保险单一起转卖给张某。双方约定价款分3次支付。张某将汽车开走。2006年7月1日，张某驾车外出，途中与天远公司的一辆天津大发牌汽车相撞，导致对方车辆损坏，驾驶员受伤。经市交通队裁决，张某应对该事故承担全部责任，赔偿天远公司修车费6万元，驾驶员医疗费和误工费3万元。张某持保单以第三者责任为由向保险公司索赔。

保险公司发现张某并非保险单上列明的被保险人，因而拒绝赔偿。之后，李某持保单前来索赔，保险公司以该车已转让给张某，李某对该车已无保险利益，且又未到保险公司办理批改，擅自变更被保险人，违反了被保险人义务为由拒赔。为此，双方争执不下，李某向法院起诉，要求保险公司履行保险合同，赔偿其9万元损失。

一审法院经审理判决：因为李某和张某在买卖该车时未经过户，该车的所有权并未转移，保险合同继续有效，保险公司应承担保险责任，补偿被保险人9万元。保险公司不服一审判决，提起上诉。

二审法院经庭审调查，认为李某和张某在汽车交易场外达成买卖该车的协议，张某支付了部分车款且使用了该车，已形成了事实上的买卖关系，并且李某也未因该起交通事故受到损失，故判决撤销一审判决，驳回了李某的索赔请求。

律师专线

我国《保险法》第49条规定，保险标的的转让应当通知保险人，经保险人同意继续承保后，依法变更合同。但是，货物运输保险合同和另有约定的合同除外。根据规定，在转让车辆之前，投保人、被保险人应该事先通知保险人，取得保险人同意。本案中，李某将汽车转让给张某时，并没有通知保险公司并办理批改手续。对张某来说，他要求保险公司按保险单赔偿自然会遭到拒绝，因为他根本就不是保险单上记载的被保险人。对李某来说，李某能否获得保险公司赔偿，关键在于怎样理解上述立法的含义。我们应该注意到，李某将车辆转卖给张某，但是没有按法律规定办理车辆过户手续，这种转让行为对第三人而言是没有法律效力的，视同所有权未发生变化，李某对该车辆还是有保险利益的。

法律规范

中华人民共和国保险法

（1995年6月30日第八届全国人民代表大会常务委员会第十四次会议通过，2002年10月28日第九届全国人民代表大会常务委员会第三十次会议修正，2009年2月28日第十一届全国人民代表大会常务委员会第七次会议修订）

第二十条　投保人和保险人可以协商变更合同内容。

变更保险合同的，应当由保险人在保险单或者其他保险凭证上批注或者附贴批单，或者由投保人和保险人订立变更的书面协议。

第四十九条　保险标的转让的，保险标的的受让人承继被保险人的权利和义务。

保险标的转让的，被保险人或者受让人应当及时通知保险人，但货物运输保险合同和另有约定的合同除外。

因保险标的转让导致危险程度显著增加的，保险人自收到前款规定的通知之日起三十日内，可以按照合同约定增加保险费或者解除合同。保险人解除合同的，应当将已收取的保险费，按照合同约定扣除自保险责任开始之日起至合同解除之日止应收的部分后，退还投保人。

被保险人、受让人未履行本条第二款规定的通知义务的，因转让导致保险标的危险程度显著增加而发生的保险事故，保险人不承担赔偿保险金的责任。

专家释惑

本案涉及3个法律关系：李某与保险公司之间的保险关系，李某和张某之间的车辆买卖关系，张某与保险公司之间的关系。争议发生在，保险公司对张某驾车造成第三人责任应否赔偿，两审法院对此持完全不同的观点。显而易见，本案的关键问题有两个，一是李某和张某之间转让保险车辆的法律关系是否有效，二是李某对该车是否还具有保险利益。为此，我们需要先从保险合同的转让谈起。

一、保险合同的转让

保险车辆的转让必然会涉及保险合同的转让。各国法律对保险合同的转让有不同的规定，有的国家允许保险合同随保险标的的转让而自动转让，有的国家则要求保险合同转让要经保险人同意，否则保险合同自转让之日起失效，保险公司不再承担保险责任。在我国，《保险法》第49条规定：保险标的的转让应当通知保险人，经保险人同意继续承保后，依法变更合同。但是，货物运输保险合同和另有约定的合同除外。中国保险监督管理委员会发布的《机动车辆保险条款》中第23条也有相同的规定。

车辆保险合同的转让，必须获得保险公司的同意，这是一般合同转让的要求，更是财产保险合同法律性质的表现。首先，保险合同是一种基于最大诚信原则订立的合同，双方的诚信义务高于一般合同：法律要求投保人对保险标的的陈述必须真实，不得欺诈、隐瞒、假报；在保险标的危险增加之时，投保人有告知的义务，保险人有权要求提高保费或解除保险合同。其次，保险合同是一种射幸合同，在保险合同中，投保人以支付保险费为对价，获得将来发生保险事故的补偿机会，其债务是确定的。但保险事故的发生具有偶然性，保险事故发生的偶然性大小，对于保险人来说意义重大。当保险标的由原投保人转让他人时，该标的保险事故发生的可能性会随之变化，这直接关系着保险人的保险责任。从这个角度来说，一般财产保险合同的转让也应事先征得保险人的同意。

二、保险车辆是否有效转让

保险车辆是否有效转让是本案的核心问题所在。一审法院与二审法院对此观点截然不同：一审法院认为，该车转让没有办理车辆过户手续，因此所有权未发生转移，李某对该车仍然具有保险利益，保险合同继续有效。而二审法院则认为，李某和张某之间形成了事实上的买卖关系，保险车辆已经转让，但被保险人未经保险人同意并办理批改手续，由此导致保险公司责任终止。于是，本案的焦点就集中在：车辆转让未办理过户手续，后果如何?

从民法原理来看，由于物权具有排他性和优先的效力，当事人在设立、移转或变更物权时，根据物权公示原则，应将物权变动的事实通过一定的公示方法向社会公开，从而使第三人知道物权变动的情况，以避免第三人遭受损害并保护交易的安全。一般来说，物权公示的方法有两种：登记和交付。不动产物权变更一般都须登记。对于登记的效力，各国规定不同，有的采用登记要件主义，不动产物权变动未经登记就不发生法律效力；有的采用登记对抗主义，不动产物权变动未经登记，只能在双方当事人之间产生效力，不能对抗第三人。我国立法在不动产物权变动上一向采用登记要件主义。此外，我国法律还要求民用航空器、船舶、机动车辆等动产物权变更的公示方法也采用登记，只是对于这些动产物权登记的效力采用登记对抗主义，比如我国《海商法》第 9 条规定：船舶所有权的取得、转让和消灭，应向船舶登记机关进行登记；未经登记的，不得对抗第三人。

何谓不能对抗第三人呢？学者多以这样一个案例来说明：甲将其所有的汽车转让给了乙，但是没有办理过户登记，尔后，甲又将此车卖给了丙，并与丙办理了过户登记，那么法律上只承认丙享有该车的所有权，而不承认乙享有所有权。在现实社会中，第三人的角色是多种多样的，他除了与甲会发生买卖关系之外，还可能发生其他的法律关系。比如本案中的天远公司，它在发生交通事故之后，一定会找肇事人和肇事车辆赔偿，车主和肇事人对交通事故应承担连带赔偿责任。也就是说，对于第三人天远公司来说，车辆没有过户，车管所名册上车主还是李某，车辆的所有权就未发生转移，车主就还应承担赔偿责任。对于保险人来说，它也是第三人，因而于它而言，没有理由认为该车的所有权已转移。

本案中虽然李某和张某的真实意思是要将该车转让，而根据登记对抗主义，也承认转让行为在二者之间是有约束力的，但由于法律要求这一转让行为是要式行为，未经过户即不具有公示的效力，因此对于第三人来说，保险车辆没有有效转让。

三、保险利益是否存在

本案中保险公司拒赔的理由之一是：该车出卖后，李某已对该车无保险利益。这个理由能否成立呢？

保险利益是指投保人（被保险人）对于保险标的所具有的经济利益。保险利益的存在是一般保险合同成立的前提，是当事人得以申请保险赔偿的基础。在财产保险合同中，原则上凡因财产产生危险事故而可能遭受损失的人，都对该项财产具有某种保险利益。只有具有保险利益的人才能订立保险合同。

以保险利益的存在作为保险合同成立的要件，这是保险与赌博的本质区别。你可以赌谁会取得世界杯足球赛的冠军，却不能将其投保，因为你对这一事件的发生与否不具有保险利益，也不会因此蒙受损失。同样，如果允许没有保险利益的人用他人的财产或生命来作赌，一旦发生保险事故，投保人就可以不蒙受任何损失而获得保险赔偿，而保险就失去了补偿损失的意义而沦为赌博。

本案中，一开始李某是保险车辆的所有人，对该车当然享有保险利益，他与保险公司订立的车辆保险合同毫无疑问是有效合同。一般情况下，保险利益随着保险标的所有权转让而灭失，这一点并无争议。但本案的情况是，李某和张某在指定的汽车交易市场外达成车辆买卖协议，并未依法办理过户登记，这导致其转让行为不能对抗第三人，天远公司作为交通事故的受害者有权向车主李某索赔。因此，李某仍然是法律上承认的车辆所有人，他对保险标的仍然具有保险利益。

四、保险公司的责任

经过上述分析，保险公司以保险车辆转让，李某不再具有保险利益为拒赔理由已站不住脚。但是，它是否可以李某和张某之间有转让行为，李某擅自变更被保险人而未经保险人同意为由拒赔呢？

笔者认为，此理由也是不能成立的。首先，虽然李某和张某之间有交付车辆的行为，张某也使用了该车，并支付了部分车款，但都没有完成法律上对所有权转移的要求，因而不能认为李某与张某之间不能对抗第三人的转让也要经保险人同意。其次，由于机动车辆保险是针对车辆投的保，保险标的是车辆，而第三者责任险又是一种特殊的财产保险，属于责任险的范畴。第三者责任险是指被保险人或其允许的驾驶人员在使用保险车辆过程中发生意外事故，致使第三者遭受人身伤亡或财产的直接毁损，被保险人依法应当支付的赔偿金额，由保险公司依照保险合同的规定给予补偿。由此可见，法律并没有要求只有车辆所有人驾车造成责任事故，保险公司才赔偿。被保险人范围并不局限于机动车辆的所有关系上，而是扩大到被保险人允许的驾驶员，他们在驾驶车辆的途中造成第三者人身伤亡或财产毁损，车辆所有人应承担连带责任，保险公司应予以补偿，而并不追究保险车辆由被保险人之外的人驾驶是否会增加保险事故发生的可能性。法律这样规定是为了充分发挥保险的作用，出发点是保护第三者的利益，使其在遭受损害时，不会因为肇事者个人经济力量的单薄而有可能得不到充分的赔偿。这是第三者责任险的精髓所在，也是整个保险制度的理念所在。

本案中，张某驾驶该保险车辆显然获得了李某的许可，虽然许可方式较为特殊。市交通队裁决直接由并非车主的张某承担该起交通事故的全部责任欠妥。二审法院认为李某没有因该起交通事故受损，因此保险公司不予赔偿的观点是对第三者责任险的曲解。

提醒

有读者会提出：明明是李某和张某没有办理过户手续，反倒让保险公司赔偿，是不是太不公平？我们认为，法律能实现的公平仅在于能从各种利益冲突中找到一个平衡点。在本案中，法律的使命更重要的是保护受到保险事故损害的第三人的利益，而不是对李某和张某未办理过户手续的过错耿耿于怀，但是在其他情况下，比如李某又将该车转让给了王某，并办理了过户手续，那么法律就保护王某的所有权，而不保护张某的所有权，同时并不排除张某向李某请求违约赔偿的权利，这时李、张二人就要为其过错承担责任了。

至此，笔者认为，一审法院的判决基本上是正确的。由于李某和张某转让保险车辆没有办理过户手续，对于第三人来说，车辆的所有人仍为李某，他对其车辆造成的交通事故应承担所有人责任，因而他仍然对保险标的具有保险利益，保险公司对被保险人李某应承担的责任仍应按照保险合同承担保险责任。

62. 被保险人存在重大过失，保险公司会赔吗？

案例 62　某港务工程公司与保险公司纠纷案

事情是这样的

某港务工程公司承建了一个 5 000 吨级码头，并向保险公司投保了建筑工程一切险，保险期限为 2001 年 12 月 8 日至 2002 年 12 月 7 日。2002 年 5 月 21 日下午 16 时，施工水域开始急涨水，伴随着 6—7 级东南风，浪高约达 3 米高。16 时 45 分，停靠在码头工作平台南侧的 134 号平板工作船发现走锚，由于现场没有拖轮可以安排前去救助走锚的 134 号船，17 时 06 分，134 号船开始碰到码头的工程桩，船的右舷与固定桩的槽钢碰撞，生活区的船楼被碰坏。工程项目部在不得已的情况下安排停靠在码头东侧的 8 号工程打桩船前往强行带缆 134 号船，18 时 10 分，8 号船的缆绳带上 134 号船，但直到 19 时 30 分，现场涨水变慢，8 号船才将 134 号船脱离码头桩。

事故发生后，现场检查发现 5000 吨级码头海侧共被撞断 6 根 Φ1000 桩，经委托市质量检测中心，检测发现除了上述 6 根桩有明显缺陷外，另有 11 根桩有轻微损伤。该港务工程公司以该事故属于自然灾害原因造成的物质损失，向保险公司提出共计 921 184.49 元的索赔。

保险公司则认为该次事故是由于被保险人的重大过失造成，被保险人在收到气象局关于工地区域有东南风 6—7 级、阵风 8 级的气象预报后，未根据该公司的施工组织设计要求将所有工程船舶拖运到附近岛屿避风，导致船舶走锚与码头发生碰撞。保险公司根据建筑工程一切险保单总除外责任第 2 条免责条款“被保险人及其代表的重大过失引起的任何损失、费用和责任”的规定，对该事故造成的损失不负责赔偿。

律师专线

本案争议的焦点为施工单位的行为是否构成重大过失。保险合同对被保险人重大过失的免责条款，但对何谓“重大过失”没有明确的定义。

过失是过错的一种形式，过错责任原则是确定有无民事责任的主要原则，当事人的过错也就成为承担民事责任的前提。过错包括故意和过失，如果行为人应当预见自己行为的后果但由于过于自信而轻信不会发生或疏忽大意，没有采取措施，致使损害发生的，就是过失。过失也就是指的是行为人应注意、能注意而不注意的一种心理状态。在法理上和审判实践中，划分重大过失和一般过失，是根据法律规范对于某一行为人应当注意和能够注意的程度有较高要求时，行为人没有遵守这种要求，但又未违背通常应当注意并能注意的一般规则时，就是一般过失。如果行为人不但没有遵守法律规范对他的较高的要求，甚至连人们都应当注意并能注意的一般标准也未达到，就是重大过失。

从承包商的施工日记中可以发现，承包商于2002年5月20日晚收到气象预报，预报5月21日杭州湾工地附近的风力为东南风6—7级，阵风8级。根据承包商的施工组织设计，对于7级以上风力的情况，在大风浪来临前应提前将所有工程船舶（非自航）拖运到避风锚地避风。但是施工单位对于实际风浪情况存在侥幸心理，为了抢工期进度，违反施工组织设计的规定，没有在大风浪来临之前做好船舶的避让工作，只是将工程船舶停在现场，用4个开锚固定船身，直接导致了此次事故的发生。

该次事故是一起违反国家规定，降低工程质量标准和管理标准，造成重大安全事故的行为。国家关于施工许可的法律文件规定了工程承包商应严格按照有关法律、法规和工程建设技术标准的规定，编制施工组织设计。施工组织设计要根据建筑工程特点，制定相应的质量、安全技术措施；专业性较强的工程项目应编制专项质量、安全施工组织设计，并按照规定办理工程质量、安全监督手续。因此经过审查的施工组织设计，从内容来说，代表了国家的法律法规要求，应严格执行。本案中被保险人严重违反了施工组织设计关于施工船舶避风的管理规定，行为客观上存在着重大过失，应由其承担该过失责任，而不是由保险公司来承担该损失。

从主观要件方面看，该起事故是被保险人已经预见到会发生某种严重后果，但轻信能够避免，以致发生了严重后果。也符合重大过失的构成。

因此，从事故的主客观要件看，本次事故已构成重大过失，保险公司对此造成的损失不负责赔偿。

法律规范

中华人民共和国保险法

（1995年6月30日第八届全国人民代表大会常务委员会第十四次会议通过，2002年10月28日第九届全国人民代表大会常务委员会第三十次会议修正，2009年2月28日第十一届全国人民代表大会常务委员会第七次会议修订）

第五十一条　被保险人应当遵守国家有关消防、安全、生产操作、劳动保护等方面的规定，维护保险标的的安全。

保险人可以按照合同约定对保险标的的安全状况进行检查，及时向投保人、被保险人提出消除不安全因素和隐患的书面建议。

投保人、被保险人未按照约定履行其对保险标的的安全应尽责任的，保险人有权要求增加保险费或者解除合同。

保险人为维护保险标的的安全，经被保险人同意，可以采取安全预防措施。

专家释惑

在保险理赔实务中，正确区分重大过失与一般过失，具有明确分际和界限的意义。赔与不赔不在于损失的多少，而在于被保险人的行为是重大过失还是一般过失。这样的规定至少也能警示被保险人在施工中，保持应有的注意，防止保险事故的发生。但在这种依赖主观判断的规定下，遇到具体案例，可能引起的争议也是难以避免的，这首先是值得保险人注意的问题。

关于重大过失，要注意以下几点：

1. 被保险人的重大过失不同于承包人的重大过失。承包人与被保险人可能不是同一主体，因承包人而非被保险人的重大过失导致的损失并不在免责范围之内。

2. 被保险人的重大过失不同于其雇员的重大过失。如果被保险人在选任雇员时已经尽到了合理的注意义务，采取了合理的预防措施，保险人很难以被保险人雇员存在重大过失为由拒赔。

3. 在认定被保险人是否具有重大过失时，保险人要承担举证责任。

63. 能以他人名义为自己的车买保险吗?

案例 63　杨某诉保险公司案

事情是这样的

杨某系某县一个体运输户，2002 年冬，从他人处购买客运车一辆。2003 年 1 月，杨某到某财产保险公司为车辆投保。保险公司的工作人员以已停业的某加工厂的名义为杨某办理了投保业务，签发了保险单，并加盖了加工厂的公章，杨某支付保险费 3 500 余元。

2003 年 8 月 11 日，杨某雇用的司机史某驾驶该车运营时，因车速过快，致使车辆冲入路边后翻车，将 6 名行人撞伤。经公安局交通警察该县大队认定，史某负事故的全部责任。事故发生后，杨某赔偿受害人各项经济损失 12 万余元。后杨某持保险单向保险公司理赔，保险公司以杨某不是投保人为由拒赔。杨某遂诉至法院。

法院经审理认为，本案中以某加工厂的名义签订的保险合同无效。保险公司对合同无效负主要过失责任，杨某负次要责任。据此，法院判决保险公司赔偿杨某经济损失 73 843.2 元，其余经济损失由杨某自行承担。

律师专线

《保险法》第 12 条规定，人身保险的投保人在保险合同订立时，对被保险人应当具有保险利益。财产保险的被保险人在保险事故发生时，对保险标的应当具有保险利益。保险利益是指投保人或者被保险人对保险标的具有的法律上承认的利益。本案保险合同中的投保人某加工厂是个早已不存在的单位，对保险车辆并不具有保险利益，因此以该加工厂的名义签订的保险合同无效。

另外，《合同法》第 58 条的规定，合同无效或被撤销后，有过错的一方应当赔偿对方因此所受到的损失，双方都有过错的，应当各自承担相应的责任。杨某作为保险车辆的实际使用人，对该车具有保险利益，且向保险公司交纳了保险费用，系实际投保人。但由于保险公司的原因，将不是投保人的某加工厂当做投保人，致使实际投保人与保险公司订立保险合同的目的没有达到。保险公司在未对实际投保人释明法律后果的情况下，将某加工厂当做投保人，违背了诚实信用的原则，对给杨某造成的经济损失应当承担主要过失责任。杨某对保险公司的行为未予制止，亦存在一定过错，应当自行承担适当责任。

法律规范

中华人民共和国保险法

（1995年6月30日第八届全国人民代表大会常务委员会第十四次会议通过，2002年10月28日第九届全国人民代表大会常务委员会第三十次会议修正，2009年2月28日第十一届全国人民代表大会常务委员会第七次会议修订）

第十二条　人身保险的投保人在保险合同订立时，对被保险人应当具有保险利益。

财产保险的被保险人在保险事故发生时，对保险标的应当具有保险利益。

人身保险是以人的寿命和身体为保险标的的保险。

财产保险是以财产及其有关利益为保险标的的保险。

被保险人是指其财产或者人身受保险合同保障，享有保险金请求权的人。投保人可以为被保险人。

保险利益是指投保人或者被保险人对保险标的具有的法律上承认的利益。

中华人民共和国合同法

（1999年3月15日第九届全国人民代表大会第二次会议通过）

第五十八条　合同无效或者被撤销后，因该合同取得的财产，应当予以返还；不能返还或者没有必要返还的，应当折价补偿。有过错的一方应当赔偿对方因此所受到的损失，双方都有过错的，应当各自承担相应的责任。

专家释惑

投保人是对保险标的有保险利益而向保险人申请订立保险合同并负担交纳保险费义务的人。《保险法》第12条规定：“人身保险的投保人在保险合同订立时，对被保险人应当具有保险利益。财产保险的被保险人在保险事故发生时，对保险标的应当具有保险利益。”因此，认定投保人和投保利益对保险合同效力和履行至关重要。保险利益是指投保人对保险标的具有的法律上承认的利益，所有权、占有、管理利益都可以构成法律认可的保险利益。本案中，实际投保人是杨某，但保险合同中记载的投保人为早已不存在的加工厂，该加工厂对杨某的车辆不存在任何法律上承认的利益，不能成为合格的投保人，因此该保险合同无效。

64. 盗贼撬坏汽车，保险公司该不该赔？

案例 64 高某诉保险公司案

事情是这样的

某市的高先生将爱车停在小区内，险些被贼盗走，所幸盗贼撬坏了两个车门及方向盘后，却因解码器烧坏而盗窃车子未遂。

但当高先生向保险公司索赔时却被告知，由于全车未被盗走，所以不能适用全车盗抢险条款；而在车辆损失险条款中约定，他人的故意行为致车辆损坏的，保险人免除赔偿责任。

高先生无法理解保险公司的解释，认为自己应当得到赔偿，于是一纸诉状把保险公司告上了法庭。

在法庭上，双方的分歧主要集中在以下两点：一、全车盗抢险是否以全车盗抢既遂为要件？二、绝对免赔率确定的依据是什么？

针对第一个问题，高先生认为，全车盗抢险不应以盗窃既遂作为保险赔偿的要件。保险公司则认为，由于高先生的全车未被盗走，故不能适用全车盗抢险条款。在被盗的过程中造成的车辆部件受损，应适用车辆损失险条款，但车辆损失险条款中约定，故意行为导致车辆受损的，保险人免除保险责任。因此，保险公司对盗贼撬坏汽车的损失不予赔偿。

针对第二个问题，高先生认为，既然没有选择具体的免赔率，保险公司确定免赔率20%无依据，保险公司承担保险责任时，不应扣除免赔部分。保险公司认为，全车盗抢险设定了绝对免赔率，免赔率由投保人在三个档次中选定，未选的，免赔率为20%。

最后，法院判决高先生与保险公司之间签订的机动车全车盗抢保险合同合法有效，双方均应依照约定履行各自的义务。保险公司以盗窃未遂为由拒绝承担保险责任，法院不予支持。但高先生随意停放车辆，导致被盗风险增加，按照全车盗抢险条款的约定，应当自行承担5%的损失。保险公司被判赔付高先生汽车修理费3 793.35元。

律师专线

本案中，解决双方纠纷应适用全车盗抢险条款。因为行窃者偷盗全车的意图明显。其行为的指向就是能够开走车子，而不是车内财物。保险公司内部对条款的解释或保险行业内部的解释在未向投保人充分说明的情况下，只能代表保险人单方的意思，没有与投保人形成真正的合意，不能约束投保人。

另外，全车盗抢险条款确实表明应计免赔，但条款规定了数种免赔率，且订立合同时应由投保人在其中选择一个标准。本案中，高先生在与保险公司订立合同时，没有确定免赔率，保险公司也无证据证明双方就免赔率达成了合意，因此，由保险公司在事后选定一个免赔标准而限定自己承担责任的范围的做法，对高先生来说是不公平的，也不符合合同成立的要求。

因此，保险公司对高先生的损失予以赔偿。

法律规范

中华人民共和国保险法

（1995年6月30日第八届全国人民代表大会常务委员会第十四次会议通过，2002年10月28日第九届全国人民代表大会常务委员会第三十次会议修正，2009年2月28日第十一届全国人民代表大会常务委员会第七次会议修订）

第三十条　采用保险人提供的格式条款订立的保险合同，保险人与投保人、被保险人或者受益人对合同条款有争议的，应当按照通常理解予以解释。对合同条款有两种以上解释的，人民法院或者仲裁机构应当作出有利于被保险人和受益人的解释。

专家释惑

本案涉及的问题，主要是对全车盗抢险的解释，即该险种是否应以盗窃既遂作为保险赔偿的要件。“既遂”是刑法上的概念，犯罪既遂是指行为人所实施的行为已经齐备了刑法分则对某一具体犯罪所规定的全部构成要件。就盗窃罪而言，我国《刑法》第264条明确规定，在盗窃罪的基本构成要件中，非法占有公私财物的行为是否已经发生，是该罪构成要件是否齐备的基本标志，也是判断盗窃既遂与未遂的基本标准，即当行为人实施盗窃犯罪行为时，如其已非法占有了公私财物，则盗窃罪构成要件齐备，盗窃已得逞，盗窃既遂；反之，由于行为人意志以外的原因，未能占有公私财物，盗窃未得逞，属盗窃未遂。本案中，盗贼在撬坏了两个车门及方向盘后，却因解码器烧坏而无法将车子开走，也就是说盗贼未能占有该车，因此盗窃未遂。

盗窃未遂，保险公司是否可以不承担赔偿责任呢？显然是不可以的。因为投保人高先生在投保全车盗抢险时，保险公司并没有告知其只有在车辆被盗走时才赔偿，而按高先生的理解，车辆只要遭遇了盗抢，受到了损失，就应该获得赔偿。保险公司不能以内部的解释来约束投保人。

65. 家庭成员造成的财产损失，保险公司理赔后能追偿吗？

案例65　丁某之子造成丁某财产损失，保险公司如何处理

事情是这样的

丁某是出租车个体户，2007年，丁某为自己的出租车投保了财产保险，包括车辆损失险、基本不计免赔特约险、第三者责任保险。2008年初，丁某的儿子（尚未成家，与父母同住）在驾驶投保车辆时，因驾车

技术不过关，不幸撞上路边的路牙，造成车辆损失2万余元。于是丁某准备向保险公司提出理赔，但此时有人提出即使他从保险公司获得赔偿，保险公司也可向他的儿子追偿，得不到什么好处，反而费时费力。对此，丁某十分疑惑，向专家咨询，专家提示，保险公司在这种情况下不能向其儿子追偿，丁某应及时向保险公司提出理赔。

律师专线

当事人投保财产险的主要目的就是避免或减少保险事故给自己及家庭造成的损失。《保险法》第60条第1款规定："因第三者对保险标的的损害而造成保险事故的，保险人自向被保险人赔偿保险金之日起，在赔偿金额范围内代位行使被保险人对第三者请求赔偿的权利。"如果保险公司向造成保险事故的任何第三者，甚至包括被保险人的家人都可以追偿，在特定情况下投保人的投保目的就不能实现。为此，《保险法》第62条规定："除被保险人的家庭成员或者其组成人员故意造成本法第六十条第一款规定的保险事故外，保险人不得对被保险人的家庭成员或者其组成人员行使代位请求赔偿的权利。"本案中，丁某的儿子因驾车技术不过关，过失损害投保出租车，丁某有权向保险公司请求理赔，且保险公司理赔后无权向其子代位追偿。

法律规范

中华人民共和国保险法

（1995年6月30日第八届全国人民代表大会常务委员会第十四次会议通过，2002年10月28日第九届全国人民代表大会常务委员会第三十次会议修正，2009年2月28日第十一届全国人民代表大会常务委员会第七次会议修订）

第六十条　因第三者对保险标的的损害而造成保险事故的，保险人自向被保险人赔偿保险金之日起，在赔偿金额范围内代位行使被保险人对第三者请求赔偿的权利。

前款规定的保险事故发生后，被保险人已经从第三者取得损害赔偿的，保险人赔偿保险金时，可以相应扣减被保险人从第三者已取得的赔偿金额。

保险人依照本条第一款规定行使代位请求赔偿的权利，不影响被保险人就未取得赔偿的部分向第三者请求赔偿的权利。

第六十二条　除被保险人的家庭成员或者其组成人员故意造成本法第六十条第一款规定的保险事故外，保险人不得对被保险人的家庭成员或者其组成人员行使代位请求赔偿的权利。

专家释惑

保险代位求偿权是保险法中古老而又颇具特色的一项制度。保险代位权，是指由于第三者的过错致使保险标的发生保险责任范围内的损失的，保险人按照保险合同给付了保险金后，有权把自己置于被保险人的地位，获得被保险人有关该项损失的一切权利和补偿。保险人可以用被保险人的名义向第三者直接索赔或提起索赔诉讼，保险人的这种行为，就称为“代位求偿”；其所享有的权利，称为“代位求偿权”。

要注意的是，《保险法》规定，除被保险人的家庭成员或者其组成人员故意造成该法所规定的保险事故以外，保险人不得对被保险人的家庭成员或者其组成人员行使代位请求赔偿的权利。被保险人的家庭成员是指作为自然人的被保险人，其配偶、子女、父母以及与被保险人有抚养、赡养或者扶养关系的人。被保险人的组成人员，是指作为法人或者其他组织的被保险人的内部工作人员。在一般情况下，被保险人的家庭成员或者其组成人员对保险标的具有与被保险人共同的利益，比如，家庭财产遭受损失，不仅使被保险人的利益受到损害，所有家庭成员的生活都会受到影响；企业财产遭受损失，生产受到影响，企业的效益和职工的利益都会受到影响，甚至对事故的发生负有责任的职工可能还会受到单位的处分。因此，对被保险人的家庭成员或者其组成人员非故意损害保险标的，造成保险事故的，保险法规定保险人不得行使代位求偿权。但是，如果被保险人的家庭成员或者其组成人员故意损害保险标的，造成保险事故，则应当承担赔偿责任。所以，《保险法》在规定保险人不得行使代位求偿权时排除了这种情况，即对于故意造成保险事故的被保险人的家庭成员或者其组成人员，保险人可以行使代位求偿权。

66. 开车误撞自家人，保险公司赔不赔？

案例66　林某误撞妻子案

事情是这样的

林某在购买车辆后向保险公司投保了保额为10万元的第三者责任险。此后不久，林某在倒车时，没留意到先行下车的妻子正好从车后面穿过，林某刹车不及将自己的妻子撞倒。在将妻子送往医院后，就向保险公司报了案。没想到，林某的索赔申请却遭到了保险公司的拒绝，理由是林先生开车误撞的是自己的家人，不在第三者责任险责任范围内。对于保险公司的拒赔，林某感到十分意外，认为保险公司这样做是不合理的。

保险公司人士解释，第三者责任险保障的是第三方的利益，保险赔款的受益人是第三方，不能自己赔自己，如果是驾驶员驾车撞了自己的家人，那么保险赔款的受益人就是和驾驶员有关的，并不是真正意义上的第三方。

律师专线

第三者责任险的承保范围并不包括车主的家人，目前所有的保险公司的保险条款都将这一项列为除外责任。当然，保险公司应当在投保人投保时明确告知其免责条款，否则该条款无效。本案中，若保险公司未向林某明确告知免责条款，则应赔偿；若已经明确告知，则无须赔偿。

法律规范

中华人民共和国保险法

（1995年6月30日第八届全国人民代表大会常务委员会第十四次会议通过，2002年10月28日第九届全国人民代表大会常务委员会第三十次会议修正，2009年2月28日第十一届全国人民代表大会常务委员会第七次会议修订）

第六十条　因第三者对保险标的的损害而造成保险事故的，保险人自向被保险人赔偿保险金之日起，在赔偿金额范围内代位行使被保险人对第三者请求赔偿的权利。

前款规定的保险事故发生后，被保险人已经从第三者取得损害赔偿的，保险人赔偿保险金时，可以相应扣减被保险人从第三者已取得的赔偿金额。

保险人依照本条第一款规定行使代位请求赔偿的权利，不影响被保险人就未取得赔偿的部分向第三者请求赔偿的权利。

第六十二条　除被保险人的家庭成员或者其组成人员故意造成本法第六十条第一款规定的保险事故外，保险人不得对被保险人的家庭成员或者其组成人员行使代位请求赔偿的权利。

专家释惑

机动车第三者责任险是指被保险人或其允许的驾驶员在使用保险车辆过程中发生意外事故，致使第三者遭受人身伤亡或财产直接损毁，依法应当由被保险人承担经济赔偿责任时，由保险人负责赔偿或支付保险金的一种保险。

国内各保险公司在推出车辆保险前期，车主的家人也在第三者责任险赔付范围内。但在实践过程中，考虑到不良投保人为获得不当利益，有意制造车祸事故，从而达到骗取保金的目的。比如，夫妻关系恶化，一方在驾车时故意把另一方撞死，类似的骗保案件也曾发生过，保险公司因此承担了很大的风险，这样才提出了免赔条款。

注意

各家保险公司的第三者责任险的条款都不尽相同，消费者在投保时，一定要仔细阅读保险条款，如有疑惑应主动咨询，这样以后发生理赔时才不会产生误会。

67. 无证驾驶发生交通事故，保险公司会赔吗?

案例67　何某无证驾驶案

事情是这样的

2007年10月21日，何某无证驾驶小轿车在105国道由北向南行驶至南昌县向塘镇路段时，正遇雷某驾驶电动车从对面驶来，因何某车速过快，采取措施不当，致两车碰撞，造成原告雷某受伤、两车受损的交通事故。肇事车辆在某保险公司投保了交强险6万元。经交警大队认定：何某负事故全部责任。因协商不成，受害人雷某将何某及肇事车辆交强险承保公司一并诉至法院，请求赔偿损失。

法院经审理，判决何某应赔偿雷某的损失，但保险公司不承担赔偿责任。

律师专线

本案肇事车辆在保险公司投保了交强险，但在发生事故后，为什么保险公司不需承担赔偿责任呢？问题在于，驾驶车辆发生交通事故的何某没有合法的驾驶执照。无证驾驶和酒后驾驶发生交通事故的，法律上明确规定，保险公司是不赔的。

法律规范

机动车交通事故责任强制保险条例

（2006年3月1日国务院第127次常务会议通过）

第二十二条　有下列情形之一的，保险公司在机动车交通事故责任强制保险责任限额范围内垫付抢救费用，并有权向致害人追偿：

（一）驾驶人未取得驾驶资格或者醉酒的；

（二）被保险机动车被盗抢期间肇事的；

（三）被保险人故意制造道路交通事故的。

有前款所列情形之一，发生道路交通事故的，造成受害人的财产损失，保险公司不承担赔偿责任。

专家释惑

由于《机动车交通事故责任强制保险条例》（以下简称《条例》）第22条本身规定的不明确性，从而导致众多投保人认为只要投保了交强险，均可获得保险赔偿的错误观念。事实上，国务院《条例》第22条所规定的交强险是存在4种法定免责情形的。

国务院法制办、中国保监会产险部、中国保监会法规部主编的《机动车交通事故责任强制保险条例释义》明确释义：《条例》第22条是关于机动车交通事故责任强制保险除外责任的有关规定。该《条例释义》就“驾驶人未取得驾驶资格的”作如下解释：“机动车是高度危险的交通工具，上道路行驶对驾车者、乘客和社会公众人身及财产安全都有较大威胁，因此，驾驶机动车应当具备合法的驾驶资格，这是对驾驶人最基本的要求。在未取得驾驶资格情况下上道路行驶是对人对己极不负责的行为，应由驾驶人本人承担责任，保险公司不负责赔偿。”

另外，2007年4月10日，中国保险监督管理委员会《关于交强险有关问题的复函》（保监厅函〔2007〕77号）规定：“根据《条例》和《条款》，被保险机动车在驾驶人未取得驾驶资格、驾驶人醉酒、被保险机动车被盗抢期间肇事、被保险人故意制造交通事故情形下发生交通事故，造成受害人受伤需要抢救的，保险人对于符合规定的抢救费用，在医疗费用赔偿限额内垫付。被保险人在交通事故中无责任的，保险人在无责任医疗费用赔偿限额内垫付。对于其他损失和费用，保险人不负责垫付和赔偿。”2007年11月29日，中国保险监督管理委员会《关于机动车交通事故责任强制保险中“未取得驾驶资格”认定问题的复函》（保监厅函〔2007〕327号）规定：“根据《机动车交通事故责任强制保险条例》第二十二条以及《机动车交通事故责任强制保险条款》第九条的规定，驾驶人未取得驾驶资格的，保险公司不承担赔偿责任。”

68. 汽车自燃，保险公司赔不赔？

案例 68　谢某诉保险公司案

事情是这样的

2000 年 2 月 16 日凌晨 2 时左右，代班司机冷某驾驶出租汽车行驶时，汽车引擎盖下突然起火。虽然火势被扑灭，但由于汽车油箱接火，整车仍被烧毁。

冷某随后向保险公司业务处理中心拨打了出险报案电话。该公司当即派出工作人员赶往事故现场查勘。此后，该出租汽车的产权单位 A 汽车出租实业发展有限公司口头向保险公司提出保险理赔要求。保险公司却答复，这起事故属于机动车辆保险条款中明确的自燃，由于该车辆未投保自燃险，保险公司不予理赔。

2000 年 4 月 10 日，谢某向当地人民法院提起诉讼。诉称该出租汽车是其私有，挂靠在 A 汽车出租实业发展有限公司。2000 年 1 月 18 日，谢某向 A 汽车出租实业发展有限公司交保险费 3 000 元，由该公司于当月 20 日向保险公司投保了机动车辆保险，保险公司签发了保险单。但保险公司在车辆起火毁损后却拒绝赔偿，要求保险公司赔偿车辆损失 20 万元。

保险公司在答辩中指出，本案属自燃，由于车辆未投保自燃险，不应赔偿，并出具了当地公安局交通警察支队对车辆起火原因的鉴定结果——基本上排除外来火源引起火灾的可能。

在本案中，当事人双方争议的焦点为三个方面：一是投保人和被保险人为 A 汽车出租实业发展有限公司，还是谢某，谁具有保险金请求权；二是保险条款中的自燃，保险公司是否履行了说明义务，保险公司能否据此免责；三是中国保险监督管理委员会对自燃的解释是否与其他有关解释矛盾，该解释是否有效。

一审法院认为，谢某购买汽车，并挂靠在A汽车出租实业有限公司经营，是所有权与经营权相分离的一种营运方式，且保险费由其支付，保险单中的投保人栏也载明了"A公司（谢某）"，故谢某对车辆具有保险利益，是本案的投保人和被保险人。虽然保险条款规定了自燃是车辆损失险的责任免除情形，但保险公司未向谢某履行明确说明的义务。

中国保险监督管理委员会在解释《机动车辆保险条款》时，将火灾列入了车辆损失险的赔偿范围后，又将自燃列入免除责任范围，在理解上已产生争议。依照《保险法》关于应当作出有利于被保险人的解释之规定，应确认自燃免责条款无效。据此判决保险公司向谢某赔偿保险金94 338.34元。

保险公司在收到一审判决书后向当地中级人民法院提起上诉。二审判决以公安部消防局编写的《防火手册》关于自燃的定义与中国保险监督管理委员会对自燃的解释矛盾为由，维持了一审判决。

二审判决后，保险公司依照法定程序向该省人民检察院提出申诉。该院在审查后，于2001年9月20日向该省高级人民法院提出了抗诉书。同年12月19日，该省高级人民法院作出裁定，指令中级人民法院再审。

经过一年多的再审程序后，中级人民法院于2003年10月作出终审裁定，查明投保单尾部"投保人签章"栏加盖的是A汽车出租实业发展有限公司的印章，且谢某未按法庭指定提交购买出租车辆证据的事实，认定谢某不是本案保险合同中的投保人和被保险人。并查明和认定，保险公司履行了保险条款的说明义务。判决书还按照形式逻辑方法分析了火灾与自燃系种属关系，中国保险监督管理委员会对自燃的解释，既不自相矛盾，也不与公安部的《防火手册》关于自燃的定义矛盾。裁定撤销一、二审判决书，驳回了谢某对保险公司的起诉。

律师专线

本案涉及几个问题，第一个问题是，谁具有保险金请求权；第二个问题是，免责条款是否有效；第三个问题是，自燃的定义是什么。

对于第一个问题，法院经再审之后，认定原告谢某不是保险合同中的投保人和被保险人，原因主要在于谢某未能提供充分的证据证明这一点。而对第二个问题，即免责条款是否有效，则主要看保险人是否在投保人投保时作过明确说明，若明确说明了，则免责条款有效；若未说明，则免责条款无效。本案中，经查明和认定，保险公司向A汽车出租实业发展有限公司的相关工作人员作过明确说明，因此自燃免责条款有效。最后一个问题是关于自燃的定义，根据中国保险监督管理委员会的解释，《机动车辆保险条款解释》第1部分第3条第6项“自燃以及不明原因产生火灾”是指保险车辆发生自燃和保险车辆因不明原因产生火灾而造成的损失，保险人不负责赔偿。自燃是指“没有外界火源，保险车辆也没有发生碰撞、倾覆的情况下，由于保险车辆本车漏油或电器、线路、供油系统、载运的货物等自身问题引起的火灾”。中国保监会《关于机动车辆保险条款中“自燃”解释的复函》（保监函〔2001〕133号）中指出，自燃定义中“等”字指“保险车辆本车漏油或电器、线路、供油系统、载运的货物”引起火灾的几种情况，无更多内涵。“不明原因产生火灾”是指“公安消防部门的《火灾原因认定书》中认定的起火原因不明的火灾”。

法律规范

中华人民共和国保险法

（1995年6月30日第八届全国人民代表大会常务委员会第十四次会议通过，2002年10月28日第九届全国人民代表大会常务委员会第三十次会议修正，2009年2月28日第十一届全国人民代表大会常务委员会第七次会议修订）

第十七条　订立保险合同，采用保险人提供的格式条款的，保险人向投保人提供的投保单应当附格式条款，保险人应当向投保人说明合同的内容。

对保险合同中免除保险人责任的条款，保险人在订立合同时应当在投保单、保险单或者其他保险凭证上作出足以引起投保人注意的提示，并对该条款的内容以书面或者口头形式向投保人作出明确说明；未作提示或者明确说明的，该条款不产生效力。

第三十条　采用保险人提供的格式条款订立的保险合同，保险人与投保人、被保险人或者受益人对合同条款有争议的，应当按照通常理解予以解释。对合同条款有两种以上解释的，人民法院或者仲裁机构应当作出有利于被保险人和受益人的解释。

机动车辆保险条款

（保监发〔2000〕16号）

第三条 保险车辆的下列损失，保险人不负责赔偿：

（一）自然磨损、朽蚀、故障、轮胎单独损坏；

（二）地震、人工直接供油、高温烘烤造成的损失；

（三）受本车所载货物撞击的损失；

（四）两轮及轻便摩托车停放期间翻倒的损失；

（五）遭受保险责任范围内的损失后，未经必要修理继续使用，致使损失扩大的部分；

（六）自燃以及不明原因产生火灾；自燃，即指保险车辆因本车电器、线路、供油系统、货物自身等发生问题造成火灾。

（七）玻璃单独破碎；

（八）保险车辆在淹及排气筒的水中启动或被水淹后操作不当致使发动机损坏。

专家释惑

从上述规定可以看出，自燃在机动车辆保险里面属于保险人不负责赔偿的范围，也就是说，如果没有另行投保自燃险，发生自燃现象造成的损失，保险公司是不会赔偿的。因此，在投保时，有必要另行投保自燃险。投保了自燃险的机动车辆在使用过程中，因本车电器、线路、供油系统发生故障及运载货物自身原因起火燃烧，造成保险车辆的损失以及被保险人在发生本保险事故时，为减少车辆损失所支出的必要合理的施救费用，保险人负责赔偿。

69. 司机肇事逃逸，保险公司也要赔偿吗？

案例69 徐某肇事逃逸案

事情是这样的

2008年3月5日，徐某驾驶一辆小型汽车从温州西山开往永嘉枫林，在途经黄屿地段时，与行人厉某发生碰撞，并导致厉某当场死亡。永嘉县公安局交通巡逻警察大队认定被告徐某在本案事故中肇事逃逸，负全部责任，厉某不负事故责任。事后，死者家属将肇事司机、肇事司机所在单位和车辆投保的保险公司一起告上当地法院。经法院认定后，原告合理经济损失共计达到214 727元。虽然保险公司辩称驾驶人在肇事后逃逸为由主张不承担赔偿责任，法院仍判决为车辆承保第三方责任强制险的财保公司一次性赔偿原告死亡赔偿金、丧葬费、处理丧葬事宜支出的交通费与误工费、精神损害抚慰金等经济损失共计11万元。

律师专线

本案中，肇事司机逃逸，但承保第三方强制责任险的保险公司仍然必须为此支付相应的赔偿金额。原因在于：首先，由于本案肇事车辆在投保第三方强制责任险期间内发生交通事故；其次，对保险公司以驾驶人在肇事后逃逸为由主张不承担赔偿责任为辩解不能成立，只有在驾驶人未取得驾驶资格或者醉酒的、被保险机动车被盗抢期间肇事的、被保险人故意制造道路交通事故的这3种情况下，保险公司才可以免除赔偿责任。但交通肇事逃逸并不属于这些情况；第三，根据《机动车交通事故责任强制保险条例》的规定，只有机动车肇事后逃逸无法查明肇事车辆的情况下，由道路交通事故社会救助基金先行垫付，以弥补受害人的损害，但本案中的肇事车辆在肇事逃逸后，被告徐某已到交警部门投案，肇事车辆已查明。因此，该保险公司应该赔偿损失。

法律规范

中华人民共和国保险法

（1995年6月30日第八届全国人民代表大会常务委员会第十四次会议通过，2002年10月28日第九届全国人民代表大会常务委员会第三十次会议修正，2009年2月28日第十一届全国人民代表大会常务委员会第七次会议修订）

第六十五条　保险人对责任保险的被保险人给第三者造成的损害，可以依照法律的规定或者合同的约定，直接向该第三者赔偿保险金。

责任保险的被保险人给第三者造成损害，被保险人对第三者应负的赔偿责任确定的，根据被保险人的请求，保险人应当直接向该第三者赔偿保险金。被保险人怠于请求的，第三者有权就其应获赔偿部分直接向保险人请求赔偿保险金。

责任保险的被保险人给第三者造成损害，被保险人未向该第三者赔偿的，保险人不得向被保险人赔偿保险金。

责任保险是指以被保险人对第三者依法应负的赔偿责任为保险标的的保险。

第六十六条　责任保险的被保险人因给第三者造成损害的保险事故而被提起仲裁或者诉讼的，被保险人支付的仲裁或者诉讼费用以及其他必要的、合理的费用，除合同另有约定外，由保险人承担。

机动车交通事故责任强制保险条例

（2006 年 3 月 1 日国务院第 127 次常务会议通过）

第二十一条　被保险机动车发生道路交通事故造成本车人员、被保险人以外的受害人人身伤亡、财产损失的，由保险公司依法在机动车交通事故责任强制保险责任限额范围内予以赔偿。

道路交通事故的损失是由受害人故意造成的，保险公司不予赔偿。

第二十二条　有下列情形之一的，保险公司在机动车交通事故责任强制保险责任限额范围内垫付抢救费用，并有权向致害人追偿：

（一）驾驶人未取得驾驶资格或者醉酒的；

（二）被保险机动车被盗抢期间肇事的；

（三）被保险人故意制造道路交通事故的。

有前款所列情形之一，发生道路交通事故的，造成受害人的财产损失，保险公司不承担赔偿责任。

第二十四条　国家设立道路交通事故社会救助基金（以下简称救助基金）。有下列情形之一时，道路交通事故中受害人人身伤亡的丧葬费用、部分或者全部抢救费用，由救助基金先行垫付，救助基金管理机构有权向道路交通事故责任人追偿：

（一）抢救费用超过机动车交通事故责任强制保险责任限额的；

（二）肇事机动车未参加机动车交通事故责任强制保险的；

（三）机动车肇事后逃逸的。

专家释惑

依据机动车交通事故责任强制保险，当被保险机动车发生道路交通事故造成本车人员、被保险人以外的受害人的人身伤亡、财产损失，由承保的保险公司在限额内先行赔付，不论肇事车辆有无过错及其过错程度如何，保险公司都应履行保险义务，这也是为了充分保障机动车道路交通事故受害人依法得到赔偿，促进道路交通安全。

70. 闯红灯撞车，保险公司要赔吗？

案例 70　雷某闯红灯索赔案

事情是这样的

2003 年 7 月 13 日，雷某将其所有的车辆向某保险公司投保了车辆损失险、第三者责任险等险种，王某及时交付了保险费，保险公司也出具了保险单。保险单上记载，该车辆保险合同的保险期限自 2003 年 7 月 14 日 0 时起至 2004 年 7 月 13 日 24 时止，保险金额为 30 万元。2004 年 3 月 15 日，雷某驾驶该车行驶，为了赶时间，闯了红灯，却没料想与李某的车辆发生了碰撞，造成车辆损失约 5 万余元。公安交通部门出具的《交通事故责任认定书》认定，因雷某闯红灯造成本次交通事故，应对该事故负全部责任。雷某在赔偿了李某的损失后，向保险公司提出索赔。

针对本案的理赔，保险公司内部出现了两种不同的意见：

第一种意见认为，《机动车辆保险条款》第 5 条列明被保险人或其允许的合格驾驶员的故意行为为除外责任，凡此类原因造成保险车辆的损失或第三者的经济赔偿责任，保险人均不负赔偿责任。本案中，雷某驾驶车辆闯红灯的行为属于故意行为，所以保险公司不应予以赔偿。

另一种意见认为，雷某驾驶车辆闯红灯不属于保险条款中的除外责任，就违反交通法规而言，雷某驾驶车辆闯红灯在主观上的确存在主观故意，但其对保险车辆造成的损失并不存在主观上的故意，雷某并不是有意造成车辆碰撞并导致损失的发生的，而是抱着侥幸的心理闯红灯，最终导致保险车辆受损。就保险车辆的损失而言，雷某并不存在主观故意，因此不属于保险条款中列明的除外责任事项，保险公司应当赔偿。

律师专线

第二种意见应该是正确的，保险公司应该向雷某予以赔偿。雷某驾驶车辆闯红灯的行为，对造成保险车辆损失这一结果存在主观上的过错，这一过错属于过于自信的过失，而不属于主观上的故意，因此，不属于保险责任中的除外责任。

法律规范

中华人民共和国保险法

（1995 年 6 月 30 日第八届全国人民代表大会常务委员会第十四次会议通过，2002 年 10 月 28 日第九届全国人民代表大会常务委员会第三十次会议修正，2009 年 2 月 28 日第十一届全国人民代表大会常务委员会第七次会议修订）

第六十五条　保险人对责任保险的被保险人给第三者造成的损害，可以依照法律的规定或者合同的约定，直接向该第三者赔偿保险金。

责任保险的被保险人给第三者造成损害，被保险人对第三者应负的赔偿责任确定的，根据被保险人的请求，保险人应当直接向该第三者赔偿保险金。被保险人怠于请求的，第三者有权就其应获赔偿部分直接向保险人请求赔偿保险金。

责任保险的被保险人给第三者造成损害，被保险人未向该第三者赔偿的，保险人不得向被保险人赔偿保险金。

责任保险是指以被保险人对第三者依法应负的赔偿责任为保险标的的保险。

第六十六条　责任保险的被保险人因给第三者造成损害的保险事故而被提起仲裁或者诉讼的，被保险人支付的仲裁或者诉讼费用以及其他必要的、合理的费用，除合同另有约定外，由保险人承担。

专家释惑

本案中涉及“故意”这个概念的理解。民事责任，是指民事主体因违反合同或者不履行其他义务所应承担的对其不利的法律后果，是事后的追究，具有强制性、财产性和补偿性等特点。所谓民法上的过错，就是违法行为人对自己的行为及其后果的一种心理状态，它分为故意和过失两种。故意是指行为人明知自己行为的不良后果，而希望或放任其发生的心理，即直接故意和间接故意。过失是指行为人应当预见自己的行为可能发生不良后果由于疏忽大意没有预见，或者已经预见而轻信不会发生或自信可以避免的心理，即疏忽大意的过失和过于自信的过失。

71. 投保了产品责任险，保险公司为什么不赔?

案例71　孔某诉保险公司案

事情是这样的

2002年1月10日和2003年1月10日，某医疗器械厂连续2年向保险公司投保了产品责任保险，保险期限均为1年。2002年2月18日，患者孔某因严重的心脏疾病，在医院进行手术，在体内安装了该医疗器械厂生产的心脏起搏器。不料，到2003年11月15日，孔某体内安装的心脏起搏器就出现了裂纹。为此，孔某又进行了一次手术，不仅遭受了身体上的痛苦，也付出了巨大的经济代价。于是，孔某向法院提起诉讼，请求医疗器械厂赔偿手术费、误工费等实际支出，另要求依据医疗器械厂与保险公司的责任保险合同赔偿保险金100万元。

法院经审理认为，孔某体内安装的心脏起搏器是合格产品，医疗器械厂不需承担民事损害赔偿责任，保险公司也不应承担保险赔偿责任。

律师专线

依据《民法通则》和《产品质量法》的规定：因产品质量不合格造成他人财产、人身损害的，产品制造者、销售者应当依法承担民事责任。本案中应首先确定医疗器械厂是否需要承担民事损害赔偿责任，也就是要明确孔某使用的心脏起搏器是否有质量问题，如果该心脏起搏器属于不合格产品，该产品的制造者某医疗器械厂就应当承担损害赔偿责任。

经国家医药管理局制定的医用产品鉴定单位对孔某取出的心脏起搏器进行鉴定分析，认为心脏起搏器是医用产品，每个人的具体身体条件不同，产品出厂时也未承诺使用年限，况且目前的医学技术水平还没有达到产品能够替代心脏终身适用的程度，因此该心脏起搏器符合国家标准和国家医药管理局制定的行业标准，是合格产品。据此，法院认定医疗器械厂不需承担损害赔偿责任。

那么保险公司需不需要承担责任呢？通常情况下，保险合同约定只有在被保险人发生民事损害赔偿责任时，保险公司才承担保险赔偿责任，可见，因为医疗器械厂与保险公司之间签订的产品责任保险合同，孔某是不能得到赔偿的。除非医疗器械厂向孔某提供的是不合格产品，在向孔某承担民事损害赔偿责任之后，该厂可以向保险公司要求理赔。因此，本案中，保险公司不应承担保险赔偿责任。

法律规范

中华人民共和国保险法

（1995 年 6 月 30 日第八届全国人民代表大会常务委员会第十四次会议通过，2002 年 10 月 28 日第九届全国人民代表大会常务委员会第三十次会议修正，2009 年 2 月 28 日第十一届全国人民代表大会常务委员会第七次会议修订）

第六十五条　保险人对责任保险的被保险人给第三者造成的损害，可以依照法律的规定或者合同的约定，直接向该第三者赔偿保险金。

责任保险的被保险人给第三者造成损害，被保险人对第三者应负的赔偿责任确定的，根据被保险人的请求，保险人应当直接向该第三者赔偿保险金。被保险人怠于请求的，第三者有权就其应获赔偿部分直接向保险人请求赔偿保险金。

责任保险的被保险人给第三者造成损害，被保险人未向该第三者赔偿的，保险人不得向被保险人赔偿保险金。

责任保险是指以被保险人对第三者依法应负的赔偿责任为保险标的的保险。

第六十六条　责任保险的被保险人因给第三者造成损害的保险事故而被提起仲裁或者诉讼的，被保险人支付的仲裁或者诉讼费用以及其他必要的、合理的费用，除合同另有约定外，由保险人承担。

专家释惑

产品责任险承保被保险人（生产厂家和经销商）所生产、出售的产品或商品在承保区域内发生事故，造成使用、消费或操作该产品或商品的人或其他任何人的人身伤害、疾病、死亡或财产损失，依法应由被保险人承担责任时，保险公司在约定的赔偿限额内负责赔偿。

1. 保险责任范围

（1）被保险人生产、销售、分配或修理的产品发生事故，造成用户、消费者或其他任何人的人身伤害或财产损失，依法应由被保险人承担的损害赔偿责任，保险人在保险单规定的赔偿限额内予以赔偿。

（2）被保险人为产品责任事故支付的法律费用及其他经保险人事先同意支付的合理费用，保险人也负赔偿责任。

2. 除外责任

（1）被保险人承担的违约责任，除非经过特别约定。

（2）被保险人根据劳工法或雇佣合同对其雇员及有关人员应承担的损害赔偿责任。这种责任应由劳工保险或雇主责任保险承保。

（3）被保险人所有或照管或控制的财产损失。这种损失应由财产保险承保。

（4）产品或商品仍在制造或销售场所，其所有权尚未转移至用户或消费者之前的责任事故损失。这种损失应由公众责任保险承保。

（5）被保险人故意违法生产、销售的产品发生的事故责任损失。

（6）被保险产品或商品本身的损失及被保险人因收回有缺陷产品造成的费用及损失。这种损失应由产品保证保险承保。

（7）不按照被保险产品说明书要求使用或在非正常状态下使用造成的责任事故损失。

72. 劣质酒瓶爆炸伤人，保险公司怎么赔?

案例 72 啤酒厂与保险公司追偿纠纷案

事情是这样的

2003 年 7 月 23 日晚，李某在家就餐，没想到放在桌边的啤酒瓶突然爆炸，炸伤了李某的左眼，李某马上被送去医院治疗，共花去各种费用 6.3 万余元。李某遂向啤酒生产者某啤酒厂索赔，但因甲厂已向某保险公司投保了产品责任险，责任限额为 5 万元，所以保险公司在责任限额内支付了赔偿金 5 万元。后经调查，啤酒瓶爆炸是因专门为啤酒厂生产啤酒瓶的乙厂产品质量不合格所致，啤酒厂遂要求乙厂承担责任。某保险公司则认为应由自己向乙厂提出赔偿请求。为此，啤酒厂与保险公司发生纠纷，双方争执不下，啤酒厂遂将保险公司诉至法院。

法院经审理后认为，乙厂作为啤酒瓶的供应商，对李某人身伤害承担最终赔偿责任。啤酒厂在向李某承担赔偿责任后，则有权向乙厂追偿。但因啤酒厂的赔偿责任已经部分转嫁给了保险公司，保险公司依法在赔偿金额内代替啤酒厂取得向乙厂追偿的权利。啤酒厂仍可就未获保险公司赔偿的损失向乙厂追偿。最后，法院判决，啤酒厂和保险公司可在各自的损失金额内向乙厂追偿。

律师专线

本案中，李某因啤酒厂生产的啤酒瓶突然爆炸而受到伤害。依据《产品质量法》第 41 条关于“因产品存在缺陷造成人身、缺陷产品以外的其他财产（以下简称他人财产）损害的，生产者应当承担赔偿责任”的规定，啤酒厂应当对李某承担赔偿责任。同时，由于啤酒厂投保了产品质量责任险，根据产品责任保险合同的约定，啤酒厂在向李某承担赔偿责任后，可以向保险公司提出索赔。保险公司应在约定的赔偿限额内进行赔偿。本案中，保险公司的赔偿金额为 5 万元，即保险公司只赔偿了李某的一部分费用，仍有一部分是由啤酒厂自行承担的。

本案涉及的另外一个问题是责任险的代位追偿问题。我国《保险法》第60条规定：“因第三者对保险标的的损害而造成保险事故的，保险人自向被保险人赔偿保险金之日起，在赔偿金额范围内代位行使被保险人对第三者请求赔偿的权利。前款规定的保险事故发生后，被保险人已经从第三者取得损害赔偿的，保险人赔偿保险金时，可以相应扣减被保险人从第三者已取得的赔偿金额。保险人依照本条第一款规定行使代位请求赔偿的权利，不影响被保险人就未取得赔偿的部分向第三者请求赔偿的权利。”可见，保险人的代位权以赔偿金额为限，被保险人就未获赔偿的部分仍可请求第三者进行赔偿。

本案中，导致李某受伤的啤酒瓶系乙厂向啤酒厂提供，乙厂是最终责任人，啤酒厂向李某承担赔偿责任后，依法可以向乙厂进行追偿。由于保险公司已经在赔偿限额内对啤酒厂承担了赔偿责任，保险公司依法在赔偿限额内取得向乙厂代位追偿的权利。啤酒厂对李某承担的超过赔偿限额的损失因未获保险公司赔偿，当然有权向乙厂追偿。

法律规范

中华人民共和国保险法

（1995年6月30日第八届全国人民代表大会常务委员会第十四次会议通过，2002年10月28日第九届全国人民代表大会常务委员会第三十次会议修正，2009年2月28日第十一届全国人民代表大会常务委员会第七次会议修订）

第六十条　因第三者对保险标的的损害而造成保险事故的，保险人自向被保险人赔偿保险金之日起，在赔偿金额范围内代位行使被保险人对第三者请求赔偿的权利。

前款规定的保险事故发生后，被保险人已经从第三者取得损害赔偿的，保险人赔偿保险金时，可以相应扣减被保险人从第三者已取得的赔偿金额。

保险人依照本条第一款规定行使代位请求赔偿的权利，不影响被保险人就未取得赔偿的部分向第三者请求赔偿的权利。

第六十五条　保险人对责任保险的被保险人给第三者造成的损害，可以依照法律的规定或者合同的约定，直接向该第三者赔偿保险金。

责任保险的被保险人给第三者造成损害，被保险人对第三者应负的赔偿责任确定的，根据被保险人的请求，保险人应当直接向该第三者赔偿保险金。被保险人怠于请求的，第三者有权就其应获赔偿部分直接向保险人请求赔偿保险金。

责任保险的被保险人给第三者造成损害，被保险人未向该第三者赔偿的，保险人不得向被保险人赔偿保险金。

责任保险是指以被保险人对第三者依法应负的赔偿责任为保险标的的保险。

第六十六条　责任保险的被保险人因给第三者造成损害的保险事故而被提起仲裁或者诉讼的，被保险人支付的仲裁或者诉讼费用以及其他必要的、合理的费用，除合同另有约定外，由保险人承担。

专家释惑

产品责任保险，是以投保人因其产品的质量缺陷致使产品使用者或消费者遭受人身伤亡或财产损失而依法应承担的赔偿责任为保险标的的保险。依据产品责任保险单的规定，在保险有效期内，由于被保险人所生产、出售的产品或商品在承保区域内发生事故，造成使用、消费或操作该产品或商品的人或其他任何人的人身伤害、疾病、死亡或财产损失，依法应由被保险人负责时，保险人根据保险单的规定，在约定的赔偿限额内负责赔偿。对被保险人应付索赔人的诉讼费用以及经保险人书面同意负责的诉讼及其他费用，保险人亦负责赔偿，但本项费用与责任赔偿金额之和以保险单明细表中列明的责任限额为限。

所谓代位求偿权，是指财产保险中，当保险标的遭受保险事故造成的损失，依法应由第三者承担赔偿责任时，保险公司自支付保险赔偿金之日起，在赔偿金额的限度内，相应取得向第三者请求赔偿的权利。

73. 非医疗行为致害，保险公司赔不赔?

案例 73　救护车故障案

事情是这样的

2002 年 3 月 18 日，余某在单位办理退休手续时突然晕倒，随行的家属立即拨打120求救。120急救指挥中心立即通知某医院出动救护车进行急救。该医院距离出事地点仅4公里，通常情况下，只需十余分钟的车程。但因为救护车发生了故障，救护车用了1个多小时才赶到。救护车赶到时，余某已经死亡。余某的家属十分悲痛，同时认为，120急救指挥中心和该医院对救护车疏于检查维护，以致延误抢救时机，是导致余某得不到及时抢救而身亡的原因。余某家人遂将120急救指挥中心和某医院告上法庭，要求赔偿死者丧葬费及死亡赔偿金共计15万元。

法院经审理认为，120急救指挥中心在接到求救电后，及时指挥救护车前往救护，是履行及时指挥调度职责；医院在接到指示电话后，主观上并无拖延出车的故意，车辆检查修好后，仍履行了救护义务。120急救指挥中心不属于医疗机构，与余某不存在医疗服务关系，不适用医疗赔偿。被告医院虽是医疗机构，但其出车属社会救助义务，不属于医疗机构的医疗活动，双方并无医疗关系存在。因此，从余某晕倒后所表现的症状及其原本自身所存在的病症，结合其年龄综合考虑，余某死亡是自身疾病的发作而引起的，与医疗救护车延迟没有必然的因果关系。但是，作为救护车辆的使用人，医院应该知道车辆在出救工作中的重要性，对车辆应该妥善保管和维护。医院的迟延出救，违反了及时救护的工作原则，在履行急救义务上有过错，因此医院应给予原告一定的赔偿。

因此，法院判决：双方不存在医疗服务关系，但医院履行急救义务上有过错，被告医院自判决之日起赔偿死者家属1万元整。

该医院在依照判决进行赔偿之后，因投保了医疗责任保险，随即向保险公司索赔。保险公司却认为医院的损失不属于保险责任范围，拒绝赔偿。

律师专线

保险公司拒绝赔偿医院的损失是合理合法的。根据医疗责任保险合同，医疗责任保险的保险责任是，在保险单明细表中列明的保险期限或追溯期及承保区域范围内，被保险人的投保医务人员在诊疗护理活动中，因职业过失造成患者人身损害，在保险期限内，由患者或其近亲属首次向被保险人提出索赔申请，依法应由被保险人承担民事赔偿责任时，保险人根据保险合同的约定负责赔偿。本案中，医院虽然因救护不当被法院判决赔偿，但因救护车车辆故障导致的延迟出救并非是履行医疗服务合同的行为，即不是医务人员在诊疗护理活动中，因职业过失造成患者人身损害，因此医院所承担的民事赔偿责任并不属于保险责任范围，保险公司不需对医院承担的责任承担保险赔偿责任。

法律规范

中华人民共和国保险法

（1995 年 6 月 30 日第八届全国人民代表大会常务委员会第十四次会议通过，2002 年 10 月 28 日第九届全国人民代表大会常务委员会第三十次会议修正，2009 年 2 月 28 日第十一届全国人民代表大会常务委员会第七次会议修订）

第六十五条　保险人对责任保险的被保险人给第三者造成的损害，可以依照法律的规定或者合同的约定，直接向该第三者赔偿保险金。

责任保险的被保险人给第三者造成损害，被保险人对第三者应负的赔偿责任确定的，根据被保险人的请求，保险人应当直接向该第三者赔偿保险金。被保险人怠于请求的，第三者有权就其应获赔偿部分直接向保险人请求赔偿保险金。

责任保险的被保险人给第三者造成损害，被保险人未向该第三者赔偿的，保险人不得向被保险人赔偿保险金。

责任保险是指以被保险人对第三者依法应负的赔偿责任为保险标的的保险。

第六十六条　责任保险的被保险人因给第三者造成损害的保险事故而被提起仲裁或者诉讼的，被保险人支付的仲裁或者诉讼费用以及其他必要的、合理的费用，除合同另有约定外，由保险人承担。

专家释惑

医疗责任保险是以医务人员在从事与预期资格相符的诊疗护理工作中因过失发生医疗事故，导致医疗机构承担经济赔偿责任为标的的责任保险。依照医疗责任保险合同的约定，保险人对被保险人的民事赔偿责任承担给付保险金的义务。

医疗行为是医务人员对患者疾病的诊断、治疗、预后判断及疗养指导等具有综合性内容的行为。广义上讲，凡是经过考核和卫生行政主管部门批准或承认，具有相应业务资格的各类卫生技术人员都可以称为医务人员。

医疗赔偿责任，是指医疗机构未履行医疗服务合同所约定的义务，或者违反法律的规定侵害患者的权利所应承担的民事责任。根据我国的法律和行政法规的规定，医疗赔偿责任可以分为两大类：一类是医疗事故侵权行为引起的医疗赔偿责任，另一类是非医疗事故侵权行为或者医疗事故以外的其他原因而引起的医疗赔偿责任。

在我国现行的医疗责任保险中，均以医疗机构为被保险人。

医疗责任保险责任免除条款一般包括：

1. 一般责任保险的除外责任。下列原因造成的损失、费用和责任，保险人不负责赔偿：（1）被保险人或其医务人员的故意行为和非职业行为；（2）战争、敌对行为、军事行动、武装冲突、恐怖活动、罢工、骚乱、盗窃、抢劫；（3）核反应、核子辐射和放射性污染，但使用放射性器材治疗发生的赔偿责任，不在此限；（4）地震、雷击、暴雨、洪水等自然灾害及火灾、爆炸等意外事故。

2. 因违法或故意所产生的责任。下列情形造成的损失、费用和责任，保险人不负责赔偿：（1）未经国家有关部门认定合格的医务人员进行的诊疗护理工作；（2）不以治疗为目的的诊疗护理活动造成患者的人身损害；（3）被保险人或其医务人员从事未经国家有关部门许可的诊疗护理工作；（4）被保险人或其医务人员被吊销执业许可证或被取消执业资格以及受停业、停职处分后仍继续进行诊疗护理工作；（5）被保险人的医务人员在酒醉或药剂麻醉状态下进行诊疗护理工作；（6）被保险人或其医务人员使用伪劣药品、医疗器械或被感染的血液制品；（7）被保险人或其医务人员使用未经国家有关部门批准适用的药品、消毒药剂、医疗器械，但经国家有关部门批准进行临床试验所使用的药品、消毒药剂、医疗器械不在此限；（8）被保险人或其医务人员在正当的诊断、治疗范围外使用麻醉药品、医疗用毒性药品、精神药品和放射性药品。

3. 其他除外责任情形。下列损失、费用和责任，保险人不负责赔偿：（1）被保险人的医务人员或其代表的人身伤亡；（2）罚款或惩罚性赔款；（3）保险单明细表或有关条款中规定的应由被保险人自行负担的免赔额；（4）被保险人及其医务人员对患者在诊疗护理期间的人身损害无过失，但由于发生医疗意外造成患者人身损害而承担的民事赔偿责任；（5）被保险人与患者或其近亲属签订的协议所特别约定的责任，但不包括没有该协议被保险人仍应承担的民事责任；（6）自被保险人的医务人员终止在被保险人的营业处所内工作之日起，所发生的任何损失、费用和责任。

74. 骗保会有什么下场?

案例 74　故意“撞车”骗保案

事情是这样的

32 岁的阿强 2004 年来杭后一直开出租车，2008 年 1 月 7 日晚，阿强到某汽车修理厂找到老板何某，称自己酒后驾车撞坏了出租车的大灯，保险公司赔不了，要求用出租车和老板的车撞一下，以便能到保险公司赔点钱。何某居然同意了。不过阿强开的是公司的出租车，只是私下转包而来营运的，并不是车主，所以他没有出租车服务资格证，双方说好“事故”由何某负全责，以便由何某去办理理赔手续。于是两人选择了撞车地点，由阿强驾驶出租车，何某驾驶自己的面包车进行了“撞车”，撞后到保险公司进行了理赔，共赔得 7 000 多元，除了修理费和给何某的 1 000 元好处费外，余款被阿强挥霍一空。

李某则是另一家汽车修理厂老板，早在 2007 年初就开始想到制造“事故车”发不义之财。对于到店里来修车的司机，他总是不遗余力地推荐此道。作案前，他们先是商量到哪里撞、什么路段没有监控等。为逃避侦查，他们甚至将车开到较偏僻的地方进行“撞车”。

据阿强供述，除了与汽修厂老板何某制造“事故车”骗保外，他还参与制造了另外 3 起类似的“交通事故”，其涉案金额达 5.4 万元。在 2008 年 2 月 23 日最后一次“撞车”后，他将车扔在赵某汽车修理厂对面的马路上，并不打算再修，而是一心想拿到保险金。

为了谋取最大化的得利，意图骗保的司机一般在“撞车”前先到修理厂将完好的配件换成已破损的配件，事后再将原先好的配件换回去。甚至有的司机为了让保险公司多赔些钱，不惜多次进行碰撞。

在汽修厂老板李某的怂恿下，出租车司机郭某与另一位出租车司机阿华“撞车”后，对李某说撞得不够厉害，感觉保险公司赔不了多少钱，要求单独再去撞一下。于是李某又开车到杭印路附近一条小河边将车头水箱撞破，并叫别的车拖回了修理厂。

结果，郭某的这辆出租车保险公司后来定损的修理费是 6 000 元左右，而实际在李某修理厂的修理费是 600 多元，郭某从保险公司赔付后将修车费和以前欠李某的修理费一并付掉还大赚了一笔。而阿华那边从保险公司定损的保险金更是达到了 1.3 万余元，除了修理费外他还赚了 5 000 余元。

律师专线

本案中，涉案人员的行为明显构成了保险诈骗。保险诈骗，即情节严重的保险欺诈，是指投保人、被保险人或者受益人故意虚构保险标的，或者对发生的保险事故编造虚假的原因或者夸大损失程度，或者编造未发生的保险事故，或者故意造成被保险人死亡、伤残或者疾病，骗取保险金，数额较大的行为。由于涉案金额较大，已经触犯了我国《刑法》，应当受到法律的制裁。

法律规范

中华人民共和国保险法

（1995 年 6 月 30 日第八届全国人民代表大会常务委员会第十四次会议通过，2002 年 10 月 28 日第九届全国人民代表大会常务委员会第三十次会议修正，2009 年 2 月 28 日第十一届全国人民代表大会常务委员会第七次会议修订）

第一百七十六条　投保人、被保险人或者受益人有下列行为之一，进行保险诈骗活动，尚不构成犯罪的，依法给予行政处罚：

（一）投保人故意虚构保险标的，骗取保险金的；

（二）编造未曾发生的保险事故，或者编造虚假的事故原因或者夸大损失程度，骗取保险金的；

（三）故意造成保险事故，骗取保险金的。

保险事故的鉴定人、评估人、证明人故意提供虚假的证明文件，为投保人、被保险人或者受益人进行保险诈骗提供条件的，依照前款规定给予处罚。

中华人民共和国刑法

（1979 年 7 月 1 日第五届全国人民代表大会第二次会议通过，1997 年 3 月 14 日第八届全国人民代表大会第五次会议修订）

第一百九十八条　有下列情形之一，进行保险诈骗活动，数额较大的，处五年以下有期徒刑或者拘役，并处一万元以上十万元以下罚金；数额巨大或者有其他严重情节的，处五年以上十年以下有期徒刑，并处二万元以上二十万元以下罚金；数额特别巨大或者有其他特别严重情节的，处十年以上有期徒刑，并处二万元以上二十万元以下罚金或者没收财产：

（一）投保人故意虚构保险标的，骗取保险金的；

（二）投保人、被保险人或者受益人对发生的保险事故编造虚假的原因或者夸大损失的程度，骗取保险金的；

（三）投保人、被保险人或者受益人编造未曾发生的保险事故，骗取保险金的；

（四）投保人、被保险人故意造成财产损失的保险事故，骗取保险金的；

（五）投保人、受益人故意造成被保险人死亡、伤残或者疾病，骗取保险金的。

有前款第四项、第五项所列行为，同时构成其他犯罪的，依照数罪并罚的规定处罚。

单位犯第一款罪的，对单位判处罚金，并对其直接负责的主管人员和其他直接责任人员，处五年以下有期徒刑或者拘役；数额巨大或者有其他严重情节的，处五年以上十年以下有期徒刑；数额特别巨大或者有其他特别严重情节的，处十年以上有期徒刑。

保险事故的鉴定人、证明人、财产评估人故意提供虚假的证明文件，为他人诈骗提供条件的，以保险诈骗的共犯论处。

专家释惑

保险诈骗不仅严重扰乱了保险业的发展进而危及人民所享有的保险福利，而且还会给国家造成重大的损失。为了遏制该类犯罪行为的上升趋势，1997 年我国修订《刑法》时把保险诈骗罪收入新《刑法》，从而为打击破坏保险秩序的保险诈骗罪提供了切实的法律依据。根据《刑法》的规定，所谓保险诈骗罪，是指行为人故意虚构保险标的、对发生的保险事故编造虚假的原因或者夸大损失的程度、编造未曾发生的保险事故、故意造成财产损失的保险事故，或者造成被保险人死亡、伤残或者疾病，骗取数额较大保险金的行为。

保险诈骗罪的犯罪特征有以下几个方面：1. 本罪在主观上必须是出于故意，其目的是非法占有保险金；2. 投保人、被保险人或者受益人对发生保险事故编造虚假的原因或者夸大损失的程度，骗取保险金；3. 投保人、被保险人或者受益人编造未曾发生的保险事故，骗取保险金；4. 投保人、被保险人故意造成财产损失的保险事故，骗取保险金；5. 投保人、受益人故意造成被保险人死亡、伤残或者疾病，骗取保险金。

第三编　人身保险合同纠纷案例

75. 投保能由别人代签名吗？

案例 75　朱某诉保险公司案

事情是这样的

2002 年 8 月 29 日在业务员张某的推销下，朱某为其丈夫李某投保了人身意外伤害综合保险，保额 6 万元，该条款规定酒后驾车为免除责任。

朱某代填写投保单并代被保险人签字，业务员当即收取了保险费并出具保险费暂收收据。同年 9 月 6 日，李某因车祸死亡。9 月 10 日，其妻作为受益人向保险公司申请给付保险金。

经理赔人员调查核实，朱某的投保申请在 9 月 1 日核保初审时，由于投保单上"是否持有机动车驾驶执照"为空白未通过。9 月 4 日，业务员张某（事后电话通知朱某）擅自在投保事项上填"否"。9 月 5 日，保单核保通过，且列明保单为 8 月 30 日 0 时生效。同时，据公安刑事科学技术部门对死者心血的检验报告，证实李某乙醇含量为 194.2/100 毫升血，并认定为酒后驾驶。报告说，当血中乙醇含量达 200（mg%），最小乙醇服入量为 280 毫升（指饮入 40 度酒量），一定会发生肇事。

保险公司理赔人员审查后，以下列理由予以拒付：1. 朱某对"是否持有机动车驾驶执照"事项未如实告知；2. 李某酒后驾车属于条款免除责任。朱某不服，向当地基层法院提起诉讼，结果法院审理后判决保险合同无效。双方当事人签订的保险合同是以保险人死亡为给付保险金条件之一，合同未经被保险人同意并认可保险金额，合同自始无效，保险公司胜诉。

律师专线

本案是一起以死亡为给付保险金条件的合同因未经被保险人亲自签名认可而遭拒付的案例。根据《保险法》第34条规定："以死亡为给付保险金条件的合同，未经被保险人同意并认可保险金额的，合同无效。"

保险合同中被保险人签名的问题，一直受到保险公司的特别重视。保险公司规定，对以死亡为给付条件的合同，必须由被保险人亲自签名认可，否则不予签发保单。朱某在填写保单时忽略了亲自签名的法律效力，导致该份保单自始无效。

法律规范

中华人民共和国保险法

（1995年6月30日第八届全国人民代表大会常务委员会第十四次会议通过，2002年10月28日第九届全国人民代表大会常务委员会第三十次会议修正，2009年2月28日第十一届全国人民代表大会常务委员会第七次会议修订）

第三十四条　以死亡为给付保险金条件的合同，未经被保险人同意并认可保险金额的，合同无效。

依照以死亡为给付保险金条件的合同所签发的保险单，未经被保险人书面同意，不得转让或者质押。

父母为其未成年子女投保的人身保险，不受第一款规定限制。

专家释惑

对于以死亡为给付保险金条件的合同，必须由被保险人书面同意并认可保险金额，否则合同无效。这是因为，以被保险人死亡为给付保险金的人身保险，被保险人与受益人不是同一人，有可能发生为赚取保险金故意制造保险事故而谋害被保险人的危险。同时，由于父母与子女的特殊关系，保险法规定父母为其未成年子女投保的人身保险，不受上述规定的限制。

以死亡为给付保险金条件的合同所签发的保险单，如果转让或者质押，保险单持有人将可能成为这种保险合同的受益人。为了防止发生为赚取保险金而故意制造保险事故谋害被保险人的危险，《保险法》规定，未经被保险人书面同意，这种保险合同的保险单不得转让或者质押。

76. 借款人身亡留下40万欠款，保险公司替还房贷

案例76　某银行诉保险公司案

事情是这样的

2004年10月，倪某向银行贷款40万元购买了一处二手房，并以该房屋的所有权为抵押向银行作还款担保。同时，倪某与保险公司签订个人抵押住房综合保险合同，约定被保险人倪某在保险期限内因遭受意外事故所致死亡或伤残，连续3个月未履行或未完全履行银行抵押还贷责任的，由保险公司承担全部或部分还贷责任，如被保险人遭受意外事故死亡的，由保险公司承担全部还贷责任，合同中约定贷款银行为该保险合同的第一受益人。

同年12月22日，倪某坠楼身亡，就倪某的死因，当地派出所出具证明排除他杀可能。2006年8月，银行向保险公司提出理赔申请，保险公司却以投保人是自杀身亡的，属于免责事项以及银行没有资格向保险公司要求赔偿为由，不予理赔。银行见索赔无果，遂向法院提起诉讼，要求保险公司支付借款本息和逾期利息共计43万余元。倪某的母亲和女儿作为遗产继承人，以第三人身份参加了诉讼。

法院经审理，判决保险公司向银行支付贷款本息403 051.81元。

保险公司不服此判决，提出上诉，认为倪某坠楼并非意外伤害事故而是出于其自发意识的主动行为，该行为属于保险合同的责任免除事由范围。此外，保险公司还提出涉案保险合同是保证保险合同，银行作为债权人不能以合同当事人身份主张权利。

银行方面则认为保险公司对倪某死亡原因的推断缺乏证据，银行作为第一受益人的身份在倪某与保险公司签订的个人抵押住房综合保险合

同中已作约定。

二审法院认为，涉案保险合同中关于银行为第一受益人的约定是当事人签约时的真实意思，基于被保险人倪某死亡，其继承人继受了倪某在保险合同项下请求赔偿的权利而自愿参加诉讼，并认同银行向保险公司提出理赔交涉的行为及诉讼金额，明确请求保险公司向银行支付保险赔偿金，故原审判令保险公司向银行支付保险赔偿金并无不当。关于被保险人倪某的死亡原因，保险公司虽提供了两份警方询问笔录以证明其上诉主张，但2位被询问对象与事件存在利害关系，且两人对事发当时情形的陈述存在出入，故不足以支撑保险公司的主张。据此，维持原审法院所作判决。

律师专线

本案的争议主要集中在2个问题上，第一个问题是投保人倪某的死亡是否属于免责事由。这个问题的关键就是倪某是否是自杀身亡的，若是自杀身亡，则保险公司不承担赔偿责任；若非因自杀身亡，保险公司就负有赔偿责任。那么，认定倪某的死亡原因就成为关键，但本案中的证据存在矛盾，不能形成确定的意见，因此不能就此认定倪某死于自杀。

第二个问题是，银行能否获得保险赔偿金。受益人是指人身保险合同中由被保险人或者投保人指定的享有保险金请求权的人，投保人、被保险人可以为受益人。银行是倪某在投保时指定的第一受益人，即享有保险金请求权，有权从保险公司取得保险赔偿金。

法律规范

中华人民共和国保险法

（1995年6月30日第八届全国人民代表大会常务委员会第十四次会议通过，2002年10月28日第九届全国人民代表大会常务委员会第三十次会议修正，2009年2月28日第十一届全国人民代表大会常务委员会第七次会议修订）

第二十一条　投保人、被保险人或者受益人知道保险事故发生后，应当及时通知保险人。故意或者因重大过失未及时通知，致使保险事故的性质、原因、损失程度等难以确定的，保险人对无法确定的部分，不承担赔偿或者给付保险金的责任，但保险人通过其他途径已经及时知道或者应当及时知道保险事故发生的除外。

第四十四条　以被保险人死亡为给付保险金条件的合同，自合同成立或者合同效力恢复之日起二年内，被保险人自杀的，保险人不承担给付保险金的责任，但被保险人自杀时为无民事行为能力人的除外。

保险人依照前款规定不承担给付保险金责任的，应当按照合同约定退还保险单的现金价值。

专家释惑

随着住房抵押贷款规模的扩大，贷款的风险度也就相应增加。由于个人住房抵押贷款的贷款期限较长，存在着抵押物自身风险、借款人信用风险、流动资金风险、抵押物处置风险等各种风险。虽然，贷款银行有抵押做担保，但贷款风险并不因抵押担保而完全消失。因此，建立抵押贷款保险制度，由保险公司或专业担保公司承担贷款信用保证，可以降低和转换抵押贷款的上述风险，促进抵押贷款制度的发展。

住房抵押贷款的期限比较长，在长达20年的还款期限内，抵押物和债权如果没有保险，一旦发生意外，住房受到毁损或贷款人无力偿还贷款本息，保险人将依照保险合同承担赔偿保险金责任，或替借款人偿还贷款本息的责任，实际上是保证借贷双方的利益。

77. 被保险人没有书面同意，保险合同有效吗？

案例77　瞿某诉保险公司案

事情是这样的

瞿某是南京一家物流公司的负责人。2007年7月9日，在得到公司驾驶员李某的同意后，为其在某保险公司投保了驾驶员人身意外伤害险。瞿某共购买保单3份，每份保单的保险费为100元，其中意外伤害保险金额为10万元，附加意外伤害医疗保险金额为5 000元。

没想到就在11天后，李某驾驶车辆发生了交通事故，当场死亡。瞿某悲伤之余，想起刚刚为李某买过人身意外伤害险，还是3份，算起来可以理赔30万。

然而，当瞿某找保险公司理赔时却令其大失所望，保险公司告诉瞿某保险合同无效，不予理赔。瞿某对此理赔意见不能接受，遂诉至法院，要求保险公司支付意外伤害保险金30万元。

保险公司提出了3点意见：第一，驾驶员李某的死亡，系车辆超载所发生的事故所致，根据双方保险合同约定，属于责任免除范围；第二，瞿某与被保险人李某之间没有亲属关系，对被保险人没有保险利益；第三，依据《保险法》的相关规定，以死亡为给付保险金条件的合同，未经被保险人书面同意的，合同无效。

法院经审理查明，在瞿某为李某办理该保险时，并未得到李某的书面同意。

法院认为，以死亡为给付保险金条件的合同，未经被保险人书面同意并认可保险金额的，合同无效。本案中的保险合同系此类合同，现该合同并未经被保险人李某的书面同意，故保险合同无效。法院依据相关法律规定，驳回其诉讼请求。

律师专线

本案中的问题比较简单，就是以死亡为给付保险金条件的合同，未经被保险人书面同意并认可保险金额的，合同无效。正因为瞿某为李某办理该保险时，虽然得到到了李某的同意，但并未得到李某的书面同意，因此保险合同无效，保险公司无须赔偿。

法律规范

中华人民共和国保险法

（1995年6月30日第八届全国人民代表大会常务委员会第十四次会议通过，2002年10月28日第九届全国人民代表大会常务委员会第三十次会议修正，2009年2月28日第十一届全国人民代表大会常务委员会第七次会议修订）

第三十四条　以死亡为给付保险金条件的合同，未经被保险人书面同意并认可保险金额的，合同无效。

依照以死亡为给付保险金条件的合同所签发的保险单，未经被保险人书面同意，不得转让或者质押。

父母为其未成年子女投保的人身保险，不受第一款规定限制。

专家释惑

保险是一种风险转移机制，投保人通过向保险公司投保，从而在风险发生而导致经济损失之后，获得保险公司的经济补偿以化解其自身难以承受的风险。故保险又是一种经济补偿制度。在人身保险中，投保人通过投保，对被保险人未来因疾病、残疾、死亡、失业等诸多难以预料的情况所造成的经济困难进行财务上的合理安排。因为以上原因，保险中所谓的“可保风险”是一种“纯粹风险”，即该种风险的发生完全是不可预测、也不得人为操纵的。也正是因为如此，保险合同具有射幸合同的特征，即投保人投入较少的保险费，而在保险事故发生之后，可能获得较多的经济补偿。

由于保险合同具有射幸的性质，存在诱发投保人道德风险（即通过投保获得不正当利益）的可能性。因此，保险法律对投保人的投保行为进行一定程度的限制。具体主要表现在：1. 要求投保人在投保时对被保险人必须具有法律上认可的利益（即保险利益），否则保险合同为无效合同；2. 如果所投保的为以死亡为给付条件的险种，则需要被保险人对保险金额进行书面确认，否则保险合同无效。

78. 受益人故意杀害被保险人会有怎样的后果?

案例 78　黄利英杀害李良伟案

事情是这样的

2006 年 9 月，黄利英在大学读书时，认识了李良伟，经过一年多的接触，两人感情关系发展迅速，毕业后已经开始筹备结婚。

在2007年10月13日，黄利英认识了某保险公司业务员李卓林，并向他请教了有关保险赔付的问题。李卓林告诉黄利英，如果购买长寿、意外伤害等保险后，被保险人发生意外，保险公司赔付受益人保险金。

妄图突发横财的黄利英得知这点后，竟萌发了邪念，掉进了欲望的泥坑，成为金钱的奴隶，竟打起她未婚夫的主意。她想：如果为李良伟购买长寿保险，指定自己为受益人，只要李良伟发生意外后，自己就可以获得一笔可观的赔付保险金了。打定主意的黄利英找到李卓林，并想尽办法让李卓林帮助自己行事。

李卓林曾因抢劫罪被人民法院判处15年有期徒刑，2005年保外就医期间，到保险公司工作。当黄利英使尽浑身解数利用色相将李卓林俘虏后，李卓林竟忘记了在劳改场接受的从严教育，决定为黄利英效劳。他将保险公司如何运作、如何才能获得最高额赔付保险金等告诉黄利英，要她首先诱骗李良伟在保险单上签名。为了进一步方便他们的行动，李卓林将保险公司营业部的梁少基拉下水，答应事成之后给他一笔提成。他们约定，如果保险金骗到手，黄利英得40%，李卓林得30%，梁少基得30%。

2007年12月中旬，黄利英在介绍李卓林与李良伟认识后，以李良伟经常出差在外、为防不测等理由，极力劝说李良伟购买人寿保险，而将保险合同的受益人指定为黄利英。憨厚、老实、木讷的李良伟完全没有察觉其中的阴谋，没有对此有所警觉，反而以为黄利英十分关心他，于是同意购买保险，并指定黄利英为受益人。

黄利英、梁少基办理完保险方面的所有手续后，就开始着手谋杀李良伟。在考虑过各种方案后，黄利英认为还是直接找人杀害李良伟可能是最有效的方法。于是黄利英找李卓林雇请了几个杀手杀死李良伟。案发前两天，李卓林通过狐朋狗友介绍聘请了关中豹和云追月两个杀手，并许诺事成之后给每人1万元人民币。2008年2月15日，关中豹和云追月等杀手准备下手，李卓林通知黄利英当晚10点约李良伟在南城公园散步，夜深人静之时几个蒙面的不速之客从黑暗处窜出拦住李良伟，并用尖刀将他刺死，然后迅速地逃离了现场。

事发后，黄利英通知李卓林，准备领取保险金后，双双逃离至新疆等地。然而，法网恢恢，疏而不漏，在保险公司理赔过程中，本案东窗事发，数名犯罪嫌疑人被全部捉拿归案。保险公司也不承担赔付保险金的责任。

律师专线

本案中，受益人故意造成被保险人死亡，保险人不承担给付保险金的责任。法律规定若投保人已经交足2年以上保险费的，保险人应当按照合同约定向其他享有权利的受益人退还保险单的现金价值。受益人故意造成被保险人死亡或者伤残的，或者故意杀害被保险人未遂的，丧失受益权。因本保险合同中仅指定了黄利英一人为受益人，故而保险公司只能向李良伟的法定继承人退还保险单的现金价值。另外，在本案中黄利英、李卓林、关中豹、云追月、梁少基等人属于共同犯罪，均应承担刑事责任，他们触犯的罪名是故意杀人罪。

注意

假设本案中，投保人已经交足2年以上的保险费时，保险人也不应向本案中保险合同约定的受益人即黄利英退还保险单的现金价值。因为黄利英已经因其指挥、策划李卓林、关中豹、云追月等人故意杀害李良伟而构成了共同犯罪，是故意造成被保险人死亡，因此被剥夺了受益权。

法律规范

中华人民共和国保险法

（1995年6月30日第八届全国人民代表大会常务委员会第十四次会议通过，2002年10月28日第九届全国人民代表大会常务委员会第三十次会议修正，2009年2月28日第十一届全国人民代表大会常务委员会第七次会议修订）

第四十三条　投保人故意造成被保险人死亡、伤残或者疾病的，保险人不承担给付保险金的责任。投保人已交足二年以上保险费的，保险人应当按照合同约定向其他权利人退还保险单的现金价值。

受益人故意造成被保险人死亡、伤残、疾病的，或者故意杀害被保险人未遂的，该受益人丧失受益权。

专家释惑

本案中涉及的是有关受益人的问题。受益人是被保险人或者投保人指定的享有保险金请求权的人，即在保险事故发生或者约定的保险期间届满时，依照保险合同享有保险金请求权的人。受益人可以是被保险人或者投保人，也可以是被保险人或者投保人指定的其他人。受益人的法律地位源于人身保险合同的约定，或者源于人身保险合同成立后投保人或者被保险人的指定。

受益人的资格一般不受任何限制，任何自然人、法人或者其他组织都可成为人身保险合同指定的受益人。胎儿也可被指定为受益人，但出生时不是活体的资格自行消灭。能否成为受益人只以民事权利能力为标准，不考虑民事行为能力的有无和是否完全。完全民事行为能力人、限制民事行为能力人、无民事行为能力人以及与被保险人没有任何利害关系的人，均可以被指定为受益人。受益人犯罪被剥夺政治权利，但其享有的受益权并不因此而丧失。

被保险人或者投保人指定的受益人，不以一人为限，可以指定数人为受益人。如果指定的受益人有数人，受益顺序和受益份额应在保险单上详细写明。受益顺序，是指被保险人或者投保人在保险合同中确定的各受益人享有保险金请求权的先后顺序。在保险实务中被保险人或投保人可以指定第一顺序的受益人，并同时指定第二顺序的受益人，当第一顺序的受益人先于被保险人死亡，无须更改保险合同，第二顺序的受益人自动取得请求保险金的权利。受益顺序不以第一顺序和第二顺序为限，可以有两个以上的受益顺序。受益顺序在先的受益人，享有保险合同约定的全部保险利益。受益顺序在后的受益人只有在受益顺序在前的受益人不能行使或丧失受益权时，才能享有保险合同约定的保险利益。受益份额是指被保险人或者投保人在保险合同中确定的相同受益顺序的受益人所享有的保险金请求数额。未在保险合同中确定受益份额的，视为所有受益人对保险金额享有相等的份额。《保险法》规定，被保险人或者投保人可以指定一人或者数人为受益人。受益人为数人的，被保险人或者投保人可以确定受益顺序和受益份额；未确定受益份额的，受益人按照相等份额享有受益权。投保人、被保险人可以不明确指定受益人，只指出确定受益人的办法或指出受益人的范围，如指出所有的子女为受益人。

被保险人或者投保人可以在合同订立时指定受益人，也可以在合同成立后保险事故发生前指定受益人。对所指定的受益人，不需得到本人或者保险人的同意，只需在保险单上注明。

受益人享有的受益权是指受益人依照人身保险合同享有的保险金给付请求权。受益权是一种期待权，在保险事故发生时，才能转变为现实的财产权。也就是说，只有被保险人死亡或发生其他保险事故时，受益人才能取得受益权，且受益人在发生保险事故时必须生存。若受益人在可以请求给付保险金前死亡的，投保人或者被保险人对受益人的指定失去效力，该受益人的继承人不得继承其权利。受益人与被保险人同时死亡的，或者因为同一事件被推定同时死亡的，被保险人本人为受益人。

这种期待权在发生保险事故前，往往会因投保人或被保险人随时撤回或者变更他人为受益人而取消。

投保人或者被保险人指定受益人后，仍有权利加以变更，受益人不能反对。受益人在得到被保险人同意的前提下或者在保险合同中载明受益权允许转让，受益人才可以把受益权转让，否则受益权在转化为现实的权利前一般不能转让。另外，若存在本案中的情形，则指定的受益人丧失受益权。

提醒

受益权与财产继承权不同：第一，受益权是受益人本身固有的权利，而不是根据继承权从被保险人那里继承取得的，因此，受益人所取得的保险金不能作为被保险人的遗产来对待，不能用以抵偿被保险人生前的债务；第二，受益人的受益权必须于有权请求给付保险金时受益人生存为前提。如果受益人先于被保险人死亡，保险金的受益权再转给被保险人，或由被保险人的继承人继承，而不是由受益人的继承人继承；第三，如果受益人与被保险人在同一次事故中死亡而无法分清先后顺序时，法律规定受益人先于被保险人死亡，在没有其他受益人的情况下，保险金由被保险人的继承人继承。除合同另有约定外，受益人所取得的权利仅限于保险金请求权。其他因保险合同而产生的权利，原则上应属于投保人所有，而不属于受益人所有。

79. 没有明确受益人如何赔偿？

案例 79　张某依法获得赔偿案

事情是这样的

1999 年 4 月 14 日，武汉纺织学院青年教师张某，从中国人寿武汉市洪山区支公司经理手中接过了 23.5 万元的保险金给付款存折，这位痛失丈夫的年轻妻子泪流满面，连声说：“谢谢！谢谢中保人寿给了我重新生活的勇气！”

张某的丈夫袁某，系武汉工业大学数理系青年教师，业余时间在该校下属凯狮高科技公司做兼职工程师，从事有关项目的实验研究工作。

凯狮公司先后于1996年5月和1997年5月向中国人寿保险武汉市洪山区支公司为其员工投保了长寿还本保险，为每人交纳保险费700元（7份），人均最高保额为3.5万元（5 000元/份）。

1998年10月，该公司承接了国家建材局的一项水泥项目的技术实验。考虑到参加试验的技术人员与水泥机械接触较多，人身风险较大，又出资为全体参试人员投保了人身意外伤害保险，每人交纳保费500元（10份），人均最高保额为20万元。作为参试人员之一的袁某，此时已获得23.5万元的人身风险保障。

1999年3月30日，袁某随实验人员前往一冶水泥厂进行回转炉运行情况检5ll。在对回转炉的中L1轴线测量时，已是中午12点，当班工人陆续下班就餐，检测点只剩下袁某和另一名工程师王某。而此时，王某在转炉槽座的另一侧进行检测，彼此看不见对方，只能听到讲话声。正当王某聚精会神地观察测试仪时，忽然听到一声凄厉的叫喊："啊！"便没了动静。王某赶忙问："袁工，你怎么了？"没有回应。王某立刻跑过去，被眼前的惨景惊呆了：袁某的头盖骨已破，脑浆满地都是，身体直挺挺地躺在地上，鲜血淌在地上和仪器上。"快来人啦，有人受伤了！"随着王某的呼喊，工人们跑进来，七手八脚地把袁某抬出来，闻讯赶来的医生做了紧急救治，然而，不幸的是袁某已当场死亡。

事故发生后，一冶水泥厂、武汉工业大学治安处和公安部门组成联合调查小组，对事故现场进行调查取证。

经有关安全技术人员和医务人员模拟实验和推断，袁某可能是为了更清楚地观察仪器表盘，在没有戴安全帽的情况下，将头伸入槽座内侧，头部触及转炉槽座卡板，头盖骨被挤破致死的。

4月2日，中国人寿武汉市洪山区支公司接到袁某死亡的报案，立即成立了理赔工作小组，迅速前往事故现场进行调查。

理赔小组通过连续几天的现场调查和走访袁某生前所在单位，证实水泥厂、武汉工业大学及公安部门联合小组关于袁某因意外死亡的结论；并确定袁某意外死亡事故属保险责任范围，应予赔付。同时，向投保方作出一定按条款规定予以赔付的承诺。

与此同时，由于保险金额高达几十万元，谁来领取这笔保险金？在袁某的家人和所在单位之间引发了争议。

争议一：袁某生前是单位出资为其投保，如果本着谁投保谁受益的原则，应该是凯狮公司领取保险金。像袁某这样工龄不足10年的年轻职工，按照国家的政策规定，因公死亡的抚恤金不到1万元。是单位领取后按政策规定拿出部分给予袁某的家人，还是袁某的家人全额领取？

争议二：如果是袁某的家人领取，由谁领取，如何进行分配？他家中有年轻的妻子和年迈的老母，另外还有哥哥等人。而袁某夫妇婚后一直忙于事业，至今尚未生育。这笔保险金是否应拿出部分给老母作为赡养费？

还有一些问题值得注意：

1. 凯狮公司当初为袁某等人投保时，由于缺乏保险意识，只征得被保险人同意，并没有指定受益人。

2. 按照《保险法》规定，除亲属外，“被保险人同意投保人为其订立合同的，视为投保人对被保险人具有保险利益”。

3. 按照《保险法》规定，“被保险人死亡后，如果没有指定受益人的，保险金作为被保险人的遗产，由保险人向被保险人的继承人履行给付保险金的义务”。

4. 根据《继承法》的规定，遗产的继承顺序应为：配偶、子女、父母为第一顺序继承人。

鉴于上述情况，洪山区支公司认为：

(1) 虽然凯狮公司出资为袁某投保，可视为对袁某具有保险利益，但是根据保险的基本原则，购买保险是为了获得经济补偿和风险保障，不能因此获得额外收益。凯狮公司不能因他人的死亡而获得额外利益，所以该公司不能作为受益人领取保险金。

(2) 保险金应由袁某家人领取。按前款规定，保险金视作遗产继承。遗产的第一顺序继承人为袁的配偶及袁的母亲。袁的哥哥不属于继承人范畴。

（3）袁的妻子张某和袁的老母有权全额领取并依法支配保险金。

（4）袁某的死因确属保险责任范围，保险金应该足额给付。

鉴于上述事实，洪山区支公司决定，向袁某的法定继承人张某给付人民币23.5万元。在资料齐全、手续完备后仅用4天时间给付完毕。为保证安全，他们还与银行协商用通存通兑的存折给付了保险金。

律师专线

人身保险是以人的寿命或者身体作为保险标的的保险，成立人身保险合同，必须具备几个条件：投保人具有缔约能力；投保人以支付保险费为条件而同保险人就被保险人的寿命或者身体的危险负担意思表示一致；投保人对被保险人的寿命或者身体具有保险利益；保险标的为被保险人的寿命或者身体，即被保险人的人身利益。我国《保险法》第12条规定，投保人对保险标的应当具有保险利益。投保人对保险标的不具有保险利益的，保险合同无效。保险利益是指投保人对保险标的具有的法律上承认的利益。保险标的是指作为保险对象的财产及其有关利益或者人的寿命和身体。对于人身保险来说，投保人基于同被保险人的亲属关系或者基于被保险人的同意取得对被保险人的人身保险利益，我国《保险法》第31条规定，投保人对下列人员具有保险利益：（一）本人；（二）配偶、子女、父母；（三）前项以外与投保人有抚养、赡养或者扶养关系的家庭其他成员、近亲属；（四）与投保人有劳动关系的劳动者。除前款规定外，被保险人同意投保人为其订立合同的，视为投保人对被保险人具有保险利益。在本案中，凯狮公司在投保之时，取得了袁某的同意，因此对他有保险利益，保险合同合法有效。保险合同在凯狮公司和保险公司之间成立，被保险人为袁某，但是由于疏忽，没有指定受益人。受益人享受人身保险合同所约定的利益，我国《保险法》第39条规定，人身保险的受益人由被保险人或者投保人指定。投保人指定受益人时须经被保险人同意。被保险人为无民事行为能力人或者限制民事行为能力人的，可以由其监护人指定受益人。我国《保险法》第42条规定，被保险人死亡后，遇有下列情形之一的，保险金作为被保险人的遗产，由保险人向被保险人的继承人履行给付保险金的义务：（一）没有指定受益人，或者受益人指定不明无法确定的；（二）受益人先于被保险人死亡，没有其他受益人的；（三）受益人依法丧失受益权或者放弃受益权，没有其他受益人的。受益人与被保险人在同一事件中死亡，且不能确定死亡先后顺序的，推定受益人死亡在先。根据此条，我们可以看出，本案中，保险公司应该向袁某的继承人履行给付保险金的义务。根据我国《继承法》第10条的规定，法定继承应该按照继承顺序处理，本案中保险公司的处理是恰当的。

法律规范

中华人民共和国保险法

（1995年6月30日第八届全国人民代表大会常务委员会第十四次会议通过，2002年10月28日第九届全国人民代表大会常务委员会第三十次会议修正，2009年2月28日第十一届全国人民代表大会常务委员会第七次会议修订）

第十二条　人身保险的投保人在保险合同订立时，对被保险人应当具有保险利益。

财产保险的被保险人在保险事故发生时，对保险标的应当具有保险利益。

人身保险是以人的寿命和身体为保险标的的保险。

财产保险是以财产及其有关利益为保险标的的保险。

被保险人是指其财产或者人身受保险合同保障，享有保险金请求权的人。投保人可以为被保险人。

保险利益是指投保人或者被保险人对保险标的具有的法律上承认的利益。

第三十一条　投保人对下列人员具有保险利益：

（一）本人；

（二）配偶、子女、父母；

（三）前项以外与投保人有抚养、赡养或者扶养关系的家庭其他成员、近亲属；

（四）与投保人有劳动关系的劳动者。

除前款规定外，被保险人同意投保人为其订立合同的，视为投保人对被保险人具有保险利益。

订立合同时，投保人对被保险人不具有保险利益的，合同无效。

第三十九条　人身保险的受益人由被保险人或者投保人指定。

投保人指定受益人时须经被保险人同意。投保人为与其有劳动关系的劳动者投保人身保险，不得指定被保险人及其近亲属以外的人为受益人。

被保险人为无民事行为能力人或者限制民事行为能力人的，可以由其监护人指定受益人。

第四十条　被保险人或者投保人可以指定一人或者数人为受益人。

受益人为数人的，被保险人或者投保人可以确定受益顺序和受益份额；未确定受益份额的，受益人按照相等份额享有受益权。

第四十一条　被保险人或者投保人可以变更受益人并书面通知保险人。保险人收到变更受益人的书面通知后，应当在保险单或者其他保险凭证上批注或者附贴批单。

投保人变更受益人时须经被保险人同意。

第四十二条　被保险人死亡后，有下列情形之一的，保险金作为被保险人的遗产，由保险人依照《中华人民共和国继承法》的规定履行给付保险金的义务：

（一）没有指定受益人，或者受益人指定不明无法确定的；

（二）受益人先于被保险人死亡，没有其他受益人的；

（三）受益人依法丧失受益权或者放弃受益权，没有其他受益人的。

受益人与被保险人在同一事件中死亡，且不能确定死亡先后顺序的，推定受益人死亡在先。

中华人民共和国继承法

（1985年4月10日第六届全国人民代表大会第三次会议通过）

第十条　遗产按照下列顺序继承：

第一顺序：配偶、子女、父母。

第二顺序：兄弟姐妹、祖父母、外祖父母。

继承开始后，由第一顺序继承人继承，第二顺序继承人不继承。没有第一顺序继承人继承的，由第二顺序继承人继承。

本法所说的子女，包括婚生子女、非婚生子女、养子女和有扶养关系的继子女。

本法所说的父母，包括生父母、养父母和有扶养关系的继父母。

本法所说的兄弟姐妹，包括同父母的兄弟姐妹、同父异母或者同母异父的兄弟姐妹、养兄弟姐妹、有扶养关系的继兄弟姐妹。

专家释惑

本案涉及人身保险利益的认定，受益人的确定，没有受益人如何处理保险赔偿金等问题，争议的问题主要是第三个问题。对于保险公司来说，收到索赔要求后，一般程序都是对收到的资料、证明等分析、查核，确定保险合同是否有效，保险事故是否属于承保责任范围以及如何赔偿等问题。本案中，保险公司的处理思路清晰地呈现在读者眼前。

受益人是人身保险责任中享有保险金给付请求权的人，受益人的产生根据我国《保险法》有两种方法：投保人指定，被保险人同意；被保险人指定。总的来说，被保险人的意思具有决定性。而至于受益人的范围，原则上不受任何限制，自然人、法人等都可以成为受益人。而且，自然人为受益人时，并不强调他一定具有完全民事行为能力，或必须同被保险人有某种利害关系。受益人也不以一人为限，可以是多人。我国《保险法》第40条规定，被保险人或者投保人可以指定一人或者数人为受益人。受益人为数人的，被保险人或者投保人可以确定受益顺序和受益份额；未确定受益份额的，受益人按照相等份额享有受益权。此外，事后还可以变更受益人。《保险法》第41条规定，被保险人或者投保人可以变更受益人并书面通知保险人。保险人收到变更受益人的书面通知后，应当在保险单上批注。投保人变更受益人时须经被保险人同意。

对于没有约定受益人的，并不意味保险赔偿金将由投保人享有，或者保险公司就不赔偿，而是将保险赔偿金向被保险人的继承人给付，作为被保险人的遗产。至于分配所获得保险赔偿金，则根据《继承法》第10条的规定，按法定继承的顺序为之。本案中，保险公司的做法较为合理。

提醒

我国《保险法》第 12 条规定，投保人订立保险合同必须对保险标的有保险利益。对于人身保险合同来说，保险利益的确定主要看投保人同被保险人之间的亲属关系，或者是信赖关系。保险利益构成人身保险合同的效力要件，目的在于防止投保人利用保险谋财害命或者以赌博获取不正当利益，以维护被保险人的人身安全利益。本案中，洪山区支公司首先分析了投保人对袁某具有保险利益，保险合同有效。

80. 受益人更改姓名未告知保险公司，如何赔付?

案例 80　刘某与杨某关于保险赔偿纠纷案

事情是这样的

杨某因生活上的种种原因难以照料自己的女儿，而刘某夫妇婚后一直没有生育，希望能收养一个小孩，为家庭增添欢乐。2004 年 3 月，杨某将自己 1 岁的女儿送给刘某夫妇收养，双方办理了收养手续。为便于收养，刘某欲将养女改姓刘，但因刘某夫妇工作太忙，最终在未先经过户籍部门同意的情况下擅自将养女改姓刘。

2004 年 10 月，杨某意外身故，留下了一份指定受益人为其亲生女儿的人寿保单，但受益人姓名却填写未经户籍部门同意的、不具法律效力的新名刘蕾。

保险公司在给付 6 万元保险金时遇到困难：刘蕾的养父刘某以受益人监护人的身份要求代领保险金，但却未能提供受益人的有效身份证明；被保险人杨某的母亲李某则认为保单上记载受益人姓名不具法律效力，应视为无受益人，保险金应作遗产处理。

虽然受益人姓名记载上存在问题，但从其他记载事项可明显看出刘蕾是保单的真实受益人，在法律未直接规定此种记载无效的情况下，从保护受益人利益出发，不能简单推定无受益人，保险金仍应由刘蕾所有；因其与养父母形成收养关系，刘某作为监护人，保险金应由刘某代领。但在具体给付上，保险公司内部存在三种意见：

1. 直接给付。虽然受益人不能提供有效的身份证明，但刘蕾为实际受益人是不争的事实，同时也不存在其他受益人的可能性。因此，直接给付不会给保险公司带来误付的错误。

2. 依据法院判定给付方式。在保险公司不能确认受益人时，由法院判定受益人。具体到本案，有两种做法：

（1）由刘蕾的养父向法院提起给付诉讼，请求向刘蕾给付保险金；

（2）由保险公司向法院提起确权之诉，请求确认刘蕾具有受益权。

3. 由公证机关开具的身份公证书来确认受益人并进行给付。刘蕾虽确是受益人，但仍须提供具有法律效力、能证明杨某亲生女儿与刘蕾为同一人的证明，而公证机关出具的身份公证书就能证明公证对象的真实性和合法性，可直接作为认定事实的依据。

上述三种意见中：第一种意见直接给付，虽不存在误付的可能，但被保险人母亲对此存有异议，不宜采用。第二种意见，如果由刘蕾养父起诉保险公司，可能使本因保户原因导致不能给付的纠纷，被人们误以为保险公司不讲信用，拒绝给付，进而影响保险公司声誉；如果由保险公司提起确权之诉，就让保险公司承担了本应由受益人履行的证明义务，这也不合理。第三种意见较合理，即按公证书来给付。这样能使保险公司严格执行理赔规章制度，避免引发纠纷，同时对受益人来说也简便易行。

律师专线

本案中的问题在于受益人姓名变更后是否继续享有受益权。从事实上来分析，本案中刘蕾即是原保险合同的受益人，但其姓名与保险单上的记载不一致，这里的问题实际上就是要通过某种方式来确认改名后的刘蕾就是原受益人。为了避免本案中发生的这种纠纷，在保险合同当事人的姓名、文字发生变更时，应及时通知保险公司，申请变更。申请变更时一般应提交保险合同变更申请书、被更正人身份证明、投保人的身份证明、受托人的身份证明等。如果是客户姓或名变更，则需要提供户籍部门出具的变更证明。1. 更正姓名，仅更正被保险人、投保人、受益人的姓名，不得易人；2. 申请对被保险人或受益人更名时，被保险人或受益人须在申请书上签名；3. 凡投保单内容正确而签发的保单内容出现错误、需重新配发的保险合同，号码不变；同时收回原保险合同注销。

法律规范

中华人民共和国保险法

（1995 年 6 月 30 日第八届全国人民代表大会常务委员会第十四次会议通过，2002 年 10 月 28 日第九届全国人民代表大会常务委员会第三十次会议修正，2009 年 2 月 28 日第十一届全国人民代表大会常务委员会第七次会议修订）

第二十条　投保人和保险人可以协商变更合同内容。

变更保险合同的，应当由保险人在保险单或者其他保险凭证上批注或者附贴批单，或者由投保人和保险人订立变更的书面协议。

第四十一条　被保险人或者投保人可以变更受益人并书面通知保险人。保险人收到变更受益人的书面通知后，应当在保险单或者其他保险凭证上批注或者附贴批单。

投保人变更受益人时须经被保险人同意。

第四十二条　被保险人死亡后，有下列情形之一的，保险金作为被保险人的遗产，由保险人依照《中华人民共和国继承法》的规定履行给付保险金的义务：

（一）没有指定受益人，或者受益人指定不明无法确定的；

（二）受益人先于被保险人死亡，没有其他受益人的；

（三）受益人依法丧失受益权或者放弃受益权，没有其他受益人的。

受益人与被保险人在同一事件中死亡，且不能确定死亡先后顺序的，推定受益人死亡在先。

中华人民共和国合同法

（1999年3月15日第九届全国人民代表大会第二次会议通过）

第八十条　债权人转让权利的，应当通知债务人。未经通知，该转让对债务人不发生效力。

债权人转让权利的通知不得撤销，但经受让人同意的除外。

第八十一条　债权人转让权利的，受让人取得与债权有关的从权利，但该从权利专属于债权人自身的除外。

第八十二条　债务人接到债权转让通知后，债务人对让与人的抗辩，可以向受让人主张。

专家释惑

在保险合同有效期内，投保人和保险人经协商同意，可以变更保险合同的有关内容。变更保险合同的，应当由保险人在原保险单或者其他保险凭证上批注或者附贴批单。受益人姓名的更改不同于受益人的变更。在更改姓名的情况下，实际上受益人并没有发生变化。

81. 学校为学生投保，保险金归谁？

案例81　王某的爷爷能获得保险金吗？

事情是这样的

王某，男，7岁，系某子弟小学一年级的学生，父母因感情不和，母亲离家出走多年，父亲在煤矿打工且不务正业，王某跟随爷爷王大成一起生活。2003年9月，学校组织在某保险公司为学生投保了学生平安意外伤害保险，每人交保险费20元，意外伤害身故保险金1万元；投保时没有指定身故受益人。2004年5月的一个下午，王某的父亲来学校接他回家，晚上父子二人在街上吃完饭，王某的父亲想起了离家出走多年的妻子，想着夫妻关系的破裂及妻子的离家出走肯定与岳父家人从中作梗有关，于是就想给岳父家一些教训。晚上22：00左右王某的父亲将王某骗到他外公家门口将王某杀死，并将王某的尸体放到王某外公家楼下。第二天早上王某的尸体被人发现，经公安机关侦破，王某的父亲被公安机关抓获。

2004 年 6 月，王某的爷爷王大成到保险公司申请王某的身故保险金理赔。经保险公司调查核实，王某自从父母离婚后就一直跟随爷爷生活，王某的父亲对王某生活照顾很少。

保险公司以被保险人王某的爷爷王大成的保险理赔申请没有申请资格为由，不予赔付王某的身故保险金。

律师专线

本案中，王某的学校组织在某保险公司为学生投保了学生平安意外伤害保险，但投保时没有指定身故受益人。对于这种情况，应该适用《保险法》第 42 条的规定："被保险人死亡后，有下列情形之一的，保险金作为被保险人的遗产，由保险人依照《中华人民共和国继承法》的规定履行给付保险金的义务：(一) 没有指定受益人，或者受益人指定不明无法确定的；(二) 受益人先于被保险人死亡，没有其他受益人的；(三) 受益人依法丧失受益权或者放弃受益权，没有其他受益人的。受益人与被保险人在同一事件中死亡，且不能确定死亡先后顺序的，推定受益人死亡在先。"可见，在正常情况下，王某身故，没有指定受益人的，应向被保险人的继承人履行，王某是未成年人，按照《继承法》的规定，其第一顺序的继承人仅包括其父母，而其母下落不明，其父正是杀害王某的凶手。《保险法》第 43 条又规定："投保人故意造成被保险人死亡、伤残或者疾病的，保险人不承担给付保险金的责任。投保人已交足二年以上保险费的，保险人应当按照合同约定向其他享有权利的受益人退还保险单的现金价值。受益人故意造成被保险人死亡或者伤残的，或者故意杀害被保险人未遂的，丧失受益权。"《继承法》也有相关规定。因此，其父丧失受益权。此时，则应向王某的第二顺序继承人给付保险金。

法律规范

中华人民共和国保险法

（1995 年 6 月 30 日第八届全国人民代表大会常务委员会第十四次会议通过，

2002 年 10 月 28 日第九届全国人民代表大会常务委员会第三十次会议修正，2009 年 2 月 28 日第十一届全国人民代表大会常务委员会第七次会议修订）

第四十二条　被保险人死亡后，有下列情形之一的，保险金作为被保险人的遗产，由保险人依照《中华人民共和国继承法》的规定履行给付保险金的义务：

（一）没有指定受益人，或者受益人指定不明无法确定的；

（二）受益人先于被保险人死亡，没有其他受益人的；

（三）受益人依法丧失受益权或者放弃受益权，没有其他受益人的。

受益人与被保险人在同一事件中死亡，且不能确定死亡先后顺序的，推定受益人死亡在先。

第四十三条　投保人故意造成被保险人死亡、伤残或者疾病的，保险人不承担给付保险金的责任。投保人已交足二年以上保险费的，保险人应当按照合同约定向其他权利人退还保险单的现金价值。

受益人故意造成被保险人死亡、伤残、疾病的，或者故意杀害被保险人未遂的，该受益人丧失受益权。

中华人民共和国继承法

（1985 年 4 月 10 日第六届全国人民代表大会第三次会议通过）

第七条　继承人有下列行为之一的，丧失继承权：

（一）故意杀害被继承人的；

（二）为争夺遗产而杀害其他继承人的；

（三）遗弃被继承人的，或者虐待被继承人情节严重的；

（四）伪造、篡改或者销毁遗嘱，情节严重的。

第十条　遗产按照下列顺序继承：

第一顺序：配偶、子女、父母。

第二顺序：兄弟姐妹、祖父母、外祖父母。

继承开始后，由第一顺序继承人继承，第二顺序继承人不继承。没有第一顺序继承人继承的，由第二顺序继承人继承。

本法所说的子女，包括婚生子女、非婚生子女、养子女和有扶养关系的继子女。

本法所说的父母，包括生父母、养父母和有扶养关系的继父母。

本法所说的兄弟姐妹，包括同父母的兄弟姐妹、同父异母或者同母异父的兄弟姐妹、养兄弟姐妹、有扶养关系的继兄弟姐妹。

专家释惑

本案中的问题，仍然是在没有指定受益人的情况下，由谁获得保险金。在此等情况下，保险金作为被保险人的遗产，应由保险人向被保险人的继承人履行给付保险金的义务。另外，根据《继承法》的规定，继承人有下列行为之一的，丧失继承权：（一）故意杀害被继承人的；（二）为争夺遗产而杀害其他继承人的；（三）遗弃被继承人的，或者虐待被继承人情节严重的；（四）伪造、篡改或者销毁遗嘱，情节严重的。因此，王某的父亲虽然是王某的第一顺序法定继承人，但因为故意伤害被继承人，丧失继承权。

82. 再婚后受益权归谁？

案例 82　徐某与林某索赔纠纷案

事情是这样的

林勇与妻子徐某生活在一个南方城市，因为种种原因，两人的婚姻无法再维持下去，2006 年，两人协议离婚。在此之前，2004 年 5 月时，林勇投保了 10 年定期死亡保险，保险金额为 5 万元。投保时，林勇在投保单上的“受益人”一栏填写的是“妻子”，但并没有写明徐某的姓名。2007 年初，林勇又与李某再结良缘。2007 年 6 月 11 日，林勇回老家探亲，没想到这一去就再也没能回来，车行到途中发生严重车祸，林勇当场死亡。之后，由谁来领取这份定期死亡保险的保险金在林勇的两位妻子之间发生了争执。原来，林勇在定期人身保险投保单的受益人一栏中只注明“妻子”两字，并未写明其姓名。而在 2004 年 5 月林勇投保定期人身保险时，其妻子为徐某，2 年后林勇与徐某离婚，于 2007 年春节与李某结为夫妇。因此，徐、李两人各持己见，同时到保险公司来申请领取保险金。针对这种情况，保险公司内部也出现了几种不同的观点：

一种观点认为，在保险合同中，受益人应该指的是确定的人，而并非一种特定的关系。在此案中，林勇投保定期死亡保险时，在投保单上注明“妻子”作为受益人，虽然林勇没有写明其妻子的姓名，但根据当时的情况，这里填写的妻子显然指的是徐某，即徐某是林勇的指定受益人。林勇在与徐某离婚后，虽然又与李某结婚，但并未提出更改受益人的要求。所以，本案中的保险金应该给付徐某。

另一种观点则认为，“妻子”这个概念体现的是一种特定关系，而非确定的人。所谓受益人是指在被保险人死亡之后领取保险金的人，本案中的受益人妻子当然是指死亡事故发生时被保险人的妻子，即李某，保险公司应该向李某支付保险金。

还有一种观点认为，根据《保险法》第40条的规定，被保险人或者投保人可以指定一人或者数人为受益人。林勇指定其妻子作为受益人，而徐某和李某都符合该特定条件，因此应该按照相等的份额享有保险金。

保险公司最后认定该保险合同应该视为无指定受益人的合同。根据《保险法》第42条的规定，没有指定受益人的合同，在被保险人死亡后，保险金应该作为被保险人的遗产，由保险人向被保险人的继承人（本案中即为李某）履行给付保险金的义务。

律师专线

根据《保险法》的规定，受益人是指人身保险合同中由被保险人或者投保人指定的享有保险金请求权的人。《保险法》对受益人的资格没有规定限制条件，自然人、法人均可以作为受益人。

但《保险法》并未规定在合同中以何种明确的方式指定受益人。可以从签订保险合同的目的和出发点来解释，能够得出以下两方面的结论：

一方面，从受益人的概念来看，受益人应该是明确的法人或自然人，而不是某种特定关系。本案中在投保时指定的受益人妻子，当时应该视为是指徐某本人。同时，《保险法》第41条规定，被保险人或者投保人可以变更受益人并书面通知保险人。林勇如果想更改保险单，使其后来的妻子李某成为受益人，应该向保险公司提出变更受益人的要求，但他并未行使该权利。从这一点来看，该保险单的受益人应该是投保时默认的徐某，而非李某。

另一方面，被保险人购买死亡保险单一般而言是为了保障家属在其死亡后的经济需要。林勇在投保单上注明妻子作为受益人，是希望如果他发生意外，其家属可以获得一定的经济补偿，维持正常的生活水平。虽然投保时的妻子是徐某，但2年后二人离婚，解除了法定的婚姻关系，后来的李某才是其法定的妻子。因此，为了维护被保险人的合法权利，充分体现保险存在的目的和被保险人的意志，本案中应该由其法定的妻子李某作为受益人领取保险金。

显然，上述分析从同一解释原则出发却得到了不同的结论。但分析本案，其关键在于“妻子”在法律上实质是一种特定的关系，并不适合作为一种保险合同中受益人的指定方式。根据国内外的保险惯例，人身保险合同中指定受益人时，受益人的名称和住所均应记载在保险合同的有关文件中。因此，该合同应该视为未指定受益人的合同。根据《保险法》第42条的规定，没有指定受益人的合同，在被保险人死亡后，保险金应该作为被保险人的遗产，由保险人向被保险人的继承人履行给付保险金的义务。依据我国《继承法》的规定，法定继承分为两个顺序，第一顺序继承人包括配偶、子女、父母；第二顺序继承人包括兄弟姐妹、祖父母、外祖父母。所以，本案中的保险金应该按照遗产分配的顺序，由李某和林勇的子女、父母分享。

注意

受益人作为保险合同的关系人，享有保险合同所规定的保险金请求权，因而在保险合同中，受益人要么不作任何规定，保险金将作为被保险人的遗产；在指定受益人的情况下，必须明确写明受益人的姓名及与被保险人的关系，以避免因不明确导致指定无效。业务员在指导客户填写投保单时，应提醒客户注意这些事项。

法律规范

中华人民共和国保险法

（1995 年 6 月 30 日第八届全国人民代表大会常务委员会第十四次会议通过，2002 年 10 月 28 日第九届全国人民代表大会常务委员会第三十次会议修正，2009 年 2 月 28 日第十一届全国人民代表大会常务委员会第七次会议修订）

第二十条 投保人和保险人可以协商变更合同内容。

变更保险合同的，应当由保险人在保险单或者其他保险凭证上批注或者附贴批单，或者由投保人和保险人订立变更的书面协议。

第二十一条 投保人、被保险人或者受益人知道保险事故发生后，应当及时通知保险人。故意或者因重大过失未及时通知，致使保险事故的性质、原因、损失程度等难以确定的，保险人对无法确定的部分，不承担赔偿或者给付保险金的责任，但保险人通过其他途径已经及时知道或者应当及时知道保险事故发生的除外。

第三十九条 人身保险的受益人由被保险人或者投保人指定。

投保人指定受益人时须经被保险人同意。投保人为与其有劳动关系的劳动者投保人身保险，不得指定被保险人及其近亲属以外的人为受益人。

被保险人为无民事行为能力人或者限制民事行为能力人的，可以由其监护人指定受益人。

第四十条 被保险人或者投保人可以指定一人或者数人为受益人。

受益人为数人的，被保险人或者投保人可以确定受益顺序和受益份额；未确定受益份额的，受益人按照相等份额享有受益权。

第四十二条 被保险人死亡后，有下列情形之一的，保险金作为被保险人的遗产，由保险人依照《中华人民共和国继承法》的规定履行给付保险金的义务：

（一）没有指定受益人，或者受益人指定不明无法确定的；

（二）受益人先于被保险人死亡，没有其他受益人的；

（三）受益人依法丧失受益权或者放弃受益权，没有其他受益人的。

受益人与被保险人在同一事件中死亡，且不能确定死亡先后顺序的，推定受益人死亡在先。

专家释惑

受益人一般在人寿保险合同的死亡保险中出现，投保人投保死亡保险的目的在于万一被保险人遭遇事故死亡后，使被保险人家属免遭经济上的困境，所以在死亡保险合同中指定受益人作为保险金领取人。

受益人享受由保险合同产生的利益，不承担交纳保险费的义务。投保人如未按时交纳保险费，受益人可以代付。受益人不能在被保险人生存时向保险人索取保险金。受益人的赔付请求权是从投保人或被保险人手中受让而来。凡有权利能力的公民，虽不具有行为能力也可以作为受益人，同时也不问受益人与被保险人或投保人是否存在保险利益关系。

受益人对保险金的请求权的权限，仅仅适用与他在保险金给付时生存的情形。如果收益人在请求保险金给付前死亡，那么投保人或被保险人的指定便失去了效力。也就是说，这份保单的受益权，即请求保险公司给付保险金的权利，不能由受益人的继承人来继承。那么，这份保险单的保险利益如何处理呢？按照规定，当被保险人死亡时，因为受益人已先于被保险人死去，保险金将作为被保险人的遗产，由被保险人的继承人来继承。

如果人身保险合同中没有指定受益人，那么，在被保险人死亡后，保险金也将由被保险人的继承人来继承。有一点要特别向客户说明清楚的，如果在保险合同中约定了一定保险金在被保险人死亡后给付指定的受益人，那么这一部分保险金不能作为被保险人的遗产，只能给付指定的受益人。以上是有关保险金继承的情况。

此外，受益人一经指定，只要不发生丧失受益权的情况，或者放弃受益权的情况，那么保险合同中约定的受益人的权利就一直存在。即使投保人已经破产，或者被保险人死后留有债务，保险金的请求权都属于受益人所有。但是，被保险人或者投保人有权另行指定受益人。根据《保险法》有关规定，被保险人或者投保人在指定受益人之后，如果觉得不满意，可以根据自己的意愿，重新指定受益人。只要想更改，便可以更改，不需要有特别的理由，不需要征求原先指定的受益人的同意，也无须征求保险公司同意。但是，这个权利由投保人来行使时，则必须事先征求被保险人的意见，只有被保险人同意之后，投保人才可以变更受益人。变更受益人时，不需要征得保险公司同意，但必须书面通知保险公司。保险公司在收到变更受益人通知之后，应该在保险合同上作批注。如果投保人或被保险人变更受益人时没有书面通知保险公司，保险公司没有在保险合同上作批注，那么变更受益人的行为无效，原先指定的受益人依旧享有保险金请求权。受益人也可以声明自己放弃受益权，不接受保险金给付。但是，受益人无权将自己的受益权转让他人，保险公司也不接受受益人的转让。受益人的转让，只能由受益人的变更这一程序来完成，也就是说，只能由投保人或被保险人来完成。如果受益人放弃受益权后，没有第二个受益人，那么保险金请求权由被保险人的法定继承人来继承。受益权虽然为受益人所有，但他也可能会丧失的。如果受益人故意造成被保险人死亡，或者故意伤害被保险人，或者故意杀害被保险人未遂的，都将丧失受益权。

对于本案中出现的情况，即受益人的指定为对夫对妻的指定。该类受益人对象单一，易确定，通常的方法有两种：一种是姓名加夫（或妻），一种是只用夫（或妻），两种方法均有产生纠纷的可能性。第一种方法易出现虽姓名相符，但夫妻关系已不存在的情况。对于此种情况，我国和我国台湾地区保险法的做法都忽略夫（或妻）的指定，以姓名为准。即法律推定虽夫妻关系不存在，但被保险人仍保有对前夫（或妻）的受益人指定。如果被保险人死亡时已与指定的夫（或妻）离异再婚，就会出现前夫（或妻）与现在的夫（或妻）谁为受益人的争议。美国保险法分不同情况处理，如果离婚协议中已规定了对保险金的处理则依协议；如果未规定则归被保险人死亡时的夫（或妻）所有。综合两种方法，以姓名加夫或妻的指定方法更为全面，且更确定，值得我国立法时借鉴。

提醒

在保险合同中受益人如何指定呢？受益人是人身保险合同中由被保险人或者由投保人指定的享有保险金请求权的人。投保人可以是受益人，被保险人或者其他人也可以作为受益人。受益人的权利就是受益权。哪些人可以作为受益人呢？《保险法》对此没有作出严格的规定。也就是说，受益人的资格是没有限制条件的。自然、法人都可以作为受益人。受益人可以与被保险人、投保人有血缘关系，也可以无血缘关系。也就是说，被保险人、投保人可以任意指定一个人作为受益人。但是，当投保人与被保险人不是同一个人时，投保人指定受益人时必须经过被保险人的同意。被保险人是无民事行为能力的人，或者是限制民事行为能力的人时，可以由其监护人来指定受益人。指定受益人时，可以指定一人或者数人为受益人，还可以决定受益人享受保险金的份额。如果受益人是若干人时，投保人或者被保险人可以确定受益人的受益顺序、受益的份额数，如果没有确定受益的份额数，那么各个受益人便等额享有受益权。

83. 离婚是否影响受益权？

案例83　孙某与李父索赔纠纷案

事情是这样的

李某系某公司秘书，婚后在很长一段时间内与其丈夫感情很好，双方都以为能够白头偕老。2004 年 12 月 7 日，李某在某保险公司购买了数份以其本人为被保险人的人身综合保险，其中死亡保险金为 8 万元，她在保单上载明的受益人为丈夫孙某。不料，几年后，因为一些生活琐事，双方经常闹得不愉快，婚姻再也难以延续下去，两人在一起只是增加痛苦。2006 年 10 月，李某与丈夫夫妻感情破裂，经法院调解离婚。此时谁也没有提到李某买的那些保险，没有想到保险会起到什么作用。但天有不测风云，2007 年 3 月 12 日，李某在外地出差途中遭遇车祸，头部严重受伤，在送往医院的途中死亡。李某的父亲在清理女儿的遗物时发现了李某的保险单，于是持保险单等相关材料向保险公司提出领取保险金的申请。孙某在得知这一消息后也向保险公司提出领取保险金的申请。保险公司在收到两份申请后，认为是一个新问题，到底该给付谁一时决定不下。于是孙某、李父分别将保险公司告上法院，要求保险公司给付死亡保险金。孙某认为保险单上载明的受益人是自己，那么自己就理所当然地享有受益权，保险公司应当向自己支付保险金。而李某的父亲却认为当初在保险单上记载孙某为受益人是因为当时孙某是李某的丈夫，但现在孙某与李某已经离婚数月，双方已经没有任何关系，保险金也就不应该支付给孙某，而应该作为孙某的遗产由自己继承。

法院将两案并案审理后，判决保险公司支付孙某 8 万元保险金，驳回了李父的诉讼请求。

律师专线

本案涉及的问题主要是：第一，人身保险合同中受益人的指定问题；第二，人身保险合同中投保人指定的受益人与被保险人离婚后是否丧失受益权。就本案的具体情况来看，在保险合同订立之初，保险单上记载的受益人就是孙某，也就是说投保人李某指定了孙某为受益人。而离婚并不构成合同变更的法定理由，投保人也没有向保险公司申请变更，因此虽然孙某与李某已经离婚，但受益人没有变更。在继承关系和保险关系并存的情况下，是应当优先考虑保险受益人的领受制度的。同时由于本案中确实存在有合格且未放弃权利的受益人孙某，保险金的给付排除遗产继承是必然的。所以尽管李某与孙某已经离婚，但投保人与被保险人并没有申请变更被保险人和受益人，受益人仍然是孙某。因此本案中孙某是该保险合同的受益人，保险公司应将保险金支付给孙某。

法律规范

中华人民共和国保险法

（1995年6月30日第八届全国人民代表大会常务委员会第十四次会议通过，2002年10月28日第九届全国人民代表大会常务委员会第三十次会议修正，2009年2月28日第十一届全国人民代表大会常务委员会第七次会议修订）

第三十一条　投保人对下列人员具有保险利益：

（一）本人；

（二）配偶、子女、父母；

（三）前项以外与投保人有抚养、赡养或者扶养关系的家庭其他成员、近亲属；

（四）与投保人有劳动关系的劳动者。

除前款规定外，被保险人同意投保人为其订立合同的，视为投保人对被保险人具有保险利益。

订立合同时，投保人对被保险人不具有保险利益的，合同无效。

第三十九条　人身保险的受益人由被保险人或者投保人指定。

投保人指定受益人时须经被保险人同意。投保人为与其有劳动关系的劳动者投保人身保险，不得指定被保险人及其近亲属以外的人为受益人。

被保险人为无民事行为能力人或者限制民事行为能力人的，可以由其监护人指定受益人。

第四十条　被保险人或者投保人可以指定一人或者数人为受益人。

受益人为数人的，被保险人或者投保人可以确定受益顺序和受益份额；未确定受益份额的，受益人按照相等份额享有受益权。

第四十一条　被保险人或者投保人可以变更受益人并书面通知保险人。保险人收到变更受益人的书面通知后，应当在保险单或者其他保险凭证上批注或者附贴批单。

投保人变更受益人时须经被保险人同意。

第四十二条　被保险人死亡后，有下列情形之一的，保险金作为被保险人的遗产，由保险人依照《中华人民共和国继承法》的规定履行给付保险金的义务：

（一）没有指定受益人，或者受益人指定不明无法确定的；

（二）受益人先于被保险人死亡，没有其他受益人的；

（三）受益人依法丧失受益权或者放弃受益权，没有其他受益人的。

受益人与被保险人在同一事件中死亡，且不能确定死亡先后顺序的，推定受益人死亡在先。

专家释惑

离婚是婚姻的解除。夫妻离婚，一方面引起保险利益的变化，原来的夫妻之间已没有婚姻关系，由此形成的保险利益也不复存在。各国针对寿险保单的特点，为了保护被保险人的利益都允许寿险保单继续有效。但是，在夫妻离异后，原有保险所引起的道德风险却明显增大，在保险给付时更易引起纠纷。另一方面，保险虽然从总体上看是一种或有利益，但是它已成为家庭金融财产的重要组成部分，况且有些险种的给付具有必然性，所以，在夫妻离异时必须妥善处理保险单。然而，现实生活中，由于人们对保险了解很有限，即使拥有保险单，也不知道如何处理其中的法律关系，无论是立法人员，还是普通消费者，对离婚时的保险问题都重视不够。某男去世后，其前妻与现任妻子对簿公堂已不是新闻，最后的结果，可能是其现任妻子既失去丈夫，又得不到保险金，且因打官司弄得身心疲惫，苦不堪言，其中的关键就是，某男离婚时未妥善处理自己的保险单，指定的受益人未作变更。由此看来，将保险单上的权利变更纳入离婚处理的项目是非常必要的。

关于受益人的指定。投保人或被保险人既可以在订立合同时就确定受益人，也可以在合同成立后指定受益人，对所指定的受益人，无需事先征得其本人或保险人的同意，只需在保险单上注明。如果指定的受益人不止一人，其受益顺序和受益份额的分配，应在保险单上详细写明，否则视为所有受益人对保险金额享有同等的份额。

我国《保险法》第 40 条明确规定：“被保险人或者投保人可以指定一人或者数人为受益人。受益人为数人的，被保险人或者投保人可以确定受益顺序和受益份额；未确定受益份额的，受益人按照相等份额享有受益权。”在保险实务中，投保人或被保险人有时往往以身份来标明受益人，如投保人或被保险人只指明继承人、配偶、子女等为受益人的。投保人或被保险人可以指定任何第三人为受益人，原则上不受限制。但有时法律基于某种特定考虑，明确规定只有对被保险人有保险利益的人，才可成为受益人，无保险利益的人即使被指定为受益人，也无权请求给付保险金。

关于人身保险合同中投保人指定的受益人与被保险人离婚后是否丧失受益权的问题。在人身保险合同中，受益人一般都是被保险人的利益关系人。法律之所以允许投保人或被保险人指定这个人作为受益人，主要目的在于当被保险人发生保险事故后，他可以从保险人处领取一定数额的保险金，用以弥补由于其利害关系人遭受不幸而带来的物质上或精神上的损害和负担。根据我国《保险法》第 18 条的规定，受益人是指人身保险合同中由被保险人或者投保人指定的享有保险金请求权的人。投保人、被保险人可以为受益人。也就是说，受益人是根据投保人或被保险人的意思指定的，体现着指定人的意志。但同时，根据《保险法》第 41 条规定：被保险人或者投保人可以变更受益人并书面通知保险人。也就是说，指定人在保险事故发生前的任何时间都可以随时变更受益人，这也同样应是指定人的自由意志。因此，在人身保险合同中，当李某与孙某离婚后，李某完全有自由意志予以变更受益人，从而使离婚后的孙某不再成为保单的受益人。但事实上她并没有这样做，而仍继续保留了受益人为孙某。

提醒

在保险金给付中一般是排除遗产继承直接适用的。这也是从保险合同法作为私法，充分尊重当事人意思自治原则而引申出的一条重要原则。与遗产继承制度相比，保险法规定的受益人优先原则，更能体现和尊重当事人的意思自治。据此，在保险金给付问题上，当遗产继承制度与保险法所确认的受益人领受制度发生冲突时，应优先考虑适用保险法中的受益人领受制度，而排除遗产继承制度的直接适用。只有在被保险人死亡后，没有受益人（包括没有指定受益人或受益人先于被保险人死亡没有其他受益人）或者受益人没有受益权（包括受益人依法丧失受益权或放弃受益权），才能将保险金作为被保险人的遗产，适用遗产继承制度由继承人继承。我国《保险法》第 42 条对此作出了明确规定。

84. 夫妻离异，保单是否分割？

案例 84　张女士离婚保单分割案

事情是这样的

2005 年 3 月，张女士的丈夫孙先生为张女士投保了保险金额为 10 万元的人寿保险，年缴保费 3 100 元，受益人为孙先生。2007 年 2 月，张女士与丈夫孙先生离婚。此时，该保单已经交纳了 2 年保费，共计 6 200元。离婚后，张女士持有保单并继续为该份保险交纳保险费。不过，由于离婚时双方未就保单的有关权益达成协议，离婚后张女士虽然已交纳了 1 年的保费，但保单上的投保人仍然是孙先生。2007 年 6 月，张女士要求变更投保人和受益人，双方就该保单的权益问题发生争执，孙先生认为该保单应属夫妻共有财产，如果变更投保人和受益人，张女士应补偿其一半保费和一半保险金。张女士对此不同意，遂向律师咨询，问其前夫孙先生是否有权要求获得一半保费和一半保险金。

律师专线

张女士咨询的问题，涉及寿险保单中的财产权问题。保单项下的财产权有包括保单已交纳的保费和保单所载明的保险金。保单已交纳的保险费，所有权属于投保人，在保险事故发生之前，投保人可以随时要求退保，按保险条款的约定获得保险公司退还的保险费。但一旦发生保险事故，投保人的该项权利就消失了，保单项下的财产权就是保单所载明的保险金，保险金的请求权属于被保险人或受益人。但是，这种权利只有当保险事故发生或者满期，给付发生时才成为既得的权利，而在此之前，它只是期待权而不是既得权，它有可能因保单失效、受益人撤换、受益人先于被保险人死亡或受益人杀害被保险人等各种原因变更或消失。

张女士的这种情况，对于保单已交纳的保费，其所有权属于保单的投保人孙先生，但由于其中一部分保费即 6 200 元是在夫妻关系存续期间交纳的，这部分保费应当属于夫妻共有财产。因此，作为投保人的一方，应当给予对方相当于该部分已交纳保费的权利，所以其前夫孙先生有权获得 3 100 元的补偿。但张女士在离异后所交纳的一部分保费即 3 100 元应属其个人财产，对此孙先生无权要求一半的补偿。

对于保单所载明的保险金，在保单持续有效的情况下，如果发生保险事故时，保单的受益人仍是孙先生，该笔保险金就应属于孙先生所有。但如果发生保险事故前，投保人或者被保险人已申请变更了受益人，那么，该笔保险金就归变更后的受益人享有。

根据我国目前的法律规定，保单所载明的受益人对保险金的权利是预期的、不确定的，保险金能否成为受益人的既得权益，取决于保单是否持续有效或受益人是否变更等各种因素。因此，夫妻离异时，这种预期利益不应属于夫妻关系存续期间的财产，不应按照夫妻共有财产处理。所以，张女士的前夫孙先生无权要求获得一半的保险金。

法律规范

中华人民共和国保险法

（1995 年 6 月 30 日第八届全国人民代表大会常务委员会第十四次会议通过，

2002 年 10 月 28 日第九届全国人民代表大会常务委员会第三十次会议修正，2009 年 2 月 28 日第十一届全国人民代表大会常务委员会第七次会议修订）

第三十一条　投保人对下列人员具有保险利益：

（一）本人；

（二）配偶、子女、父母；

（三）前项以外与投保人有抚养、赡养或者扶养关系的家庭其他成员、近亲属；

（四）与投保人有劳动关系的劳动者。

除前款规定外，被保险人同意投保人为其订立合同的，视为投保人对被保险人具有保险利益。

订立合同时，投保人对被保险人不具有保险利益的，合同无效。

第三十九条　人身保险的受益人由被保险人或者投保人指定。

投保人指定受益人时须经被保险人同意。投保人为与其有劳动关系的劳动者投保人身保险，不得指定被保险人及其近亲属以外的人为受益人。

被保险人为无民事行为能力人或者限制民事行为能力人的，可以由其监护人指定受益人。

第四十一条　被保险人或者投保人可以变更受益人并书面通知保险人。保险人收到变更受益人的书面通知后，应当在保险单或者其他保险凭证上批注或者附贴批单。

投保人变更受益人时须经被保险人同意。

专家释惑

寿险保单的保险费由纯保费和附加保费组成，其中纯保费用于承担合同中约定的保险责任，投保人退保时，需要按年度扣除相应保费，因为公司已经提供了保障。附加保费又分为管理费用和销售佣金两部分，管理费用于保险公司本身的各项费用开支，销售佣金则用于支付营销员的销售费用。投保人可以申请退保，退还的现金价值 = 投保人已交纳的保费 − 保险公司的管理费用开支在该保单上分摊的金额 − 保险公司因为该保单向推销人员支付的佣金 − 保险公司已经承担该保单保险责任所需要的纯保费 + 剩余保费所生利息。

这部分价值应归投保人所有。

而保险金则应在发生保险事故后，由受益人获得，在未发生保险事故时，不存在确定的保险金。

85. 人身保险中投保人是否有如实告知义务?

案例85 唐某诉保险公司案

事情是这样的

2004年11月，唐某在某保险公司业务员的说服下投保。11月18日，保险公司签发了老来福终生寿险及附加住院医疗保险。2005年9月，唐某因病住院，医疗费计9 158.30元。2005年10月，唐某依保险单向保险公司申请给付医疗费，保险公司以唐某带病投保为由拒绝给付。唐某遂以该保险公司为被告向人民法院提起诉讼。唐某诉称，保险公司认定唐某带病投保的根据是唐某2005年9月诊治医院的病历记录，而病历记录中关于唐某投保前患病的记载来源于口述，这种口述不是唐某所为，病历记录属于传来证据，没有证据效力，保险公司始终没提供可以认定唐某投保前患病的检验报告及医护人员证人证言等直接证据，保险公司的拒付保险金决定没有事实根据。另外，保险公司的业务员在订立保险合同时，没有依法向唐某说明保险条款。被告保险公司辩称，被告业务员在订立保险合同时已向原告唐某说明了保险条款，原告唐某在投保前已患有多种疾病，违反了如实告知义务，属于带病投保，被告有权解除保险合同，不承担保险责任，不退还保险费。

法院经审理查明，原告唐某于2004年11月8日向被告投保，被保险人为原告自己，险种为老来福终生寿险及附加住院医疗保险，前者投保10份，交纳保险费4 780元，后者投保2份，交纳保险费629元。原告在投保单健康告知栏中，对2年内的健康检查、5年内疾病状况、目前患病或自觉症状等事项的回答均选择“无”，并在声明栏中被保险人处签名，称对本保险合同条款和费率的规定及投保须知均已了解并同意遵守，且所填各项及被保险人健康告知均属事实。被告于2004年11月13日承保，出具了相应的保险单，原告患病在保险责任期限内，花用医疗费9 158.30元。原告于2005年10月13日申请给付保险金，被告于2005年11月11日以原告投保前患有多种疾病为由，拒绝给付，并解除合同。另查，原告在医院治疗期间，病历中明确记载病史：7年前因患阑尾炎手术治疗，3年前B超发现胆囊结石，患冠心病4年、高黏高脂血症3年、高血压3年、糖尿病2年，并配辅助检查及常规检查，与病情相吻合。

法院认为，保险合同为诚实信用合同，在订立合同时，保险人和投保人均应当将保险合同涉及的重要事项向对方说明或告知。就保险人而言，应当向投保人说明合同的条款内容，尤其是责任免除条款；对投保人而言，对保险人就有关情况，尤其是重要事项的询问应当如实告知。本案中，原告认为被告业务员没有说明合同条款，并提供证言，本院认为证人与原告系同事关系，存在利害关系，不予采信，且原告在投保单声明栏中签字，认可对合同条款等均已了解，故对原告的此项请求不予支持，保险人免除责任条款产生效力。另外，原告入院后病历记载内容反映出原告投保前已患有多种疾病，而原告不能提出病历记载不真实的反证，且这些疾病都被原告在健康告知栏中所否认，故原告之行为显系故意隐瞒事实，不履行如实告知义务，被告从而取得了解约权，原告要求继续履行合同的要求不予支持，原告应承担相应的后果。根据《中华人民共和国保险法》的规定，判决被告不承担原告医疗费保险责任；原告交纳的保险费，被告不予退还；驳回原告其他诉讼请求。

律师专线

投保人在订立保险合同时，就保险人提出的和保险标的或者被保险人有关的情况的询问，有如实告知的义务。我国《保险法》第16条规定，订立保险合同，保险人应当向投保人说明保险合同的条款内容，并可以就保险标的或者被保险人的有关情况提出询问，投保人应当如实告知。投保人故意隐瞒事实，不履行如实告知义务的，或者因过失未履行如实告知义务，足以影响保险人决定是否同意承保或者提高保险费率的，保险人有权解除保险合同。投保人故意不履行如实告知义务的，保险人对于保险合同解除前发生的保险事故，不承担赔偿或者给付保险金的责任，并不退还保险费。投保人因过失未履行如实告知义务，对保险事故的发生有严重影响的，保险人对于保险合同解除前发生的保险事故，不承担赔偿或者给付保险金的责任，但可以退还保险费。保险事故是指保险合同约定的保险责任范围内的事故。

法律规范

中华人民共和国保险法

（1995年6月30日第八届全国人民代表大会常务委员会第十四次会议通过，2002年10月28日第九届全国人民代表大会常务委员会第三十次会议修正，2009年2月28日第十一届全国人民代表大会常务委员会第七次会议修订）

第十六条　订立保险合同，保险人就保险标的或者被保险人的有关情况提出询问的，投保人应当如实告知。

投保人故意或者因重大过失未履行前款规定的如实告知义务，足以影响保险人决定是否同意承保或者提高保险费率的，保险人有权解除合同。

前款规定的合同解除权，自保险人知道有解除事由之日起，超过三十日不行使而消灭。自合同成立之日起超过二年的，保险人不得解除合同；发生保险事故的，保险人应当承担赔偿或者给付保险金的责任。

投保人故意不履行如实告知义务的，保险人对于合同解除前发生的保险事故，不承担赔偿或者给付保险金的责任，并不退还保险费。

投保人因重大过失未履行如实告知义务，对保险事故的发生有严重影响的，保险人对于合同解除前发生的保险事故，不承担赔偿或者给付保险金的责任，但应当退还保险费。

保险人在合同订立时已经知道投保人未如实告知的情况的，保险人不得解除合同；发生保险事故的，保险人应当承担赔偿或者给付保险金的责任。

保险事故是指保险合同约定的保险责任范围内的事故。

专家释惑

保险合同是最大诚信合同，要求保险期间保险双方对另一方如实告知。因为在订立人身保险合同时，保险人向投保人收取保险费的多少和是否承保，都取决于保险人对其承保的危险的正确估计或者判断。保险人估计保险危险发生的程度，只能以投保人的真实陈述为基础。因此，我国《保险法》第16条规定，订立保险合同，保险人应当向投保人说明保险合同的条款内容，并可以就保险标的或者被保险人的有关情况提出询问，投保人应当如实告知。投保人故意隐瞒事实，不履行如实告知义务的，或者因过失未履行如实告知义务，足以影响保险人决定是否同意承保或者提高保险费率的，保险人有权解除保险合同。投保人故意不履行如实告知义务的，保险人对于保险合同解除前发生的保险事故，不承担赔偿或者给付保险金的责任，并不退还保险费。投保人因过失未履行如实告知义务，对保险事故的发生有严重影响的，保险人对于保险合同解除前发生的保险事故，不承担赔偿或者给付保险金的责任，但可以退还保险费。保险事故是指保险合同约定的保险责任范围内的事故。

理解该条，我们应注意几个问题：1. 如实告知，是真实、客观的告知，不得隐瞒或者编造虚假情况。2. 我国保险法只规定了告知义务人为投保人，而国外很多国家都将被保险人等包括在内。3. 告知的时间。《保险法》第16条规定订立保险合同时，投保人负有告知义务。因此，在保险合同成立之前，都是告知的时间。如果投保人按照保险人的书面询问，履行了告知义务，在保险人承诺以前，发生了重要变化，投保人应当负有追加告知的义务。4. 告知的范围。仅限于保险人就保险标的或者被保险人有关情况提出的询问事项，投保人没有主动告知义务。对于保险人询问的事项，也不负有无限告知义务，仅限于投保人知道或者应该知道的足以影响保险人决定是否同意承保或者提高保险费率的重要事项。此外，对于下列事项，即使影响保险人决定是否承保或者提高保险费率，如果没有保险人的特别询问，投保人不负有告知义务：保险风险降低的；保险人已经知道或者在通常业务活动中应当知道的；经保险人申明不需告知的；投保人按照默示或明示担保条款不需告知的。

上述案例说明了被保险人投保健康保险时，一定要如实告知身体状况，而不仅仅是当时的情况。保险公司在核查被保险人身体状况时，应该更具体、细化，而不是笼统地使用“目前”等比较含糊的字眼。

注意

该条规定表明，如实告知乃是投保人负担的一项义务，在保险公司对被保险人进行体检的同时，被保险人或投保人仍应如实告知前后一段时间的身体状况，不然影响保险公司承保的，属于未如实告知责任，保险公司可以依据法律或条款解除合同。

86. 年龄告知不实会有什么后果？

案例 86　付某与保险公司纠纷案

事情是这样的

2005 年 11 月 12 日，某单位为全体职工投保了简易人身险，每个职工 150 份（5 年期），月交保险费 30 元，其中也包括在该单位工作了几十年的付某。2007 年 5 月，灾难降临到付某的身上，早上出门上班的付某还好好的，出门前还与家人像往常一样道了别，并关照小孙女要乖乖地上学听老师的话，可出门没多久付某却因交通事故不幸死亡，小孙女再也见不到可亲的爷爷了，举家上下一片悲痛。在单位的协助下，他的家人带着单位开出的介绍信及相关的证明资料，到保险公司申领保险金。保险公司在查验这些单证时，发现被保险人付某投保时所填写的年龄与其户口簿上所登记的不一致，投保单上所填写的 64 岁显然是不真实的。实际上，投保时付某已有 67 岁，超出了简易人身险条款规定的最高投保年龄（65 岁）。

于是，保险公司以单位投保时申报的被保险人的年龄已超出了保险合同约定的年龄限制为理由，拒付该笔保险金，并在扣除手续费后，向该单位退还了付某的保险费。

律师专线

被保险人的年龄是决定保险费率的重要依据，也是在承保时测量危险程度，决定可否承保的依据。一般来说，年龄越大，危险也越大。但是在订立人身保险合同时，要逐个验明被保险人的实际年龄是有困难的，因此，往往是在发生保险事故或者在年金保险开始要发放年金时，才核实年龄。所以不可避免地就会产生许多年龄申报不实情形，这其中有些带有欺诈的成分，有些也许只是投保人的偶然疏忽或过失所致。但有一点很显然，这样对保险公司控制风险是非常不利的。所以《保险法》第 32 条第 1 款规定：“投保人申报的被保险人年龄不真实，并且其真实年龄不符合合同约定的年龄限制的，保险人可以解除合同，并按照合同约定退还保险单的现金价值。保险人行使合同解除权，适用本法第十六条第三款、第六款的规定。”在本案中付某的年龄申报不实将直接导致保险合同的被解除，尽管这种不实告知也许是出于疏忽或其他原因。

但是既然年龄误告构成了对最大诚信原则的违反，又为何要规定 2 年的解除期呢？因为在众多的年龄申报不实的案例中，有许多并非是出于故意的，而保险公司如果注意到这一点，在投案人订立保险合同时故意放纵，而在出险时解除合同，不予赔付，则显然对被保险人是极不公平的。鉴于此，法律规定了一个选择期（在我国是 2 年），在此期间内保险公司有权选择是否执行选择权，但一旦该期间一过，它就不能再以同样理由拒绝履行合同，就好像它已经注意到了这种情况的存在并予以默认，这也就是人身保险合同中常常提到的不可抗辩条款。

所以，本案中保险公司的拒付理由是充足的，完全符合《保险法》的有关规定，并且自保险合同成立之日起未超过 2 年。

法律规范

中华人民共和国保险法

（1995 年 6 月 30 日第八届全国人民代表大会常务委员会第十四次会议通过，

2002 年 10 月 28 日第九届全国人民代表大会常务委员会第三十次会议修正，2009 年 2 月 28 日第十一届全国人民代表大会常务委员会第七次会议修订）

第三十二条　投保人申报的被保险人年龄不真实，并且其真实年龄不符合合同约定的年龄限制的，保险人可以解除合同，并按照合同约定退还保险单的现金价值。保险人行使合同解除权，适用本法第十六条第三款、第六款的规定。

投保人申报的被保险人年龄不真实，致使投保人支付的保险费少于应付保险费的，保险人有权更正并要求投保人补交保险费，或者在给付保险金时按照实付保险费与应付保险费的比例支付。

投保人申报的被保险人年龄不真实，致使投保人支付的保险费多于应付保险费的，保险人应当将多收的保险费退还投保人。

专家释惑

年龄不实是寿险合同常见条款之一。年龄误告条款通常规定了投保人在投保时误报被保险人年龄情况下的处理方法。一般分为两种情况：一是年龄不实影响合同效力的情况。被保险人真实年龄不符合合同约定的年龄限制的，保险合同为无效合同，保险人可解除保险合同，但需向投保人退还保险费。二是年龄不实影响保险费及保险金额的情况。投保人申报的被保险人年龄不真实，致使投保人支付的保险费少于应付保险费或多于应付保险费，保险金额应根据真实年龄进行调整。调整的原因在于年龄是人寿保险对风险估计与计算保险费率的主要因素。调整的方法是：误报年龄导致实交保费少于应交保费的，投保人可以补交过去少交保费的本利，或按已交保费核减保额；误报年龄导致实交保费大于应交保费的，无息退还多收的保费。条款规定，被保险人的投保年龄如填报不实，应区别情况采取不同方式予以调整。被保险人的投保年龄是确定寿险费率的重要依据，也是承保时用以测定危险的一个因素，因而如实填报是投保方必须履行的义务。至于填报年龄不实却适用不可抗辩条款的规定。通常，年龄的误报大多数直到被保险人死亡时才被发现，而此时可能距投保之时已相隔很长时间，倘若此误报亦在不可抗辩条款范围，就不能再将年龄予以更正。有鉴于此，就须在签发保单以前验证被保险人的真实年龄用以防范日后可能出现的各种纠纷。但是在实践上有些投保人在投保时并不一定能提供真实年龄的证明，于是坚持这一要求，可能会影响合同的签订。因此，保险实务中，于签单时并不要求保户提供年龄证明，不过在保单有效期间发现年龄误报，就需要按本条款规定的办法予以更正。误报年龄一般应依照下列规定办理：1. 真实年龄超过最高承保年龄时，保险合同无效，其已交保险费无息返还投保人；2. 真实年龄较规定的最低起保年龄为小时，保险合同自被保险人到达最低承保年龄当日起生效；3. 错误年龄大于真实年龄，而致溢交保险费时，应无息退还其溢交部分的保险费；4. 错误的年龄小于真实年龄的，应补交保险费的差额，并加收补交部分的利息。如在发生保险事故后发觉的，得按原交保险费比例减少保险金额。例如，假定保险金额为1万元，如按投保年龄为30岁，则应付年交保险费300元。如为31岁，则应付320元。如果被保险人填报的年龄为30岁，并已按年支付保险费300元，于被保险人死亡时，查证其当年投保时的真实年龄为31岁，由于年龄误报，应给付的死亡保险金不是1万元，而是9 375元，其计算如下：10000元×300/320＝9375元。

对此，我国现行《简易人身保险条款》第12条规定：投保人在投保时应按照规定格式据实填投保单。被保险人误报年龄，应申请更正。在发生保险事件时，经查被保险人年龄不实，保险人按实际年龄给付保险金，如果投保时实际年龄已超过规定承保年龄限度，保险人不负保险责任，仅退还其所交的保险费。又如《中保康联康万年终身寿险条款》（2000年6月）中第14条规定：年龄确定与错误处理：一、被保险人的投保年龄以实足周岁计算；二、您在向本公司申请投保时，应在康万年终身寿险投保单上填明被保险人的真实年龄。倘若发生年龄误告，本公司依下列约定处理：1. 倘若真实的年龄不符合本合同约定的年龄限制，本公司有权解除本合同。本公司决定解除合同的，无论解除前是否已发生保险事故，本公司均不负保险金给付责任，仅在扣除手续费后，无息退还已交的保险费；但自合同生效日或最后复效日（以较迟者为准）起逾2年者除外。2. 倘若误告的年龄导致本公司实收的保险费少于应收的保险费，本公司有权作相应的更正并要求您补交保险费及累积利息。若已发生保险事故，本公司将按照实收的保险费和应收的保险费比例折算给付保险金。3. 倘若误告的年龄导致本公司实收的保险费多于应收的保险费，本公司无息退还多收的保险费。

87. 未及时对投保人违约行为提出异议会怎样?

案例 87　肖某之子诉保险公司案

事情是这样的

2003 年 10 月，肖某因患肺气肿无法正常上班，便办了提前病退手续。2004 年 4 月，保险公司的业务员到肖某所在工厂的宿舍宣传保险，上门展业。肖某在得知了有关保险内容后，便要求为自己投保简易人身保险，并当即填写了投保单，保险期限 15 年，每月保费 24 元，保额为 5 000 元，起保日期为 2004 年 4 月 14 日，肖某还在健康询问栏中填写了"健康"字样。此后，肖某一直按时交纳保险费。2007 年 9 月 4 日，肖某之子携带被保险人的死亡证明，到保险公司报案登记，并填写了出险通知书，要求死亡给付。

保险公司接到报案后进行了调查，发现被保险保前患有严重肺气肿，并且是因患病而提前病退，这显然是不符合简易人身保险的投保条件：身体健康，能正常劳动和正常工作，即符合全勤工作和劳动条件的人。肖某在“健康状况”一栏中故意隐瞒事实，不履行如实告知义务，违反了《保险法》第 16 条的规定，而且肖某所隐瞒的事实，是足以影响保险人决定是否同意承保或者提高保险费率的重要事实。肖某死于肺心病，这与其曾患的肺气肿有一定联系。对于这种情况，保险人是有权解除保险合同的。肖某之子则提出保险合同订立已超过 2 年，应适用不可抗争条款。对此案，保险合同当事人双方的分歧颇大。最后，双方不得不诉诸法院。法院判决保险公司可以拒赔，驳回原告肖某的诉讼请求。

律师专线

投保人在订立保险合同之时，负有如实告知义务，我国《保险法》第 16 条规定，订立保险合同，保险人应当向投保人说明保险合同的条款内容，并可以就保险标的或者被保险人的有关情况提出询问，投保人应当如实告知。投保人故意隐瞒事实，不履行如实告知义务的，或者因过失未履行如实告知义务，足以影响保险人决定是否同意承保或者提高保险费率的，保险人有权解除保险合同。投保人故意不履行如实告知义务的，保险人对于保险合同解除前发生的保险事故，不承担赔偿或者给付保险金的责任，并不退还保险费。投保人因过失未履行如实告知义务，对保险事故的发生有严重影响的，保险人对于保险合同解除前发生的保险事故，不承担赔偿或者给付保险金的责任，但可以退还保险费。保险事故是指保险合同约定的保险责任范围内的事故。本案中，原告援引了所谓不可抗争条款来支持自己的诉讼请求。我国《保险法》第 32 条第 1 款规定，投保人申报的被保险人年龄不真实，并且其真实年龄不符合合同约定的年龄限制的，保险人可以解除合同，并在扣除手续费后，向投保人退还保险费，但是自合同成立之日起逾 2 年的除外。该款实际上是法定的不可抗争条款。但是，我国《保险法》并没有确立保险人弃权制度，对保险人行使合同解除权的期间并没有限制；在人身保险合同中，也没有将违反健康方面的如实告知义务加以规定不可抗争条款。因此，根据《保险法》第 16 条，投保人违反如实告知义务，保险人是可以解除保险合同，拒绝赔偿的。

注意

不可抗争条款，是指投保人违反如实告知义务致使保险人有权解除保险合同或者不负给付保险金责任的，经过保险合同特约的期间或法定的期间，保险人不得以投保人违反如实告知义务而拒绝保险合同约束力的条款。不可抗争条款体现了保险合同的最大诚信原则，同保险人弃权和禁止反言制度紧密相关。

法律规范

中华人民共和国保险法

（1995 年 6 月 30 日第八届全国人民代表大会常务委员会第十四次会议通过，2002 年 10 月 28 日第九届全国人民代表大会常务委员会第三十次会议修正，2009 年 2 月 28 日第十一届全国人民代表大会常务委员会第七次会议修订）

第十六条　订立保险合同，保险人就保险标的或者被保险人的有关情况提出询问的，投保人应当如实告知。

投保人故意或者因重大过失未履行前款规定的如实告知义务，足以影响保险人决定是否同意承保或者提高保险费率的，保险人有权解除合同。

前款规定的合同解除权，自保险人知道有解除事由之日起，超过三十日不行使而消灭。自合同成立之日起超过二年的，保险人不得解除合同；发生保险事故的，保险人应当承担赔偿或者给付保险金的责任。

投保人故意不履行如实告知义务的，保险人对于合同解除前发生的保险事故，不承担赔偿或者给付保险金的责任，并不退还保险费。

投保人因重大过失未履行如实告知义务，对保险事故的发生有严重影响的，保险人对于合同解除前发生的保险事故，不承担赔偿或者给付保险金的责任，但应当退还保险费。

保险人在合同订立时已经知道投保人未如实告知的情况的，保险人不得解除合同；发生保险事故的，保险人应当承担赔偿或者给付保险金的责任。

保险事故是指保险合同约定的保险责任范围内的事故。

第三十二条　投保人申报的被保险人年龄不真实，并且其真实年龄不符合合同约定的年龄限制的，保险人可以解除合同，并按照合同约定退还保险单的现金价值。保险人行使合同解除权，适用本法第十六条第三款、第六款的规定。

投保人申报的被保险人年龄不真实，致使投保人支付的保险费少于应付保险费的，保险人有权更正并要求投保人补交保险费，或者在给付保险金时按照实付保险费与应付保险费的比例支付。

投保人申报的被保险人年龄不真实，致使投保人支付的保险费多于应付保险费的，保险人应当将多收的保险费退还投保人。

专家释惑

本案争议的焦点在于什么是不可抗争条款。不可抗争条款指的是在人寿保险和健康保险合同中，投保人未履行如实告知义务而订立合同，经过一定期限（一般为 2 年）后，保险人不得以投保人或被保险人违反最大诚信原则为由，解除保险合同或拒绝承担保险责任。也就是说，超过了 2 年，即使查明投保人采取隐瞒、欺诈手段订立了保险合同，保险人也无权解除保险合同。

人寿保险和健康保险条款的费率设计是以一定的年龄、健康状况，所从事的职业为依据的，但在保险活动的实务中，如果是保额较低，往往不做体检，不调查核实，只要求投保人在投保时如实告知保险人所询问的内容即可，《保险法》第 16 条关于保险人的说明义务和投保人的告知义务及违反告知义务的法律后果的规定表明，双方当事人的义务是法定义务而非约定义务，全面履行自己的义务是订立合法有效的保险合同的前提。

《保险法》第 16 条关于投保人的告知义务更多地体现了保护保险人的合法权益，但易于诱发保险人滥用该制度。特别是在人寿保险合同中，由于合同期限一般较长，更不容易查清投保人在投保时是否已经如实告知重要事实，若保险人主张投保人未履行如实告知义务而拒绝承担保险责任，则不利于维护被保险人和受益人的利益。

提醒

在国外，一般来讲，对保险人这项权益的保护是有所限制的，即保险公司只能在一定期限内（通常为2年）行使这项权利。在此期间，保险公司只要查明真相，均可行使保险合同解除权，超过了这个期限就意味着保险公司主动放弃了保险合同解除权。美国法律规定：要约人不管是由于过失，还是故意，甚至欺诈订立了合同，只要过了可争议期间，即为不可抗争。英国、法国、日本等国保险法都有不可抗争条款的规定。加拿大的保险法律也有不可争之规定，但规定“若有欺诈行为，不论契约经过期间如何，均为可争”，即只要是有欺诈行为的，就不适用不可抗争条款。

88. 人身保险可否超额保险、重复保险？

案例 88　林某家属诉保险公司案

事情是这样的

2004年7月，正值放假期间，终于可以放松下来的林某觉得也该让自己轻松轻松了，既然有时间就出去开开眼界，于是准备与朋友一起出国自助旅游，考虑到旅行中可能出现一些意外情况又得到一些朋友的推荐，林某在出发前向不同的保险公司投保了旅行平安保险与人身保险。其后，林某在国外旅游搭车游玩时，没想到灾难真的降临了，因大雨路滑，旅游车不幸从悬崖边滚落下去，林某当场死亡，其家属便向各保险公司要求林某行前所投保的各种人身保险理赔，保险公司却以林某在出国前向多家保险公司投保的事情并没有告知保险公司，使公司对于其是否超逾保额或危险是否过分集中，无法做正确评估以决定是否承保，因此主张不予理赔，林某的家属悲愤难当，遂向法院请求判决保险公司理赔。

法院认为，林某向多家保险公司投保人身保险的行为，在法律上称作“重复保险”，这种重复投保的行为除另有约定外，投保人应将其他保险人的名称以及保险金额通知各保险人。若投保人故意不为通知，或意图不当得利而为重复保险，则所签订的契约无效，这在《保险法》第55条、第56条中有明文规定。然而重复保险应有通知义务的规定，缘于财产保险的目的在于填补被保险人的损害，有损害才有赔偿，所以被保险人不得为超额赔偿请求，也不得以重复保险为变相的超额保险，以使保险人在承保前，有机会就保额是不是超逾，危险是否集中等为详细评估，以决定是否承保，所以法律上特别规定投保人为重复保险时有通知保险人的义务。

然而，人身保险的保险标的，也就是保险对象（人的生命）是无法计价的，也无法以经济上的利益观点去评估价值，自然与一般可以计价的财产保险不同。人身保险不可以计价赔偿方式计算超逾损害的超额赔偿情形，此从人身保险的保险金给付多采用一定金额的给付理赔，而不是计算被保险人实际经济损害多少，就可以明了。另外，重复保险、超额保险是规定在《保险法》的第2章第3节财产保险合同中，其有关超额保险、重复保险的规定应当适用于财产保险，而不及人身保险。因此，法院判定保险公司的主张是无理由的，各保险公司应按与林某订立的保险合同进行赔偿。

律师专线

由于人身保险的保险金额是根据当事人的约定，明确规定在保险合同中，不是以衡量人的自身价值为基础，因此人身保险不存在超额保险和重复保险。被保险人可以先后或同时参加同一种或几种人身保险，可以根据约定得到规定的保险金合付。

注意

如一个人参加简易人身保险，出去旅游时又参加了旅游保险，在途中乘火车，又成为法定的铁路旅客意外伤害险的被保险人。假定这个人在乘火车中发生意外事故死亡，其受益人可以同时领取铁路旅客意外伤害保险金，旅游保险死亡保险金和简易人身保险的死亡保险金三份保险金。

法律规范

中华人民共和国保险法

（1995年6月30日第八届全国人民代表大会常务委员会第十四次会议通过，2002年10月28日第九届全国人民代表大会常务委员会第三十次会议修正，2009年2月28日第十一届全国人民代表大会常务委员会第七次会议修订）

第五十六条　重复保险的投保人应当将重复保险的有关情况通知各保险人。

重复保险的各保险人赔偿保险金的总和不得超过保险价值。除合同另有约定外，各保险人按照其保险金额与保险金额总和的比例承担赔偿保险金的责任。

重复保险的投保人可以就保险金额总和超过保险价值的部分，请求各保险人按比例返还保险费。

重复保险是指投保人对同一保险标的、同一保险利益、同一保险事故分别与两个以上保险人订立保险合同，且保险金额总和超过保险价值的保险。

专家释惑

上述案例中涉及的两个问题，一个是人身保险是否存在超额保险、重复保险的问题，若投保人在几个保险公司投保了人身保险是否能获得合同中约定的赔偿。另一个问题是投保人是否未履行如实告知义务。

保险的种类繁多，重复保险制度是否对于任一险种均可适用？对此，学界认识并不一致。有学者认为各种保险均可以适用重复保险制度。基于广义重复保险的理念，重复保险制度并非财产保险的专有制度，人身保险也可以发生重复保险的情形。学者通说则采二分法，认为财产保险应受重复保险之限制，而人身保险则无重复保险之适用。

比较分析上述两种主张中，后者似乎较为适当。第一，重复保险制度本源于损失填补原则，因此必须属于损失填补之保险险种，才有适用重复保险的余地；第二，保险法中人身保险的保险利益均系人身上利益，而不承认经济上利益，基于人身无价的理念，其价值可以无限大，故不存在超额保险之情形；第三，以人身上的利益作为保险利益，导致人身保险基本可归入到定额给付保险的范畴中去，而与损失填补无关；第四，既然重复保险之于人身保险无防止超额保险、避免不当得利的实益，若使之适用于人身保险，将会引发不必要的纠纷；最后，对于医疗费用保险的给付，可以采用定额给付方式，也可以采取补偿方式。采取补偿方式的医疗费用保险，从形式上看貌似人身保险，但实质上属于损失填补型的保险，保险人给付的是投保人或被保险人实际支付的费用，故对此种医疗费用保险应有重复保险制度的适用空间。

从另一个方面看，对重复保险适用于财产保险而不涉及人身保险的论点，又不宜作绝对化理解。从《保险法》第31条对人身保险合同上保险利益的厘定来看，我国将人身保险的保险利益主要建立在身份利益基础之上，同时允许源于信赖关系（同意原则）的保险利益存在，而并未将人身保险的保险利益延伸到经济上的利益。这一方面或许是因为立法之初尚不存在这样的必要与可能，另一方面也与我国立法将商业保险以保险标的为标准，划分为财产保险与人身保险两大类相关联。此种划分恰恰忽视了在人身保险中亦有损失填补型的保险，从而不仅未能考虑到不同类型保险合同权利义务性质的差异，而且在实务上易滋生法律适用的困惑。

对于投保人在投保时是否应将已在其他保险公司投保的事实作为如实告知的内容，可以作这样的分析：如实告知义务，是保险合同双方的主要义务，因为保险合同的承保对象是不确定的危险或事故，必须要求双方将有关情况如实告知对方，所以保险合同也被称作最大诚信合同。投保人如未履行如实告知义务，保险公司有权解除合同，并对合同解除前发生的保险事故不承担保险责任。投保人是否未履行如实告知义务，可从主、客观两方面进行判断。主观方面是故意或过失；客观方面是指有投保人未告知或未如实告知的事实，并且该事实足以影响保险人决定是否承保或者提高保险费率。本案中林某虽然没有告知其已向其他保险公司投保，但因人身保险合同不存在重复保险的问题，故该告知并不影响保险公司决定是否承保或提高保险费率，因此不属于未履行如实告知义务的情形。

89. 获得第三者赔偿后还可向保险公司索赔吗？

案例 89 张某诉保险公司案

事情是这样的

2002 年 2 月 20 日，张先生被江某驾驶的运货大卡车撞伤住院治疗，交警部门认定在本次交通事故中司机江某负全部责任。经协商，江某赔偿了张先生医疗费、营养费、护理兼误工费、交通费等损失共计8 000元。在事故发生前，张先生已向某保险公司投保了 1 万元的意外伤害医疗保险。为此，张先生认为他获得了江某的赔偿后，还可以向保险公司申请赔付 1 万元的保险金。张先生到保险公司要求赔付，但是遭到保险公司拒绝。于是，张先生向当地法院起诉。

律师专线

人身保险合同不同于财产保险合同。财产保险合同中，如果第三人造成被保险人受到损害并应该负赔偿责任时，保险人在对被保险人给付赔偿之后，对第三人有代位追偿的权利；但是，如果被保险人首先向第三人索赔，并且获得了足以填补损害的赔偿，此后若被保险人再向保险人索赔，保险人可以在赔偿的限度内要求被保险人转让已经获得的利益，这符合财产保险合同的填补损害原则。但是人身保险合同则不同，人身保险的保险标的为人的寿命或者身体，具有无法用金钱来评价的特点，因此不妨碍投保人可以重复投保，或者在出现上述情形时向多方索赔。

注意

如果是第三人造成了被保险人伤残或者死亡等保险事故的，保险人向被保险人赔付保险金之后，并不能取得代位追偿权。我国《保险法》第 46 条明确作了这样的规定：人身保险的被保险人因第三者的行为而发生死亡、伤残或者疾病等保险事故的，保险人向被保险人或者受益人给付保险金后，不得享有向第三者追偿的权利。

法律规范

中华人民共和国保险法

（1995 年 6 月 30 日第八届全国人民代表大会常务委员会第十四次会议通过，2002 年 10 月 28 日第九届全国人民代表大会常务委员会第三十次会议修正，2009 年 2 月 28 日第十一届全国人民代表大会常务委员会第七次会议修订）

第四十六条　被保险人因第三者的行为而发生死亡、伤残或者疾病等保险事故的，保险人向被保险人或者受益人给付保险金后，不享有向第三者追偿的权利，但被保险人或者受益人仍有权向第三者请求赔偿。

专家释惑

本案例中，张先生能否申请保险金的赔付，在法律上涉及请求权的竞合问题。张先生被江某驾驶的运货大卡车撞伤而住院治疗，张先生与江某之间形成了侵权行为之债，张先生由此获得了向江某请求侵权损害赔偿的权利。同时，张先生向保险公司投保了意外伤害医疗保险，张先生因撞伤住院治疗，也具有根据保险合同向保险公司申请住院医疗保险金的权利。在这种情况下，由于同一事实符合两个法律规范的赔偿要件，从而产生了请求权竞合的问题。请求权竞合所产生的法律后果因其形态的不同而有所差异，一般有三种情况：一是请求权择一行使，二是请求权合并行使，三是请求权分别行使。

在财产保险中，补偿原则是财产保险合同理赔时最明显的原则之一。根据补偿原则，被保险人所获得的赔偿不得超过其所受到的损失，被保险人不能因保险关系而取得额外的利益。因此，如果被保险人因他人过错遭到损失，在获得保险公司的赔偿后，就不能再向第三者索赔，而应当将向第三者的索赔权转让给保险公司。如果选择在向第三人索赔满足填补损害要求之后，再向保险公司索赔的，保险人可以要求被保险人在保险公司给付的限度内转让被保险人已经获得利益。但在人身保险中，由于人的生命和健康是难以用价值来衡量的。因此，人身保险合同的理赔一般不适用补偿原则。在人身保险合同中一旦发生请求权的竞合，请求权应当可以分别行使。

张先生投保的是人身保险中的健康类保险，医疗健康保险的理赔属人身保险中比较特殊的一类，因为医疗保险的理赔与财产保险一样，也适用补偿原则，被保险人获得的赔付一般不得超过其实际支出的医疗费用。不过，一旦发生请求权的竞合，根据有关规定，除非双方另有约定，请求权一般也可以分别行使。中国人民银行保险司〔1998〕63号文件《关于医疗费用重复给付问题的答复》规定："如果在意外伤害医疗保险条款中没有关于'被保险人由于遭受第三者伤害，依法应负赔偿责任时，保险人不负给付医疗费'之约定，保险人应负给付医疗费的责任。"因此，像张先生这种情况，如果张先生在发生车祸前已经向保险公司投保了1万元的人身意外伤害医疗保险，那么，即使张先生已经从第三者手中获得了损害赔偿金，除非保险条款中有相反的规定，否则，并不影响张先生再向保险公司申请人身意外伤害医疗保险金。该医疗保险金的数额应在1万元保额内按张先生实际支出的医疗费用计算。至于误工费、交通费等并不属于医疗费用的范围，因此，这部分费用不能得到保险公司的赔付。

提醒

人身保险可以重复投保，也允许得到多份保险金。并且如果被保险人因他人过错遭到损失，在获得保险公司的赔偿后，并不影响其再向第三者索赔的权利，反之亦是如此。因此，在人身保险合同中一旦发生请求权的竞合，请求权应当可以分别行使。但医疗健康保险的理赔属人身保险中比较特殊的一类，因为医疗保险的理赔与财产保险一样，也适用补偿原则，被保险人获得的赔付一般不得超过其实际支出的医疗费用。

90. 住院医疗费用可否得到双重给付？

案例90　吴某与保险公司纠纷案

事情是这样的

2005年3月21日晚8时左右，某校学生吴某由市内返回学校，突然被一辆中巴车从后面撞倒了，当即便被人送往医院抢救。经当地的交通管理部门裁决，此次事故是由于中巴车刹车系统出了故障而导致的，车主负有全部责任。吴某住院期间的医疗费共计4 500元，车主全部承担了，吴某由于被撞还落下轻度残疾，车主又另行支付了残废补助金2万元。另外，吴某所在的学校在事故发生前已为在校的全体学生投保了学生意外伤害保险及附加医疗费，每人保额5 000元。吴某父母向律师咨询：对在车主已经支付了伤残金和全部的医药费后，保险公司是否还要履行支付的义务，吴某能否因此而获得双份利益？

律师专线

本案中，吴某可以向保险公司要求支付医疗费，详见“专家释惑”部分。

法律规范

中华人民共和国保险法

（1995年6月30日第八届全国人民代表大会常务委员会第十四次会议通过，2002年10月28日第九届全国人民代表大会常务委员会第三十次会议修正，2009年2月28日第十一届全国人民代表大会常务委员会第七次会议修订）

第四十六条　被保险人因第三者的行为而发生死亡、伤残或者疾病等保险事故的，保险人向被保险人或者受益人给付保险金后，不享有向第三者追偿的权利，但被保险人或者受益人仍有权向第三者请求赔偿。

专家释惑

人身保险合同不同于财产保险合同的根本原因在于人身保险合同的保险标的是无价的人身或者寿命，因此人身保险合同的许多制度同财产保险合同有较多区别。

本案例中，吴某投保的是学生意外伤害附加医疗险。意外伤害保险是以被保险人的身体利益为保险标的，以被保险人遭受意外伤害或因伤害而致残、致死为保险事故，当保险事故发生时，由保险人按合同规定给付保险金的人身保险。

构成意外伤害保险的要件是：1. 被保险人在保险期限内遭受了意外伤害；2. 被保险人死亡或残废；3. 被保险人的死亡或残废与其所受意外伤害之间存在因果关系。本案中，吴某在保险期限内遭受了意外伤害致残，就是说，吴某所受伤害与其残废存在着因果关系。因此保险公司不能因为车主已经付了伤残金而拒付，而是应根据实际情况及伤残程度在保险金额限度内给付保险金。

吴某再向保险公司索要医疗费的主张是合法的。中国人民银行保险司〔1998〕63号文件《关于医疗费用重复给付问题的答复》规定："如果在意外伤害医疗保险条款中没有关于'被保险人由于遭受第三者伤害，依法应负赔偿责任时，保险人不负给付医疗费'之约定，保险人应负给付医疗费的责任"。因此，吴某也可以索要医疗费。

91. 人身意外伤害保险的保险金应如何赔付?

案例91　江某诉保险公司案

事情是这样的

江某经同事介绍，在2007年8月1日，与某保险公司签订了保险合同，按合同要求交纳了福寿两全保险费及附加意外伤害保险费，保险期限为20年。没想到，灾难很快降临了，2007年8月30日，江某右手不慎卷入分切机内，致使右手中指、无名指及小指三指残废，市人民医院和公安局进行了鉴定。江某要求保险公司按合同给付福寿两全保险保险金3万元，意外伤害保险保险金36万元。

保险公司则认为，保险合同属实，从江某的伤残程度来看，其右手小指部分缺失，中指和无名指只是部分丧失功能。根据《保险公司残疾程度与给付比例表》和《保险公司人身意外伤害残疾给付标准》的有关规定，不同意给付福寿两全保险保险金3万元，仅同意给付意外伤害保险保险金4 000元。双方因此发生争执，江某坚持要求给付总共6.6万元的保险金，而保险公司则认为只需支付4 000，江某只好将保险公司告上了法庭。

法院判决，保险公司应该改变理赔结果，赔付江某3.6万元意外伤害保险金，不给付3万元福寿两全保险金。

律师专线

这是因对手指残缺给付比例认定不同而产生的保险纠纷案。具体分析如下：

一、江某与保险公司签订的福寿两全保险条款约定：

1. 订立合同时，保险公司应向投保人说明保险条款；

2. 保险责任按《保险公司残疾程度与给付比例表》的规定进行赔偿，其中第10级8项约定：一手含拇指或食指有3个或3个以上手指机能永久完全丧失的，赔偿保险金额的15%。

二、附加意外伤害条款规定：《保险公司人身意外伤害残疾给付标准》所列残疾程度之一者，保险公司按该表所列比例给付残疾保险金，其中该标准：

1. 第20项约定，一手中指、无名指、小指残缺者，给付保险金额的18%；

2. 第21项约定，一手中指、无名指、小指之指骨部分残缺的，给付保险金额的2%；

3. 一次事故造成被保险人2项残疾的，保险公司给付各项残疾保险金之和，但一次事故造成综合性机能障碍或内脏器官缺失，不能按各项标准进行累加给付，只能按造成的结果进行综合考虑，或按较严重项目进行给付；

4. 保险事故发生后，投保人应于事故发生之日起10日内通知保险公司。

三、江某的残缺经人民医院和公安机关鉴定，其伤残情况为，右手小指末节缺失，第2关节僵硬，无名指第2、3关节僵硬畸形，中指第2关节僵硬，以上3指掌指关节活动尚可。

四、江某与保险公司签订的合同有效，江某所发生的事故属于保险责任。江某的伤残程度与福寿两全保险第10级8项的约定三指永久完全丧失机能不符合。

另外，保险双方签订合同时，被告未告知江某“残缺”的含义，对该两字的含义保险双方发生了歧义，根据《保险法》第30条的规定，对于保险合同的条款双方发生争议时，应作有利于投保人、被保险人的解释，即“残”是“残废”的意思，“缺”是“缺失”的意思，江某的伤残程度符合《保险公司意外残疾给付标准》第20项的规定，保险公司应给付江某人身意外伤害保险保险金3.6万元。

注意

本来保险公司不需支付高额的赔偿金，就只因为保险条款的规定不明，而且投保时工作不周造成了这样的结果。保险公司应该有这样的认识：在不能做到保险条款尽善尽美的情况下，就需要周到的售后服务去弥补。对于被保险人来说，在不能正确理解保险条款的情况下，尽可能去咨询保险公司有关人员，以减少纠纷的发生。这对保险双方都有好处。

法律规范

中华人民共和国保险法

（1995 年 6 月 30 日第八届全国人民代表大会常务委员会第十四次会议通过，2002 年 10 月 28 日第九届全国人民代表大会常务委员会第三十次会议修正，2009 年 2 月 28 日第十一届全国人民代表大会常务委员会第七次会议修订）

第十二条　人身保险的投保人在保险合同订立时，对被保险人应当具有保险利益。

财产保险的被保险人在保险事故发生时，对保险标的应当具有保险利益。

人身保险是以人的寿命和身体为保险标的的保险。

财产保险是以财产及其有关利益为保险标的的保险。

被保险人是指其财产或者人身受保险合同保障，享有保险金请求权的人。投保人可以为被保险人。

保险利益是指投保人或者被保险人对保险标的具有的法律上承认的利益。

第三十条　采用保险人提供的格式条款订立的保险合同，保险人与投保人、被保险人或者受益人对合同条款有争议的，应当按照通常理解予以解释。对合同条款有两种以上解释的，人民法院或者仲裁机构应当作出有利于被保险人和受益人的解释。

附：残疾程度与给付比例表

等级	项目	残疾程度	给付比例
第一级	一	双目永久完全失明的（注1）。	100%
	二	两上肢腕关节以上或两下肢踝关节以上缺失的。	
	三	一上肢腕关节以上及一下肢踝关节以上缺失的。	
	四	一目永久完全失明及一上肢腕关节以上缺失的。	
	五	一目永久完全失明及一下肢踝关节以上缺失的。	
	六	四肢关节机能永久完全丧失的（注2）。	
	七	咀嚼、吞咽机能永久完全丧失的（注3）。	
	八	中枢神经系统机能或胸、腹部脏器机能极度障碍，终身不能从事任何工作，为维持生命必要的日常生活活动，全需他人扶助的（注4）。	
第二级	九	两肢、或两下肢、或一上肢及一下肢，各有三大关节中的两个关节以上机能永久完全丧失的（注5）	75%
	十	十手指缺失的（注6）	
第三级	十一	一上肢腕关节以上缺失或一上肢的三大关节全部机能永久完全丧失的。	50%
	十二	一下肢踝关节以上缺失或一下肢的三大关节全部机能永久完全丧失的。	
	十三	双耳听觉机能永久完全丧失的（注7）。	
	十四	十手指机能永久完全丧失的（注8）。	
	十五	十足趾缺失的（注9）。	
第四级	十六	一目永久完全失明的。	30%
	十七	一上肢三大关节中，有二关节之机能永久完全丧失的。	
	十八	一下肢三大关节中，有二关节之机能永久完全丧失的。	
	十九	一手含拇指及食指，有四手指以上缺失的。	
	二十	一下肢永久缩短5公分以上的。	
	二一	语言机能永久完全丧失的（注10）。	
	二二	十足趾机能永久完全丧失的。	

第五级	二三 二四 二五 二六 二七 二八 二九	一上肢三大关节中，有一关节之机能永久完全丧失的。 一下肢三大关节中，有一关节之机能永久完全丧失的。 两手拇指缺失的。 一足五趾缺失的。 两眼眼睑显著缺失的（注11）。 一耳听觉机能永久完全丧失的。 鼻部缺损且嗅觉机能遗存显著障碍的（注12）。	20%
第六级	三十 三一 三二	一手拇指及食指缺失，或含拇指或食指有三个或三个以上手指缺失的。 一手含拇指或食指有三个或三个以上手指机能永久完全丧失的。 一足五趾机能永久完全丧失的。	15%
第七级	三三 三四	一手拇指或食指缺失，或中指、无名指和小指中有二个或二个以上手指缺失的。 一手拇指及食指机能永久完全丧失的。	10%

注：

（1）失明包括眼球缺失或摘除、或不能辨别明暗、或仅能辨别眼前手动者，最佳矫正视力低于国际标准视力表0.02，或视野半径小于5度，并由有资格的眼科医师出具医疗诊断证明。

（2）关节机能的丧失系指关节永久完全僵硬、或麻痹、或关节不能随意识活动。

（3）咀嚼、吞咽机能的丧失系指由于牙齿以外的原因引起器质障碍或机能障碍，以致不能作咀嚼、吞咽运动，除流质食物外不能摄取或吞咽的状态。

（4）为维持生命必要之日常生活活动，全需他人扶助系指食物摄取、大小便始末、穿脱衣服、起居、步行、入浴等皆不能自己为之，需要他人帮助。

（5）上肢三大关节系指肩关节、肘关节和腕关节；下肢三大关节系指髋关节、膝关节和踝关节。

（6）手指缺失系指近位指节间关节（拇指则为指阶间关节）以上完全切断。

（7）听觉机能的丧失系指语言频率平均听力损失大于90分贝，语言频率为500、1000、2000赫兹。

（8）手指机能的丧失系指远位指节间关节切断，或自近位指节间关节僵硬或关节不能随意识活动。

（9）足趾缺失系指自趾关节以上完全切断。

（10）语言机能的丧失系指构成语言的口唇音、齿舌音、口盖音和喉头音的四种语言机能中，有三种以上不能构声、或声带全部切除，或因大脑语言中枢受伤害而患失语症，并须有资格的五官科（耳、鼻、喉）医师出具医疗诊断证明，但不包括任何心理障碍引致的失语。

（11）两眼眼睑显著缺损系指闭眼时眼睑不能完全覆盖角膜。

（12）鼻部缺损且嗅觉机能遗存显著障碍系指鼻软骨全部或二分之一缺损及两侧鼻孔闭塞，鼻呼吸困难，不能矫治或两侧嗅觉丧失。

上述所谓永久完全系指自事故发生之日起经过一百八十天后，机能仍然完全丧失，但眼球摘除等明显无法复原之情况，不在此限。

专家释惑

本案是在有关人身意外伤害保险合同及其理赔中发生的纠纷。

普通人身意外伤害保险，是适用于被保险人为单个自然人的一种伤害保险。被保险人的年龄一般限制在16周岁至65周岁，且要求身体健康，能正常工作或劳动。不足16周岁或66周岁以上的人，由保险公司根据其具体情况决定是否承保。被保险人本人、对被保险人具有保险利益的其他人可作为投保人。

在合同保险责任有效期间内，被保险人遭受意外伤害，并且自意外伤害发生之日起180日内因同一原因死亡的，保险人按保险金额给付死亡保险金。被保险人自意外伤害发生之日起180日内因同一原因身体残疾的，保险人根据中国人民银行1998年制定的《人身保险采集程度与保险金给付比例表》的规定，按保险金额及该项残疾所对应的给付比例给付残疾保险金。如治疗仍未结束的，按第180日的身体情况进行残疾鉴定，并据此给付残疾保险金。被保险人因同一意外伤害造成一项以上身体残疾时，保险人给付对应项残疾保险金之和。但不同残疾项目属于同一手或同一足时，仅给付其中比例较高一项的残疾保险金。保险人所负给付保险金的责任以保险金额为限，一次或累计给付的保险金达到保险金额时，保险合同终止。

保险公司不承担保险责任的具体情况，一般包括如下内容：1. 投保人、受益人对被保险人的故意杀害、伤害；2. 被保险人故意犯罪或拘捕；3. 被保险人殴斗、醉酒、自杀、故意自伤及服用、吸食、注射毒品；4. 被保险人受酒精、毒品、管制药物的影响而导致的意外；5. 被保险人酒后驾驶、无有效驾驶执照驾驶或驾驶无有效行驶证的交通工具；6. 被保险人流产、分娩；7. 被保险人因整容手术或其他内、外科手术导致医疗事故；8. 被保险人未遵医嘱，私自服用、涂用、注射药物；9. 被保险人从事潜水、跳伞、攀岩运动、探险活动、武术比赛、摔跤比赛、特技表演、赛马、赛车等高风险运动；10. 被保险人患有艾滋病或感染艾滋病毒（HIV 呈阳性）期间；11. 战争、军事行动、暴乱或武装叛乱；12. 核爆炸、核辐射或核污染。

提醒

投保意外伤害保险时应注意以下几点：

一、最好和寿险主险搭配投保

有人认为，意外伤害保险的保费低廉，只买意外险就够了，这是一个误区。当然买意外险是个明智的选择，但其只是对安全保障、短期性质的风险承担。约定的时间过了之后，没有出事，保险自然失效，交出去的钱也拿不回来。因此，在经济状况许可时，最好把意外险附加在一个适当的寿险里面办，要有一个完整的保险计划，除了保障生命安全外，还能兼顾疾病、年金、养老、医疗等问题，使自己和家庭有一个全面而长久的保障。

二、注意保险条款中的除外责任

在意外伤害保险合同中，一般都有关于除外责任的规定，了解保险事故中的除外责任很有必要。它们主要有：

（1）原因除外：规定何种原因使被保险人遭受伤害属于除外责任；

（2）期间除外：规定被保险人在从事某种活动期间遭受意外伤害为除外责任，如在跳伞、漂流、摔跤等活动期间；

（3）地点除外：即规定被保险人在某些地点遭受意外伤害属于除外责任。如建筑工人意外伤害保险，在保险合同中规定被保险人在建筑工地以外所遭受意外伤害属于除外责任；

（4）项目除外：规定某些保险责任项目属于除外责任，如一份意外伤害保险合同只保意外伤害造成的死亡残废，就可规定意外伤害支出的医疗费属于除外责任。

92. 如何认定意外伤害？

案例 92　青霉素过敏造成伤害案

事情是这样的

2003 年 3 月 5 日，A 市某被保险人在当地保险公司投保了人身意外伤害保险，同时附加了意外伤害医疗保险。一天，被保险人因支气管发炎，去医院求治。医院按照医疗规程操作，先为被保险人进行青霉素皮试，结果呈阴性。然后按医生规定的药物剂量为其注射青霉素。治疗 2 天后，被保险人发生过敏反应，虽经医院全力抢救，但医治无效死亡。医院出具的死亡证明是：迟发性青霉素过敏。

被保险人的受益人持医院证明及保险合同向保险人提出索赔申请。保险人接到受益人的申请后，内部产生两种不同意见。一种意见是被保险人是在接受疾病治疗过程中死亡的，不属于意外伤害的范畴。由于被保险人投保的是人身意外伤害险，并非是疾病死亡与医疗保险，因此，保险人不应承担给付保险金的责任；另一种意见是尽管被保险人是在治疗疾病过程中死亡的，但由于迟发性的青霉素过敏对于医院和被保险人来说均属突然的意外事件，尤其对于具有过敏体质的人来说，不能认为身体仅对某种物质过敏是次健康体。因此，由于青霉素过敏导致死亡，可以比照中毒死亡处理，而不能认为是因疾病导致死亡。既然如此，排除了被保险人因疾病死亡的可能性，只能视为意外死亡。所以保险人应按照人身意外伤害险的保险合同规定，履行给付保险金的义务。最后，保险公司采纳了第二种意见。

律师专线

人身保险合同是以被保险人的寿命或者身体为保险标的的保险合同，意外伤害保险合同是其中的一种。意外伤害保险合同是指投保人和保险人约定，在被保险人遭到意外伤害并由此致残或者死亡时，由保险人依照约定向被保险人或者受益人给付保险金的保险合同。

注意

实践中，经常发生就何谓“意外伤害”以及事故是否属于保险事故等问题上的争议，上述案例就是典型例子。由于我国并没有更为明晰的立法，因此哪些属于意外伤害主要看各个保险公司自己制订的保险责任条款来判断。

法律规范

中华人民共和国保险法

（1995 年 6 月 30 日第八届全国人民代表大会常务委员会第十四次会议通过，2002 年 10 月 28 日第九届全国人民代表大会常务委员会第三十次会议修正，2009 年 2 月 28 日第十一届全国人民代表大会常务委员会第七次会议修订）

第三十条　采用保险人提供的格式条款订立的保险合同，保险人与投保人、

被保险人或者受益人对合同条款有争议的，应当按照通常理解予以解释。对合同条款有两种以上解释的，人民法院或者仲裁机构应当作出有利于被保险人和受益人的解释。

专家释惑

本案涉及对意外伤害的定义。目前我国尚未形成完整的意外伤害理论，一般而言倾向于认为，意外伤害定义为外来的、突然的、非本意的、非疾病的使被保险人身体受到伤害的客观事件。具体来说，意外伤害一般有几个特征：1. 必须是外来的或外界原因造成的事故，如果是由于被保险人自身的内在原因造成的，就不属于意外伤害，而是属于疾病保险合同的范畴；2. 必须是不可预料的事故，不是故意制造的事故；3. 必须是突然发生的事故，而不是常年累积形成的，比如长期在有毒环境中工作慢性中毒死亡就不应该属于意外伤害。就“意外”来说，《保险法》上的“意外”一词包括民法上的不可抗力、意外事件，还包括第三人的行为，因为这些对被保险人来说都是外来的、突然的、不可预见的。就“伤害”而言，伤害由致害物、侵害对象和侵害事实 3 个因素组成。意外伤害中的致害物必须是外来的，而不是被保险人内生的，如结石、心脏病等；侵害对象必须是被保险人的生理部分，而不是精神上的伤害；侵害事实必须同损害结果有因果关系。

首先，就意外伤害的定义而言，意外伤害是指外来的、突然的、非本意的使被保险人身体遭受剧烈伤害的客观事件。对于被保险人来说，医院按照医疗规程为其注射的青霉素药物，可以认定为外来的物质，即具有外来的因素；因皮试反应正常，被保险人于接受治疗 2 天后突发过敏反应，不仅被保险人自己难以预料，而且医院也是在被保险人发生过敏反应后才知道。尽管医院方知道人群中有人会发生青霉素过敏反应，但究竟何人发生、何时发生，尤其是首次使用青霉素药物，并产生迟发性青霉素过敏反应的人，对于医院方来说也是个未知数。因此，该事件对于被保险人来说，具有突然的因素；被保险人去医院受治疗的目的，是医治支气管的炎症，没有料到会因青霉素过敏反应导致身亡，显然被保险人具有非本意的因素。综合上述三个因素，被保险人的死亡完全符合意外伤害的定义。

再者，就意外伤害的因果关系而言，只有当意外伤害与死亡、残废之间存在因果关系时。即意外伤害是死亡或残废的直接原因或近因时，才构成保险责任。本案中，如果被保险人当初使用的不是青霉素，而是其他药物，很可能既医治好了支气管炎，又平安无事。但由于被保险人不知道自己对青霉素过敏，而医院方也认为可以正常使用青霉素，在这种前提下发生的悲剧。很显然，青霉素过敏反应是导致被保险人死亡的直接原因，也是意外伤害的原因。这是因为，我国医疗卫生部门至今没有统一确认：对于某种物质具有过敏反应体质的人，这种过敏反应是一种疾病。如果青霉素过敏反应不是疾病，我们通过排除法，可以得出结论，即被保险人的死亡，肯定不是自杀，也不是他杀，也不属于疾病死亡，也不是医院方的医疗责任事故，更不是自然死亡，只有意外死亡。因此，被保险人因青霉素过敏反应导致死亡，符合意外伤害的因果关系。

再次，从保险条款的有关规定来看，中保人寿保险有限公司在全国范围内下发了《个人意外伤害保险标准条款格式》，其中第 4 条责任免除的第 8 项条文是“被保险人未遵医嘱，私自服用、涂用、注射药物”，即由此原因导致被保险人的死亡、残疾的，保险人不负给付保险金的责任。这一规定，与老条款相比，是新增设的内容。可见，因注射药物引起被保险人的死亡、残疾，在全国已经不是首例。如果我们从反面来理解这一规定，即被保险人遵照医嘱注射药物，从而导致死亡、残疾的，保险人是否要承担给付保险金的责任呢？毫无疑问，答案应该是肯定的，保险人不仅要给付身故保险金，而且还应承担抢救期间的医疗费用。

提醒

以《保险法》第30条规定来看，对于保险合同的条款，保险人与投保人、被保险人或者受益人有争议时，人民法院或者仲裁机关应当作有利于被保险人和受益人的解释。结合本案例，由于被保险人投保的人身意外伤害保险，其合同（老条款）里没有将"遵照医嘱注射药物，导致被保险人的死亡、残废"作责任免除的内容，为此，如果受益人根据被保险人遵照医嘱注射青霉素导致意外死亡的这一事实向人民法院提起诉讼，要求获得人身保险金的赔偿，则人民法院定会作出有利于受益人的解释。当然，目前来看，有的保险公司已经以保险责任条款的方式明确了此类事故是否属于保险责任。

93. 死亡原因不明，保险公司会赔吗?

案例93　夏某等诉保险公司案

事情是这样的

2003年12月中旬，曾某及妻夏某与某保险公司业务员胡某等人一起吃饭时，曾向胡提出原来投保的人身意外伤害险已经到期，想重新投保，并当即交给胡300元现金。饭后胡某到保险公司领取了3份人身意外伤害综合保险的保单，交给曾某签名后拿回公司盖章，这3份保险单的签单日期为2003年12月21日，每份保费100元，保额3万元。该保险条款第13条"释义"中就意外伤害明确为：外来的、突发的、非本意的、非疾病的使身体受到伤害的客观事件，第4条"责任免除"中规定了13种情形造成发生保险事故的，保险公司不负给付保险金责任。办好投保手续后胡某电话通知曾某来领保单，曾某称正在外地出差过几天来领。12 月 26 日晚，曾某被人发现在办公室内死亡。公安局法医经过对尸体外表检查排除他杀，在征求家属意见是否需要做尸检时，曾某妻子夏某出具书面报告认为曾某属正常死亡不需解剖。12 月 28 日，曾某遗体被火化。12 月 30 日，夏某在清理遗物时，发现曾某 2002 年投保的人身意外伤害保险单，随即找到胡某，从胡手中拿到了 2003 年投保的 3 份保险单。随后，曾某的弟弟口头向保险公司告知了曾某死亡一事并提出理赔申请。此后夏某在派出所申报曾某死亡销户时，死亡登记表上登记的死亡原因为病故。2004 年 1 月 15 日，夏某书面申请理赔。4 月 20 日，保险公司以夏某未提供曾某死亡原因证据材料为由拒绝理赔。

2004 年 8 月 10 日，曾某的父、母、妻、子向法院提起诉讼，要求保险公司赔付保险金 9 万元。并提交了关于保险合同成立、被保险人死亡且遗体已火化、原告与被保险人的身份关系及被告拒绝理赔等事实的证据。被告则答辩称，因原告方未提供被保险人曾某意外死亡的有效证据，根据有关保险条款，被告可拒付保险金，要求驳回原告的诉讼请求。

法院经过公开开庭审理认为，保险合同合法有效，保险金应由曾某的法定继承人享有。曾某死亡后，因未对其尸体做尸检，导致死亡原因无法查清，但该结果并非原告得知曾某投保的事实后故意造成的，原告对此不应承担责任。因被告未能举证证明就保险合同中的免责条款在曾某投保时向其履行了明确说明义务，致免责条款无效，故被告拒付保险金没有理由，原告的诉讼请求应该支持，遂判决被告保险公司支付保险金 9 万元。

一审宣判后，被告保险公司不服，提出上诉，理由为：一、证据灭失的责任和后果应由被上诉人承担；二、被上诉人以病故向派出所申报注销户口；三、上诉人以被上诉人未提供意外伤害证据而拒赔，不涉及责任免除。

被上诉人则辩称：一、被上诉人是在不知曾某投保，且经公安机关同意的情况下作出不予尸检的决定；二、上诉人推定曾某系非意外伤害死亡，没有根据。

二审庭审中，上诉人保险公司业务员胡某出庭证实其就人身意外伤害保险的免责条款向曾某作了明确说明，曾某以前投保过该险种，知道该保险条款的内容。

二审经过公开开庭审理认为，曾某在保险公司业务员通知其领取保单后未及时领取，致使其生前未能拿到保单，责任应由曾某自负。被上诉人明知曾某交纳了人身意外伤害保险费，在曾某死亡后，却要求不做尸检，并将尸体火化，导致死亡原因无法查清的责任和后果应由原告承担。现被上诉人以曾某系意外伤害死亡向被告申请理赔，被上诉人应对曾某的死因承担举证责任。虽然上诉人提供了公安机关出具的证明，以证实曾某因意外死亡销户，但事后该公安机关又出具了因意外死亡纯属工作人员笔误的证明，因此上诉人出具的该份证明不能作为本案证据使用。被上诉人以曾某系意外伤害死亡要求上诉人支付保险金，没有依据，因此其诉讼请求不能支持。至于免责条款，由于曾某是续保，可见其作为投保人对包括责任免除条款在内的保险条款的内容是清楚明确的，且保险公司业务员亦履行了明确说明义务，原审法院以免责条款无效为由判决上诉人承担责任不妥。因此判决撤销一审判决，驳回被上诉人的诉讼请求。

律师专线

本案一审和二审的结果截然相反，根据法律的有关规定，一审判决应更为妥当。具体法律分析见“专家释惑”部分。

实践中，由于被保险人或受益人未能提供充分证据而导致保险公司拒赔的情况屡屡发生，为了避免这一问题，当事人应注意保存和提交相关的证据。

法律规范

中华人民共和国保险法

（1995年6月30日第八届全国人民代表大会常务委员会第十四次会议通过，

2002 年 10 月 28 日第九届全国人民代表大会常务委员会第三十次会议修正，2009 年 2 月 28 日第十一届全国人民代表大会常务委员会第七次会议修订）

第十七条　订立保险合同，采用保险人提供的格式条款的，保险人向投保人提供的投保单应当附格式条款，保险人应当向投保人说明合同的内容。

对保险合同中免除保险人责任的条款，保险人在订立合同时应当在投保单、保险单或者其他保险凭证上作出足以引起投保人注意的提示，并对该条款的内容以书面或者口头形式向投保人作出明确说明；未作提示或者明确说明的，该条款不产生效力。

第二十二条　保险事故发生后，按照保险合同请求保险人赔偿或者给付保险金时，投保人、被保险人或者受益人应当向保险人提供其所能提供的与确认保险事故的性质、原因、损失程度等有关的证明和资料。

保险人按照合同的约定，认为有关的证明和资料不完整的，应当及时一次性通知投保人、被保险人或者受益人补充提供。

专家释惑

本案的争议焦点有 2 个，一是原告是否应该承担曾某死亡原因的举证责任，二是免责条款是否发生效力。

第一个问题，是要确定受益人与保险人之间的责任分配。《最高人民法院关于民事诉讼证据的若干规定》第 2 条规定："当事人对自己提出的诉讼请求所依据的事实或者反驳对方诉讼请求所依据的事实有责任提供证据加以证明。"这便是通常说的"谁主张谁举证"。但保险法作为民商法的特殊法，有其自身的独特之处，除了要把握上述总的原则外，还应注意的是保险条款中关于保险责任与除外责任的表述方法。保险实务惯例一般认为，如果保险条款的保险责任采用一切险减去除外责任方式，而且不保事项很明确，即承保列明除外责任的一切意外的损失，则被保险人只需初步证明其损失属于某种意外即可，无须证明具体是由什么风险引致；如果保险条款关于保险责任采用的是列明风险方式，同时列明除外责任，在保险索赔时，被保险人须首先证明其遭受的损失属于某项列明风险，在被保险人完成初步举证后，保险人必须通过举证证明该项损失属于某项除外责任来拒赔。本案诉争的保险合同为人身意外伤害综合保险，该保险条款中将意外伤害界定为：外来的、突发的、非本意的、非疾病的使身体受到伤害的客观事件。应该说，这一界定是对意外伤害所作概括性的解释，但还是比较抽象、笼统，保险条款中没有也不可能将所有意外伤害的情形一一列举，而保险条款的第4条“责任免除”规定的不保事项非常明确。在该条款中规定了保险人不负给付保险金责任的情形，包括投保人、受益人的故意杀害、伤害，被保险人犯罪，被保险人自杀、自伤、醉酒、吸毒，疾病造成，被保险人从事高危作业或高危运动及战争、暴乱、核爆炸等不可预见灾难，多达13种。因此，该人身意外伤害综合险实际采用的是一切险减去除外责任方式，因此受益人只需初步证明保险事故属于意外，而无须证明究竟是哪一种意外情形。保险人若认为不负赔付责任，则保险人应举证证明保险事故属于除外责任确定的情形。

《保险法》第22条规定：“保险事故发生后，按照保险合同请求保险人赔偿或者给付保险金时，投保人、被保险人或者受益人应当向保险人提供其所能提供的与确认保险事故的性质、原因、损失程度等有关的证明和资料。保险人按照合同的约定，认为有关的证明和资料不完整的，应当及时一次性通知投保人、被保险人或者受益人补充提供。”虽然举证责任的第一任务仍应由请求方完成，但其限度是其所能提供的。这正是考虑到了被保险方可能遇到的举证方面的种种困难。该条中只规定，保险人依照保险合同的约定，认为有关的证明和资料不完整的，应当通知投保人、被保险人或者受益人补充提供有关的证明和资料。但对于保险人所要求的证明和资料无法提供的情况应如何处理没有规定，换句话说，就是对受益人穷尽其所能仍然无法完成的举证部分如何处理没有规定。因此，在这种情况下首先要考虑被保险人无法取得相关证据的原因是主观的还是客观的。如果是因受益人主观原因造成的，那么受益人应承担举证不能的后果，如果确因客观原因所致，则法官需要做的就包括以下2点：一种是能否就无法证明的事实的举证义务再一次依其自己的判断在被保险方与保险方进行二次分配；另一种是如果双方确实均无法举出进一步证据的情况下，如何就现有证据进行判断。在本案中，原告虽在曾某交给胡某300元保费时在场，但因为当时没有也不可能立即签发保险单，保险合同并未成立，且交钱时间与曾某死亡时间仅相隔数天，曾某所留遗物中又未见保单，故不能据此认定原告就应当知道曾某已投保成功的事实。原告并非在明知曾某投保的情况下故意不做尸检，况且在公安机关已经排除他杀的情况下原告不再要求做尸检也不违反一般常理。因此原告主观上没有过错，不应承担死因无法查明的后果。

综上，笔者认为，在本案中原告已尽其所能提供了其所能提供的所有证据，已经完成了举证责任，在被告没有证据证明被保险人死亡的原因属于免责条款规定的情形的情况下，原告的主张应该支持。

关于第二个争议焦点，免责条款是否有效，保险合同的性质决定保险合同是一种最大诚信合同，诚信原则贯穿于保险合同的始终，保险人和投保人是否做到诚实信用，是构成评价保险合同效力的主要因素，因此，在保险合同订立之初，保险合同双方都应承担相应的告知义务。保险合同作为格式合同，其在设计条款上保险人始终居于优势地位。同时，其术语专业化是保险合同的特点，基本条款及内容相对复杂并含有大量的保险术语，一般只为具有专业知识和业务经验的保险人所熟知。而作为投保人，往往仅能通过保险人所陈述的内容对合同进行理解。

《保险法》第17条规定："对保险合同中免除保险人责任的条款，保险人在订立合同时应当在投保单、保险单或者其他保险凭证上作出足以引起投保人注意的提示，并对该条款的内容以书面或者口头形式向投保人作出明确说明；未作提示或者明确说明的，该条款不产生效力。"本条的立法本意在于强化作为保险合同中处于强势一方的保险人的义务，从而更好地保护处于弱势一方的投保人的利益。即免责条款是否产生效力，以保险人是否履行了明确说明义务为前提，如果作了明确说明则免责条款产生效力，反之则不产生效力，对投保人没有约束力。对于"明确说明"的理解，2000年1月21日最高法院法研〔2000〕5号批复进行的解释是指保险人在与投保人签订保险合同之前或者签订保险合同之时，对于保险合同中所约定的免责条款，除了在保险单上提示投保人注意外，还应当对有关免责条款的概念、内容及其法律后果等，以书面或者口头形式向投保人或其代理人作出解释，以使投保人明了该条款的真实含义和法律后果。如若发生纠纷，保险人应当对于自己已经履行了明确说明义务负有举证责任，否则要承担因其举证不能的败诉后果，投保人对此不负举证责任。具体的举证形式可以有以下几种：投保人承认；保险人口头就免责条款向投保人做明确说明的笔录、音像资料；保险人向投保人所做的书面的明确说明并经投保人核对后签名的书面材料；等等。因此，明确说明之限度，应以一个普通人能够以其所应具备的知识和社会经验，能够就保险合同之条款与保险人在认识上达成一致为标准。

本案中，投保人已死亡，不可能有投保人承认被告保险公司曾向其作出明确说明，而被告也没有提供关于向投保人明确说明的证据。虽然庭审中证人胡某出庭作证证明曾就免责条款向投保人作了明确说明，但胡某系被告公司的业务员，与被告之间存在利害关系，且曾某已死亡，该证言没有其他旁证予以佐证，不足以采信。尽管曾某是续保，对于免责条款的内容可能清楚，但这也仅只是推测。因此在本案中被告没有提供充分证据证明已履行明确说明义务，免责条款不产生效力，在被保险人死亡的情况下，被告应该支付保险金。

94. 12 岁少年状告保险公司，获得赔偿

案例 94　锋锋诉保险公司案

事情是这样的

2005 年 9 月 1 日，某市育才小学组织在校学生统一购买了某财产保险股份有限公司江苏分公司（以下简称“保险公司”）的“大地状元乐学生、幼儿意外伤害保险”，锋锋作为在校学生也购买了该保险。保险公司签发了保险凭证，该凭证明确载明：学生、幼儿意外伤害保险金额 1 万元，附加意外伤害医疗保险金额 1 000 元，附加住院医疗保险金额 6 万元，保险期间自 2005 年 9 月 1 日 0 时起至 2006 年 8 月 31 日 24 时止。在重要提示条款中明确载明：本保险凭证是被保险人参加保险的依据，保险公司签字、盖章后有效，请妥善保存。如被保险人发生理赔事项，请持本凭证与保险公司联系。保险公司加盖了保单专用章。

2006 年 8 月 9 日，锋锋到医院就诊，经诊断发现其胸部畸形近半年，医学俗称“漏斗胸”，当天住院治疗。次日，锋锋接受了胸部畸形矫正。到 8 月 22 日治愈出院，锋锋共住院 14 天，花费住院医疗费 29 255. 9元。

同年 8 月 25 日，锋锋的母亲作为锋锋的法定代理人向保险公司递交了人身保险业务理赔申请书，要求理赔，但保险公司以锋锋所患是先天性疾病，属于免责条款中约定的情况，因此拒绝理赔。

2006 年 10 月 23 日，锋锋把保险公司告上了法院，认为因购买“大

地状元乐学生、幼儿意外伤害保险”，锋锋与保险公司之间已形成人身保险合同关系。现锋锋在双方约定的保险期间发生保险事故，保险公司依法应承担相应的保险责任，及时赔付保险金。

保险公司辩称，对于双方签订的保险合同无异议，但锋锋不是投保人；锋锋所患疾病为“漏斗胸”，根据医学文献记载，属于先天性疾病，连同保险凭证委托学校一起发给学生的告家长书中，有具体的保险责任及责任免除等条款，其中第 18 条载明，被保险人投保前所患未治愈疾病、先天性疾病、遗传性疾病及已有残疾的治疗和康复，保险公司的责任免除；请求驳回锋锋的诉讼请求。

针对保险公司的辩称，原告方认为，“漏斗胸”的形成有多种原因，不仅仅是先天性的，如后天发育不良也可能形成此疾病，且医生诊断也是手术前近半年才发现的，正在保险期限内；因为未收到告家长书，所以家长并不知道保险合同的具体内容，故合同条款没有约束力，只能以保险凭证上的条款确定双方的权利义务，且责任免除的条款应向投保人释明，不释明无效。

法院经审理认为，本案锋锋作为被保险人，依法享有保险金请求权。保险公司仅根据锋锋所患疾病的名称就认为是先天性疾病，而未能合理排除后天形成的可能性。锋锋患病及住院治疗时间在保险期间内，对此保险公司未持异议，其也未能举证锋锋患此病在保险期间之前。告家长书中虽有保险合同的具体内容，包括免责条款，但保险公司未能举证证明该告家长书已经送达了锋锋，也未能举证就免责条款作出过足以引起投保人注意的提示，并且就具体内容已向锋锋家长作了明确说明，该免责条款对锋锋不产生效力。

锋锋与保险公司间已形成保险合同关系，双方应当按照约定行使权利、履行义务。现锋锋在约定的保险期间发生疾病产生的医疗费用，保险公司应当在收到锋锋的理赔申请后及时按照约定作出核定，履行理赔义务。因保险公司未履行理赔义务致本案纠纷发生，保险公司应承担本案责任。据此，法院判决保险公司向锋锋支付保险赔偿金 29 255.9 元。

律师专线

本案原告锋锋胜诉的原因主要在于这样两个方面。第一，锋锋所患“漏斗胸”正是在保险期限内被诊断出来的，而且保险公司也无法证明该症就是先天性疾病，所以，不能将锋锋所患的疾病归入免责事项；第二，即使认为锋锋所患“漏斗胸”属于免责条款中记载的免责情形，但根据《保险法》的规定，免责条款需要在投保时向投保人明确说明才生效力，锋锋是未成年人，而保险公司也不能证明其向锋锋家长就免责条款作了明确说明，因此，该免责条款对锋锋不产生效力。

法律规范

中华人民共和国保险法

（1995 年 6 月 30 日第八届全国人民代表大会常务委员会第十四次会议通过，2002 年 10 月 28 日第九届全国人民代表大会常务委员会第三十次会议修正，2009 年 2 月 28 日第十一届全国人民代表大会常务委员会第七次会议修订）

第十七条　订立保险合同，采用保险人提供的格式条款的，保险人向投保人提供的投保单应当附格式条款，保险人应当向投保人说明合同的内容。

对保险合同中免除保险人责任的条款，保险人在订立合同时应当在投保单、保险单或者其他保险凭证上作出足以引起投保人注意的提示，并对该条款的内容以书面或者口头形式向投保人作出明确说明；未作提示或者明确说明的，该条款不产生效力。

专家释惑

本案涉及的法律问题仍然在于免责条款的效力。责任免除条款是保险合同中的重要条款，发生了条款中所约定的情形遭受损害的，保险公司不予赔偿，但有一个前提，就是保险公司在与投保人订立保险合同时就已经向投保人就免责条款作了明确说明。

保险合同是由保险公司单方拟定的，必须要经投保人同意后才具有合同效力。由于有时保险合同的全部内容对方没有注意或者文字不十分明确，对方并不能完全理解，《合同法》第 39 条也规定：

"采用格式条款订立合同的，提供格式条款的一方应当遵循公平原则确定当事人之间的权利和义务，并采取合理的方式提请对方注意免除或者限制其责任的条款，按照对方的要求，对该条款予以说明。"这一规定要求提供格式条款的一方遵循公平原则，对使用格式条款的当事人应当尽到合理的提请注意和说明义务。

95. 人被气死，保险公司该赔吗？

案例 95　郭立华诉中国人寿保险公司哈尔滨香坊支公司案

事情是这样的

"气死人不偿命"是东北一句俗话，然而发生在哈尔滨的一件气死人的事，把保险公司推上了被告席。1999 年 11 月 19 日，哈尔滨市香坊区人民法院公开审理了郭立华诉中国人寿保险公司哈尔滨市香坊支公司保险合同纠纷案件，"人被气死，保险公司到底该不该赔"引起人们极大关注。

事情起因是：原告郭立华之父郭万德，于 1998 年 6 月 8 日因患心肌梗塞到哈尔滨医科大学附属第一医院住院治疗，入院时与该院签订了住院病员医疗责任及人身意外伤害保险单。保险单中约定，病员在保险有效期间因意外伤害事故或医疗事故导致死亡的，保险公司给付保险金额全数 1 万元。6 月 12 日，郭万德病情稳定准备出院，却因关灯琐事与同室患者发生争执而生气，猝然死亡。原告即向被告申请保险金，而被告却认为郭万德死亡不属保险责任，拒绝给付保险金。一纸诉状，保险公司被告上了法院。

法庭上，原被告双方唇枪舌剑，据理力争，论辩的焦点是人被气死究竟是不是人身意外伤害事故。原告认为骂人是对身体脆弱的病员的致命伤害，它作用于病员身体，导致病员身体器官发生病变而死亡。根据《保险法》之规定，"人身保险的被保险人因第三者行为而发生的伤残、疾病、死亡，保险公司给予赔付”，人被气死是第三者对被保险人实施了侵害行为，是人身意外伤害事故，保险公司应该赔付保险金。

被告辩称：保险是一种特殊的民事法律关系，保险中的意外伤害和通常意义上的意外伤害概念上完全不同。在依据现行《保险法》基础上对保险条款内的关于意外伤害的释义是——外来的、突然的致害物明显地、剧烈地侵害被保险人的身体的客观事实。骂人不是致害物，对人的伤害是精神的刺激，不是对身体的直接伤害。郭万德死亡事件没有构成使被保险人的身体受到剧烈伤害的客观条件，所以没有构成本条款中所规定的人身意外伤害保险责任，不属保险公司的给付范围。

律师专线

一般而言，我国人寿保险公司将意外伤害定义为外来的、突然的、非本意的、非疾病的使被保险人身体受到伤害的客观事件。遇到对是否为意外伤害难以分辨的、具有争议的，我们可以适用《保险法》第 30 条的规定，尽量作有利于被保险人或者受益人的解释，但是也要注意当事人之间的权利义务平衡，不要滥加解释。从该理论分析，笔者认为本案例则不应该将其归入意外伤害，而是被保险人的自身原因导致的事故，保险公司可以不赔付。

注意

具体来说，意外伤害一般有几个特征：一、必须是外来的或外界原因造成的事故；二、必须是不可预料的事故，不是故意制造的事故；三、必须是突然发生的事故。

法律规范

中华人民共和国保险法

（1995 年 6 月 30 日第八届全国人民代表大会常务委员会第十四次会议通过，2002 年 10 月 28 日第九届全国人民代表大会常务委员会第三十次会议修正，2009 年 2 月 28 日第十一届全国人民代表大会常务委员会第七次会议修订）

第三十条　采用保险人提供的格式条款订立的保险合同，保险人与投保人、

被保险人或者受益人对合同条款有争议的，应当按照通常理解予以解释。对合同条款有两种以上解释的，人民法院或者仲裁机构应当作出有利于被保险人和受益人的解释。

第四十六条　被保险人因第三者的行为而发生死亡、伤残或者疾病等保险事故的，保险人向被保险人或者受益人给付保险金后，不享有向第三者追偿的权利，但被保险人或者受益人仍有权向第三者请求赔偿。

专家释惑

对于本案例，被保险人与他人发生争执，由于自身身体原因而身亡，在这里导致被保人死亡的关键原因在于自身病因，如果要说它属于意外伤害并令保险公司赔付，则太过牵强。对于一个普通人而言，决不会因为同别人争执两句就活活气死。如果他人对被保险人有辱骂行为，固然是对被保险人名誉权的侵犯行为，但是这种精神上的致害行为同被保险人的死亡结果之间并没有必然的因果联系，因此我们不能认为它属于意外伤害。保险公司可以拒绝赔付。

注意

保险人在开展各类人身保险业务时，应该注意保险事件的特殊性，分清保险事件的因果关系，掌握条款中保险责任与除外责任的界限，从而维护被保险人或受益人的合法利益。

96. 婚前投保未填写受益人，妻子能拿到保险金吗？

案例 96　张某的保险金如何分配？

事情是这样的

张某在 2006 年 8 月向保险公司投保了一份意外险，保险期限为 1 年。2007 年 4 月 23 日，张某在出差途中所乘坐的长途客车发生交通意外事故，经抢救无效不幸身亡，保险公司将按照合同给付20万元的保险金。

此时，张某的母亲林女士却与媳妇小陆在如何分配这20万元保险金上出现了分歧。原来，张某当初投保时忽略了保单细节部分，受益人一栏空白，为婆媳间的纠纷埋下了祸根。

林女士认为，虽然保险合同受益人一栏没有填写任何受益人名字，但儿子的保单是在婚前购买的，这份保险金属于婚前财产，作为被保险人的母亲，自己理所当然应该是这份保单的受益人，应该获得全部的保险金。

而媳妇小陆认为，作为被保险人的配偶，自己也是丈夫遗产的继承人之一，理应有权与婆婆林女士共同分配这笔保险金。

一个是母亲，一个是妻子，都是被保险人的直系亲属，究竟这20万元应当如何分配？

律师专线

按照我国《保险法》规定：被保险人死亡后，没有指定受益人的，保险金作为被保险人的遗产，由保险人向被保险人的继承人履行给付保险金的义务。

既然按照遗产处理，那么，根据我国《继承法》规定，遗产是公民死亡时遗留的个人合法财产，包括公民的收入、公民的房屋、储蓄和生活用品等各个方面。根据上述法律规定，继承人有权继承的财产范围也仅限于公民死亡时遗留的个人合法财产。夫妻之间的遗产继承也仅限于一方个人财产，如果属于夫妻共有财产则需先确定个人财产的范围及各自份额才能继承。

按照《继承法》的规定，继承顺序如下：第一继承顺序为配偶、子女、父母；第二继承顺序为兄弟姐妹、祖父母、外祖父母；丧偶儿媳对公婆，丧偶女婿对岳父母，尽了主要赡养义务的，作为第一顺序继承人；同一顺序继承人，实行均等原则。

在本案中，被保险人张某因交通事故而死亡。而保险合同受益人一栏未填，意味着没有指定受益人，因此20万元保险金应视为遗产进行处理，由其法定继承人其母林女士、其妻小陆按照《继承法》的规定共同继承。

注意

投保人在填写保单以及拿到正式保单时，都要详加确认。同时，也要确认保单中的保险期限或者保单生效日等要素，并且留意保单条款中对于上述要素的具体表述，尽量减少因疏忽引来的纠纷。如有不明白之处，投保人应主动、及时向代理人或保险公司确认保单内容。

法律规范

中华人民共和国保险法

（1995 年 6 月 30 日第八届全国人民代表大会常务委员会第十四次会议通过，2002 年 10 月 28 日第九届全国人民代表大会常务委员会第三十次会议修正，2009 年 2 月 28 日第十一届全国人民代表大会常务委员会第七次会议修订）

第四十二条　被保险人死亡后，有下列情形之一的，保险金作为被保险人的遗产，由保险人依照《中华人民共和国继承法》的规定履行给付保险金的义务：

（一）没有指定受益人，或者受益人指定不明无法确定的；

（二）受益人先于被保险人死亡，没有其他受益人的；

（三）受益人依法丧失受益权或者放弃受益权，没有其他受益人的。

受益人与被保险人在同一事件中死亡，且不能确定死亡先后顺序的，推定受益人死亡在先。

中华人民共和国继承法

（1985 年 4 月 10 日第六届全国人民代表大会第三次会议通过）

第十条　遗产按照下列顺序继承：

第一顺序：配偶、子女、父母；

第二顺序：兄弟姐妹、祖父母、外祖父母；

继承开始后，由第一顺序继承人继承，第二顺序继承人不继承。没有第一顺序继承人继承的，由第二顺序继承人继承。

本法所说的子女，包括婚生子女、非婚生子女、养子女和有扶养关系的继子女。

本法所说的父母，包括生父母、养父母和有扶养关系的继父母。

本法所说的兄弟姐妹，包括同父母的兄弟姐妹、同父异母或者同母异父的兄弟姐妹、养兄弟姐妹、有扶养关系的继兄弟姐妹。

专家释惑

本案中涉及的问题比较简单，就是未指明受益人时，保险金向谁支付。对这一问题，《保险法》中有明确的规定，被保险人死亡后，没有指定受益人的，保险金作为被保险人的遗产，由保险人向被保险人的继承人履行给付保险金的义务。本案中，涉及的继承人包括被保险人的母亲和妻子，按《继承法》的规定，配偶、父母同属第一顺序的继承人，因此二者共同继承该保险金。

97. 身患重疾意外摔伤致死，保险公司会赔吗？

案例 97 王某“摔死”，保险公司不赔

事情是这样的

王某，男，40岁，2005年2月通过某保险公司业务员在河南平顶山某保险公司投保意外伤害保险，意外死亡保险金额80万元，保险费100元。2005年5月30日，王某的家人向保险公司报案，称王某在5月28日早上从床上摔下经抢救无效死亡，尸体已经火化，在家人整理遗物时发现有此保险单。

保险公司接到报案后，赶到事故现场，从摔倒的床上看，床面距水泥地面有60厘米，从事故现场看没有任何线索，但是从60厘米摔下就造成死亡，对此保险公司理赔调查人员感到其中必有其他原因，遂对王某的家人进行逐一询问。从王某的家人讲述中得知确实是从床上摔下，经抢救无效死亡。但在询问王某是否有病史时，家人的讲述吞吞吐吐，说法不一。调查人员在对120当时急救的大夫询问中，了解到接到出诊电话后10分钟赶到患者家中，赶到时患者脉搏已经停止跳动，进行了

常规抢救，还是无效就放弃了，当时没有看到患者王某身上有外伤。保险公司调查人员在医院对王某是否就诊进行了调查，在解放军某医院保险公司调查人员查阅到王某患癌症，曾长时间住院化疗的就诊记录，在死亡前的2天病危，医院下发了《病危通知书》，家人匆忙办理了出院。

保险公司通过调查确认被保险人王某的死亡是患绝症，因医治无效放弃治疗，针对其从床上摔下，没有证据显示、证实是从床上摔下造成死亡的，且造成死亡的直接原因不是摔伤；根据意外伤害的定义，不属于意外伤害范畴，保险公司对其理赔结论是不予赔付意外伤害身故保险金并解除保险合同。

律师专线

本案中，真正导致王某死亡的原因是患癌症医治无效，属于患疾病的范畴，不属于伤害，而王某投保的，意外伤害保险，因此保险公司不予赔偿。

法律规范

中华人民共和国保险法

（1995年6月30日第八届全国人民代表大会常务委员会第十四次会议通过，2002年10月28日第九届全国人民代表大会常务委员会第三十次会议修正，2009年2月28日第十一届全国人民代表大会常务委员会第七次会议修订）

第二十四条　保险人依照本法第二十三条的规定作出核定后，对不属于保险责任的，应当自作出核定之日起三日内向被保险人或者受益人发出拒绝赔偿或者拒绝给付保险金通知书，并说明理由。

第二十七条　未发生保险事故，被保险人或者受益人谎称发生了保险事故，向保险人提出赔偿或者给付保险金请求的，保险人有权解除合同，并不退还保险费。

投保人、被保险人故意制造保险事故的，保险人有权解除合同，不承担赔偿或者给付保险金的责任；除本法第四十三条规定外，不退还保险费。

保险事故发生后，投保人、被保险人或者受益人以伪造、变造的有关证明、资料或者其他证据，编造虚假的事故原因或者夸大损失程度的，保险人对其虚报的部分不承担赔偿或者给付保险金的责任。

投保人、被保险人或者受益人有前三款规定行为之一，致使保险人支付保险金或者支出费用的，应当退回或者赔偿。

专家释惑

人身意外伤害保险是人身保险的一种，但有些国家把人身意外伤害保险归类于非寿险，这是因为人身意外伤害保险在保险期限、费率计算和责任准备金提存等方面与财产有相似之处。

在人身意外伤害保险中，人身伤害必须是意外事故造成的。意外事故要具备3个要素：

1. 非本意的。即被保险人未预料到的和非故意的事故，如飞机坠毁使乘客遭受伤害，行人被大风吹下来的广告牌砸伤。有些意外事故是被保险人应该预料到的，但由于疏忽而引致的，如在停电时未切断电源修理线路，因不久恢复供电而触电身亡；另有一些事故虽是被保险人可以预见到的，但在客观上无法抗拒或在技术上不能采取措施避免的事故，如楼房失火，火封住门口和走道，被保险人迫不得已从窗口跳下，摔成重伤；或者虽在技术上可以采取措施避免，但由于法律和职责上的规定，或履行应尽义务，不去躲避，如银行职工为保护国家财产在与抢劫银行的歹徒搏斗中受伤。以上这些均属于意外事故。凡是被保险人的故意行为使自己遭受伤害，如自杀、自伤，均不属于意外事故。

2. 外来原因造成的。指被保险人身体外部原因造成的事故，如食物中毒、失足落水。疾病所致伤害不属于意外事故，因为它是人体内部生理故障或新陈代谢的结果。例如，被保险人因高血压病发作导致脑溢血，在路上突然昏倒。

3. 突然发生的。即意外伤害在极短时间内发生，来不及预防，如行人被汽车突然撞倒。铅中毒、矽肺等职业病虽然是外来致害物质对人体的侵害，但由于伤害是逐步造成的，而且是可以预见和预防的，不属于意外事故。

98. 意外伤害医疗保险是人身保险还是财产保险?

案例 98　李某诉保险公司案

事情是这样的

2003 年 5 月 7 日，李某的母亲所在单位宜昌市职业教育中心在人寿保险西陵支公司为李某购买学生、幼儿平安保险一份（该保险保险期间为 1 年，附加有意外伤害医疗保险），并按规定交纳了保险费。2004 年 1 月 7 日，李某乘坐其父驾驶的摩托车在本市城区发生交通事故，致使受伤，经宜昌市第一人民医院门诊治疗，用去医疗费 1 313. 90 元。因李某在另一家保险公司（泰康人寿保险公司）购买的四季长乐终身分红人身保险亦附加有意外伤害医疗保险。因此，事故发生后，李某持医疗费发票原件等相关资料到该公司要求理赔，该公司依保险合同为原告赔付医疗保险金 1 263. 90 元（实际支付的医疗费 1 313. 90 元，免赔额 50 元）。之后，李某又持医疗费发票复印件等相关资料到人寿保险西陵支公司索赔，人寿保险西陵支公司不予理赔。李某于是将人寿保险西陵支公司告上法庭。

法院经过审理，认为意外伤害保险划分在人身保险之中，属人身保险业务的范畴。本案李某要求保险公司理赔其意外伤害住院的医疗费，人寿保险西陵支公司以李某意外伤害医疗保险属财产保险为由拒绝，无法律依据。最后作出判决由被告中国人寿保险股份有限公司宜昌西陵区支公司给付原告李某医疗保险金 1 011. 12 元，并由被告人寿保险西陵支公司承担诉讼费用。

律师专线

本案争议的焦点为意外伤害医疗保险是人身保险，还是财产保险。《保险法》中所称保险包括财产保险和人身保险两大类。人身保险是以人的寿命和身体为保险标的的保险。李某在被告处投保的学生、幼儿平安保险是对被保险人因疾病或遭受意外伤害造成死亡或身体残疾，由保险人按约定给付保险金的保险；其附加的意外伤害医疗保险，亦是以被保险人身体因遭受意外伤害需要治疗为给付保险金条件的保险，其性质应属人身保险。因此，被告应按照《保险法》中关于人身保险合同的赔付原则支付原告保险金。

原告向被告索赔，是否必须提供医疗费单据等资料原件的问题。根据《保险法》和被告庭审时提供的保险合同条款的有关规定，保险事故发生后，被保险人申请理赔，应当向保险人提供其所能提供的与确认保险事故的性质、原因、损失程度等有关的其他证明和资料。但并未要求必须提供上述资料原件。因此，被告要求原告必须提供医疗费收据等资料原件方可理赔的辩称观点，缺乏法律依据。

法律规范

中华人民共和国保险法

（1995 年 6 月 30 日第八届全国人民代表大会常务委员会第十四次会议通过，2002 年 10 月 28 日第九届全国人民代表大会常务委员会第三十次会议修正，2009 年 2 月 28 日第十一届全国人民代表大会常务委员会第七次会议修订）

第十二条　人身保险的投保人在保险合同订立时，对被保险人应当具有保险利益。

财产保险的被保险人在保险事故发生时，对保险标的应当具有保险利益。

人身保险是以人的寿命和身体为保险标的的保险。

财产保险是以财产及其有关利益为保险标的的保险。

被保险人是指其财产或者人身受保险合同保障，享有保险金请求权的人。投保人可以为被保险人。

保险利益是指投保人或者被保险人对保险标的具有的法律上承认的利益。

第九十五条　保险公司的业务范围：

（一）人身保险业务，包括人寿保险、健康保险、意外伤害保险等保险业务；

（二）财产保险业务，包括财产损失保险、责任保险、信用保险、保证保险等保险业务；

（三）国务院保险监督管理机构批准的与保险有关的其他业务。

保险人不得兼营人身保险业务和财产保险业务。但是，经营财产保险业务的保险公司经国务院保险监督管理机构批准，可以经营短期健康保险业务和意外伤害保险业务。

保险公司应当在国务院保险监督管理机构依法批准的业务范围内从事保险经营活动。

专家释惑

《保险法》第12条规定，人身保险是以人的寿命和身体为保险标的的保险。第95条规定，意外伤害保险划分在人身保险之中，属人身保险业务的范畴。本案李某要求保险公司理赔其意外伤害住院的医疗费，人寿保险西陵支公司以李某意外伤害医疗保险属财产保险为由拒绝无法律依据。由于人身保险的保险标的是人的生命或身体，人的生命是无价的，不能用金钱来衡量。因此人身保险合同的给付性决定了保险人不应限制投保人的投保金额，也决定人身保险可以重复投保，保险人应按不同的保险合同分别给付保险金，不适用损失填补原则。

人身保险与财产保险合同相比，具有以下特征：第一，被保险人只能是自然人，保险标的是人的生命或身体；第二，由于人的生命是无价的，不能用金钱来衡量，因此，保险金额的确定，不以保险标的的价值为依据；第三，人身保险合同是给付性合同。由于意外伤害医疗保险是以被保险人身体遭受意外伤害需要治疗为给付保险金条件的保险，故意外伤害保险附加医疗保险的性质应属人身保险的性质。

提醒

在保险理赔实践中，将人身保险中的附加医疗保险按照财产保险的损失补偿原则进行理赔，几乎是所有保险公司的操作惯例，显然不符合现行《保险法》关于人身保险合同的理赔规定。如果这样，虽然投保人充分履行了交纳保险费的义务，但被保险人却不能享受应该享受的权利（即出险后获得保险金的权利），就不能体现保险合同当事人权利义务对等的原则，对投保人来说无疑是不公平的。

99. 被保险人自杀能获得保险金吗?

案例 99 李某自杀案

事情是这样的

某市毛纺厂女工李某同本厂职工曹某恋爱，热恋中，曹某另有新欢，抛弃了李某，李某苦思不得其解，痛苦不堪，两次自杀未遂，经医生诊断为抑郁性精神病。出院后的李某并无异常行为，只是变得比以前更加郁郁寡欢，常常似有所思，偶尔流露出悲观厌世的情绪。一个厂休日，李某乘父母外出买菜之机悬梁自尽。

3 年前，李某投保了 20 年期简易人身险 10 份，保险金额为 6 500 元，指定其父为受益人，每月保险费由保险公司委托毛纺厂的财会人员从其工资中扣除，其间并无欠交保险费的记录。李某自杀身亡后，其父以受益人身份向保险公司申请给付保险金。

而保险公司对于是否应该赔付保险金，意见分歧比较大。

第一种意见认为，保险事故的发生应该是非本意的，人为的故意造成的事故列为除外责任。李某选择在其父母外出之机死亡，其死亡显然是本人人为造成的，即死亡系自杀所致。据保险条款、《保险法》第 44 条第 1 款之规定，自杀属除外责任。但李某的自杀行为对她的家庭来说，毕竟因此而遭受到了经济上和精神上的双重损失，而且异常沉重。因此此案保险公司有权拒赔，但退还投保人所交的保费的现金价值。否则，可能产生变相鼓励道德危险的副作用。

第二种意见认为，被保险人自杀行为发生在保险合同生效 2 年之后，根据《保险法》的规定，被保险人在保险单生效 2 年后，可以考虑给付保险金。李某自杀完全因情而起，其本人是爱情的牺牲者，对其家庭而言，也遭受了巨大的经济与精神损失。考虑到被保险人自杀没有欺骗保险金的道德危险，本案应予通融给付，即赔付全额保险金。

最后，保险公司采纳了第二种意见，根据《保险法》的有关规定及保险合同的约定赔付给李某的父亲6 500元保险金。

律师专线

自杀条款是人寿保险合同中的免责条款之一，即规定自杀不属于保险责任范围，保险人不负给付保险金责任的条款。

本案的焦点是被保险人自杀的性质是故意还是非故意。法学上的自杀构成必须具备2个条件：第一，主观上行为人必须有结果生命的愿望；第二，客观上行为人实施了足以使其死亡的行为。依次被保险人死亡系自杀无可非议。

但自杀有故意自杀与非故意自杀之分，故意自杀是行为人有意识的故意行为，如被保险人为其遗族谋求保险金自杀；非故意自杀是行为人非故意行为所致，如行为人在心志丧失、神志不清时自杀，这类自杀者通常是无民事行为能力或限制民事行为能力人。

故意自杀是违反社会公德的，故《保险法》第44条第1款明文规定自杀属除外责任，其目的是防止被保险人通过自杀来获得保险金的道德危险的发生。

非故意自杀是行为人在特定环境下，一时失去理智的结果，为此，根据《保险法》第44条规定，以死亡为给付保险金条件的合同自成立之日起满二年后，如果被保险人自杀的，保险人可按照合同给付保险金。因此，非图谋保险金的原因引发的自杀不能推定为除外责任。《保险法》对性质不同的自杀在给付保险金时的不同规定，实质上是防止逆选择或发生道德危险，保障受益人或被保险人遗族的利益。

在本案中，李某是在3年前投的保，证明其自杀不存在有欺骗保险金的道德风险。她自杀的终极原因是其男友抛弃了她，精神受到刺激，一时失去理智所致。在自杀的那刻，她已不属完全民事行为能力人，其自杀的性质应推定为非故意。从投保时到其自杀时已超过我国《保险法》上规定的2年期限，受益人即李某的父亲，可以直接依照法律的规定获得保险公司赔付的保险金。但如果李某自杀时距其投保时还不到2年的时间，那么李某的父亲就不能获得保险金，而只能取得保险公司退还的保险单的现金价值。

注意

不少国家在保险条款中对自杀有时间上的规定，如果被保险人在特定的期间内（通常为签单生效或复效之日起2 年）自杀，保险人不负给付保险金责任，只限于退回已交纳的保费（可以计息或不计息），2 年后就不把故意自杀列为除外责任，保险人仍应给付保险金，其原因在于人寿保险的主要目的是向受抚养者提供保障。此外，由于自杀是死亡的原因之一，编制生命表时已考虑了这个因素，保险费的计算正是以生命表为依据。把自杀这一除外责任限制在2 年内主要是为了减少逆选择，防范蓄意自杀者购买人寿保险。

法律规范

中华人民共和国保险法

（1995 年 6 月 30 日第八届全国人民代表大会常务委员会第十四次会议通过，2002 年 10 月 28 日第九届全国人民代表大会常务委员会第三十次会议修正，2009 年 2 月 28 日第十一届全国人民代表大会常务委员会第七次会议修订）

第四十四条　以被保险人死亡为给付保险金条件的合同，自合同成立或者合同效力恢复之日起二年内，被保险人自杀的，保险人不承担给付保险金的责任，但被保险人自杀时为无民事行为能力人的除外。

保险人依照前款规定不承担给付保险金责任的，应当按照合同约定退还保险单的现金价值。

专家释惑

自杀是指自己结束自己生命的行为，但有故意自杀和非故意自杀之分。自杀是人寿保险所不包括的危险，各国保险法一般都加以明文规定，在未作明文规定的国家，其判例也做如此解释。但各国的规定却因自杀的原因不同而有所不同，条款的掌握也不一样。一种是采取“一刀切”的方法，也就是所有自杀，不论出于什么动机，也不论自杀时是否清醒，都列为除外责任。其理由是，保险危险的发生应该是非本意的，人为地故意造成的危险不应列为保险责任，自杀是违反社会公德的，不论出于什么动机都是应该反对的。还有一种“一刀切”的做法是，不论被保险人在什么情况下自杀，保险公司一律负责任。毕竟自杀的人数非常少，且不说过失自杀是非本意的，有意外的性质，就是故意自杀，被保险人遭受了巨大的生理痛苦，其家属也承受了巨大的精神痛苦，且许多情况下故意自杀与非故意自杀难以区分，所以采取一律给付保险金的做法。另一种做法是对自杀作时间上的限制，即在保险起期或保险复效的若干年后，通常规定为 2 年，对自杀所导致的死亡或者残废负给付责任。

我国《保险法》第 44 条的规定也顺应了世界保险立法潮流，规定自杀仅指故意自杀，下列情况不应包括在内：他杀、因精神失常而自杀和因意外或者误解等而自杀。之所以将故意自杀列为保险除外责任，是基于以下考虑：首先，自杀不是疾病，也不是意外伤害，而是可以认识控制的行为，属于不可保危险；其次，避免蓄意自杀者企图通过保险为家属图谋保险金，从而滋长道德危险，影响保险公司的经营；再次，如果把自杀列为保险责任，客观上会鼓励一部分人自杀轻生的消极行为，有变相鼓励自杀之嫌；最后，有悖于保险原理，因为根据人寿保险不可抗辩条款，保险人在危险的评估、保险费率的测算以及保险金额的拟定中都没有考虑自杀的因素。

自杀属除外责任不能一概而论。根据《保险法》第 44 条规定，以死亡为给付保险金条件的合同，自成立之日起满二年后，如果被保险人自杀的，保险人可以按照合同给付保险金。这条规定说明，以死亡为给付条件的人身保险合同，可以约定自杀条款，也就是保险合同约定的被保险人在投保人已经交足 2 年以上保险费后自杀的，保险人应当承担给付保险金的责任的条款。该条款有条件地排除了保险人以被保险人的自杀为除外责任。之所以这样规定的理由是：自杀条款的目的在于防止有人企图用自杀图谋保险金，而自杀是在特定环境下，一时失去理智的结果。人寿保险的目的在于保障受益人或被保险人家属的利益，如果不是由于为图谋保险金的目的而发生的自杀一概不赔付保险金，也将影响受益人的正常生活。因此，为了防止逆选择或发生道德危险，并且为了保护保险人的正常利益，只要把自杀限制在保险单生效后的若干年内，超过这个年限自杀也可列入保险责任。因为在一般正常情况下，一个人不可能在若干年前计划好几年之后的自杀行为，并于若干年后实施，即使投保当时计划好了，届时也并不一定会轻易丧生。所以规定了 2 年这个不断的期限，大抵可以避免投保时的逆选择了。

提醒

保险合同成立并已经过了 2 年后被保险人自杀的，按《保险法》的规定“可以给付保险金”，这里就有“可以”的理解，即给付也不是必须的行为，也要根据自杀的诸方面进行综合分析，如果确实属于非故意自杀行为则给付保险金，因为这类自杀，其自杀者本人并不能清楚地意识到他的行为将产生什么样的后果，但死亡的结果确是直接由死亡者本人的行为所致的。假如是故意自杀，即使保险合同成立已经满 2 年，保险人也应拒付保险金。

100. 保险人欺骗投保人怎么办?

案例 100　谢某诉保险公司案

事情是这样的

一家保险公司的业务员宋某登门对年近六旬的谢某说，投了人寿保险后可享受医疗保障，一旦生病吃药，就可以报销，以后还可以拿养老金等。谢某经不住业务员的诱惑，当即拿出735元投保。在签字时，这位业务员又对谢某说："您有儿子吗？"当谢某回答"有"时，宋某又说："把他填上去将来也可受益。"谢某听后，信以为真，欣然答应。后来，谢某患了一次感冒，到医院看病吃药、打针，花了上百元钱。当她拿着医院的发票找这家保险公司赔偿时，才恍然大悟，原来宋某给她办的是人寿保险，并不是大病统筹。即使是办了大病统筹保险，感冒吃药、打针也不能保险。再说，被办的人寿保险单上写的投保人竟然不是她，而是她儿子的名字。谢某听到这里，惊呼上当受骗。可这家保险公司的宋某却逃跑了。最后处理的结果，按保险公司规定，退保要扣76%，只能退还24%。谢某认为这样处理不合理，这个责任应由公司承担，不能转嫁给投保人。

双方争议无果，谢某将保险公司告上法庭，法庭经审理后认为这个责任应由保险公司来承担。因为公司的业务员在为投保人提供服务过程中，有意对投保人进行欺骗所致。根据《保险法》，业务员在提供服务时故意对投保人欺骗，构成了欺诈行为，这个责任应由保险公司承担，不能转嫁到投保人身上。保险公司不仅不能扣退保金，而且应予以赔偿。

律师专线

本案中保险公司的业务员在提供服务时故意对投保人进行欺骗，促使谢某在不了解实情的情况下购买了人寿保险，而且保单上记载的投保人并非谢某自己，而是其子，这都与投保人谢某本来的意思不一致。该业务员在实施欺骗后，虽本人已经逃跑，但业务员的行为应由其工作所在的保险公司来承担责任。

注意

投保人要加强自我保护意识，努力学习和掌握保险业中的相关法规、法律和知识，以免上当受骗。

法律规范

中华人民共和国保险法

（1995 年 6 月 30 日第八届全国人民代表大会常务委员会第十四次会议通过，2002 年 10 月 28 日第九届全国人民代表大会常务委员会第三十次会议修正，2009 年 2 月 28 日第十一届全国人民代表大会常务委员会第七次会议修订）

第一百一十六条　保险公司及其工作人员在保险业务活动中不得有下列行为：

（一）欺骗投保人、被保险人或者受益人；

（二）对投保人隐瞒与保险合同有关的重要情况；

（三）阻碍投保人履行本法规定的如实告知义务，或者诱导其不履行本法规定的如实告知义务；

（四）给予或者承诺给予投保人、被保险人、受益人保险合同约定以外的保险费回扣或者其他利益；

（五）拒不依法履行保险合同约定的赔偿或者给付保险金义务；

（六）故意编造未曾发生的保险事故、虚构保险合同或者故意夸大已经发生的保险事故的损失程度进行虚假理赔，骗取保险金或者牟取其他不正当利益；

（七）挪用、截留、侵占保险费；

（八）委托未取得合法资格的机构或者个人从事保险销售活动；

（九）利用开展保险业务为其他机构或者个人牟取不正当利益；

（十）利用保险代理人、保险经纪人或者保险评估机构，从事以虚构保险中介业务或者编造退保等方式套取费用等违法活动；

（十一）以捏造、散布虚假事实等方式损害竞争对手的商业信誉，或者以其他不正当竞争行为扰乱保险市场秩序；

（十二）泄露在业务活动中知悉的投保人、被保险人的商业秘密；

（十三）违反法律、行政法规和国务院保险监督管理机构规定的其他行为。

第一百三十一条　保险代理人、保险经纪人及其从业人员在办理保险业务活动中不得有下列行为：

（一）欺骗保险人、投保人、被保险人或者受益人；

（二）隐瞒与保险合同有关的重要情况；

（三）阻碍投保人履行本法规定的如实告知义务，或者诱导其不履行本法规定的如实告知义务；

（四）给予或者承诺给予投保人、被保险人或者受益人保险合同约定以外的利益；

（五）利用行政权力、职务或者职业便利以及其他不正当手段强迫、引诱或者限制投保人订立保险合同；

（六）伪造、擅自变更保险合同，或者为保险合同当事人提供虚假证明材料；

（七）挪用、截留、侵占保险费或者保险金；

（八）利用业务便利为其他机构或者个人牟取不正当利益；

（九）串通投保人、被保险人或者受益人，骗取保险金；

（十）泄露在业务活动中知悉的保险人、投保人、被保险人的商业秘密。

第一百六十二条　保险公司有本法第一百一十六条规定行为之一的，由保险监督管理机构责令改正，处五万元以上三十万元以下的罚款；情节严重的，限制其业务范围、责令停止接受新业务或者吊销业务许可证。

第一百六十六条　保险代理机构、保险经纪人有本法第一百三十一条规定行为之一的，由保险监督管理机构责令改正，处五万元以上三十万元以下的罚款；情节严重的，吊销业务许可证。

中华人民共和国刑法

（1979 年 7 月 1 日第五届全国人民代表大会第二次会议通过，1997 年 3 月 14 日第八届全国人民代表大会第五次会议修订）

第二百二十四条　有下列情形之一，以非法占有为目的，在签订、履行合同过程中，骗取对方当事人财物，数额较大的，处三年以下有期徒刑或者拘役，并处或者单处罚金；数额巨大或者有其他严重情节的，处三年以上十年以下有期徒刑，并处罚金；数额特别巨大或者有其他特别严重情节的，处十年以上有期徒刑或者无期徒刑，并处罚金或者没收财产：

（一）以虚构的单位或者冒用他人名义签订合同的；

（二）以伪造、变造、作废的票据或者其他虚假的产权证明作担保的；

（三）没有实际履行能力，以先履行小额合同或者部分履行合同的方法，诱骗对方当事人继续签订和履行合同的；

（四）收受对方当事人给付的货物、货款、预付款或者担保财产后逃匿的；

（五）以其他方法骗取对方当事人财物的。

专家释惑

本案例中存在欺诈，是由保险人实施的欺诈。投保人在投保时应有必要的警惕。

101. 人身保险中投保人编造保险事故诈骗会有什么后果？

案例 101　王某编造保险事故诈骗案

事情是这样的

44 岁的王某 6 年前为自己的母亲在中国人寿保险公司投了保险，投保后不久母亲就因病去世了。王某因此获得了几万元的保险赔偿金。这一笔意外之财却触动了王某那根贪婪的神经，让她打起了小算盘。当年，她就分别为自己的姐姐及女儿在中国人寿保险公司某市分公司投保，保险金额均为 1 万元的 99 鸿福终身保险，在“受益人”那一栏填上了自己的名字，准备寻找时机，骗取保险金。

2002 年 11 月，王某开始行动。她先是编造了其姐姐出车祸猝死的事实，并想尽各种办法，办理了包括死亡诊断书、死亡医学证明、户口注销证明、殡葬费收据等一系列假材料，向保险公司报了案。保险公司根据王某所提供的证据进行理赔，并没有发觉王某所设下的骗局。保险公司付给王某死亡赔付款 1.25 万元。尝到甜头的王某变得更加大胆起来。一想到这 1 万多元钱这么容易就可以到手，王某的贪欲又一次膨胀了，再加上保险公司在这次赔付中并没有产生怀疑，王某竟认为再以同样的方式做一次，保险公司也不会察觉。

2003 今年 4 月，王某旧戏重演，又编造了自己女儿车祸死亡的“事故”，提供了虚假的死亡诊断书、死亡医学证明及殡葬费收据，以此向保险公司报案。但这次，王某不再“幸运”，王某频繁的“不幸”引起了保险公司的注意，开始重新审核这起理赔案。除了一系列伪造的证件被揭穿，工作人员还在大连某学校内找到了王某出车祸“死亡”的女儿。对妈妈开出的死亡证明，小女孩茫然不知，完全没有想到自己的母亲会为了1万多元钱而让自己“死亡”，王某对自己编造事故骗取保险金的行为也从未告诉过女儿及姐姐。于是，保险公司向公安机关报案。当王某来领取1.3万元现金支票时，被公安机关抓获。

经法院审理判决，犯罪嫌疑人王某因犯保险诈骗罪，被判处有期徒刑1年，缓刑1年，并处罚金人民币2万元。目前，赃款已返还被骗单位。

律师专线

上述案例中，投保人的行为构成保险诈骗罪，保险诈骗罪是金融诈骗罪的一种，是指投保人、被保险人或者受益人故意虚构保险标的，或者对发生的保险事故编造虚假的原因或者夸大损失程度，或者编造未曾发生的保险事故或者故意造成被保险人死亡、伤残或者疾病，骗取保险金，数额较大的行为。可见，案例中，行为人是靠编造未曾发生的保险事故，骗取保险金，数额较大。案例中，涉及的是人身保险中的保险诈骗，被保险人即投保人王某的姐姐和女儿都未曾发生保险事故，王某却编造了被保险人出车祸猝死的事实。

法律规范

中华人民共和国保险法

（1995年6月30日第八届全国人民代表大会常务委员会第十四次会议通过，2002年10月28日第九届全国人民代表大会常务委员会第三十次会议修正，2009年2月28日第十一届全国人民代表大会常务委员会第七次会议修订）

第一百八十一条　违反本法规定，构成犯罪的，依法追究刑事责任。

中华人民共和国刑法

（1979年7月1日第五届全国人民代表大会第二次会议通过，1997年3月14日第八届全国人民代表大会第五次会议修订）

第一百九十八条　有下列情形之一，进行保险诈骗活动，数额较大的，处五年以下有期徒刑或者拘役，并处一万元以上十万元以下罚金；数额巨大或者有其他严重情节的，处五年以上十年以下有期徒刑，并处二万元以上二十万元以下罚金；数额特别巨大或者有其他特别严重情节的，处十年以上有期徒刑，并处二万元以上二十万元以下罚金或者没收财产：

（一）投保人故意虚构保险标的，骗取保险金的；

（二）投保人、被保险人或者受益人对发生的保险事故编造虚假的原因或者夸大损失的程度，骗取保险金的；

（三）投保人、被保险人或者受益人编造未曾发生的保险事故，骗取保险金的；

（四）投保人、被保险人故意造成财产损失的保险事故，骗取保险金的；

（五）投保人、受益人故意造成被保险人死亡、伤残或者疾病，骗取保险金的。

有前款第四项、第五项所列行为，同时构成其他犯罪的，依照数罪并罚的规定处罚。

单位犯第一款罪的，对单位判处罚金，并对其直接负责的主管人员和其他直接责任人员，处五年以下有期徒刑或者拘役；数额巨大或者有其他严重情节的，处五年以上十年以下有期徒刑；数额特别巨大或者有其他特别严重情节的，处十年以上有期徒刑。

保险事故的鉴定人、证明人、财产评估人故意提供虚假的证明文件，为他人诈骗提供条件的，以保险诈骗的共犯论处。

专家释惑

本案例涉及保险诈骗罪。根据法律规定，若行为人的行为构成保险诈骗罪，那么不仅不能获得保险赔偿，还应负相应的刑事责任。因此不可铤而走险，妄图通过不法手段骗取保险金。

保险诈骗罪与诈骗罪存在区别，保险诈骗罪是从诈骗罪中分离出来，既有诈骗罪的共性，又具有自己的个性。二者比较，有以下不同之处：1. 客体不同。诈骗罪以特定的财产作为诈骗对象，侵犯的是单一的财产所有权，是单一客体；而保险诈骗罪既侵犯了财产所有权，而且扰乱了保险市场的经营秩序，是双重客体。2. 客观方面不同。诈骗罪采取的是虚构事实、隐瞒真相的方法，使对方陷入错误的认识，而“自愿”把财物交给实施诈骗的行为人；而保险诈骗利用的是保险合同，采取的是特定的行为方法，其行为手段具有更强的隐瞒性。3. 主体不同。具有特定身份的人才能构成保险诈骗罪，是特殊主体，自然人和单位均可构成；而诈骗罪的主体是一般主体，即达到一定刑事责任年龄，具有刑事责任能力的自然人均可构成，其主体只能是自然人，单位不能成为诈骗罪的主体。

保险诈骗罪与民事欺诈行为也存在很大的区别。民事欺诈与保险诈骗罪在客观上都采用欺骗方法，主观上都是故意。但二者具有根本的区别：1. 主观方面不同。保险诈骗罪以无偿占有保险公司的财物为故意；民事欺诈则是通过双方履约来间接获取对方的利益。2. 客观方面不同。保险诈骗罪都是作为，而民事欺诈作为和不作为均可构成。3. 标准不同。保险诈骗罪有既遂与未遂之分；而民事欺诈不发生未遂问题。4. 法律后果不同。民事欺诈形成民事法律关系，行为人实施民事欺诈行为应承担民事责任；而实施保险诈骗的行为人只能承担刑事责任。

保险诈骗罪的犯罪主体是特殊主体，即投保人、被保险人或者受益人。客观方面主要包括5种情况：第一，故意虚构保险标的，骗取保险金的；第二，对发生的保险事故编造虚假的原因或者夸大损失程度，骗取保险金的；第三，编造未曾发生的保险事故，骗取保险金的；第四，故意造成被保险人死亡、伤残或者疾病，骗取保险金的；第五，故意造成财产损失的保险事故，骗取保险金的。伴随以上5种情况，犯罪人往往会因损害财产或人身安全而实施其他诸如故意杀人罪等罪行，这种情况下应当实施数罪并罚。从犯罪主体上看，上述案例中的犯罪主体都是投保人，而客观方面则都属于第三种。

近年来，保险作为社会保障体系的重要组成部分得到迅速发展，但随之而来的保险诈骗犯罪案件日益增多，成为社会潜在的不安定因素。

保险诈骗具有较强的隐蔽性。保险诈骗往往打着保险合同的幌子制造假象，从中骗取赔偿金。保险人的经营对象遍及整个社会，难以对每个投保人的投保事项一一严格审查，保险诈骗在制造违法事件的时间选择上有较大余地，只要在合同有效期内，随时都可以进行。保险诈骗侵害了被保险人的财产，直接对保险标的构成威胁。特别是在人身保险中，当诈骗是建立在毁灭被保险人的生命之上时，就使保险诈骗演变成杀人犯罪，给社会带来更大的危害。

提醒

保险诈骗犯罪增多的主要原因是某些被保险人法制观念淡薄，守法意识不强。部分投保人对涉及保险方面的法规不熟悉，由于受利益诱惑，分不清罪与非罪的界限，自认为骗赔手段诡秘，以为可以瞒天过海，直至触犯刑律方知悔悟。保险公司则缺乏应有的内部约束机制，管理存在漏洞。在一些保险理赔案件中，由于保险公司自身的疏忽，在投保以前未对保险标的进行必要的审查，使一些投保时已存在的保险事故没有经过必要的复核程序，蒙混过关，给犯罪留下可乘之机。同时部分保险经纪人缺乏应有的职业道德，置保险法于不顾，利用职务之便，故意编造未曾发生的保险事故，骗取保险金。

102. 篡改年龄骗保是否构成保险诈骗罪？

案例 102　张某骗保案

事情是这样的

张某将其母亲户籍上的年龄由 77 岁改为 54 岁，达到投保条件后作为被保险人投保。2 年后，被保险人死亡，投保人将其母亲个人档案等相关文件中涉及年龄的部分都作了相应修改，并向保险公司索赔，获得了 27 万元保险金。

张某的行为是否构成保险诈骗罪，存在不同的看法。一种观点认为，投保人的行为不构成保险诈骗罪。原因在于：第一，寿命是指人的生死，根据《保险法》第 12 条的规定，寿险标的是指人的寿命和身体，年龄不属于保险标的，所以虚构年龄不构成虚构保险标的，更谈不上保险诈骗的问题。第二，《保险法》第 32 条明确规定，申报年龄不真实，超过 2 年后保险人不能解除合同，合同是有效的。第三，本案应首先适用《保险法》而不是《刑法》。本案虽涉嫌保险诈骗，但在对该案定性时，应先适用《保险法》的相关规定。

另一种观点认为，投保人的行为构成了保险诈骗罪。原因在于：第一，虚构年龄构成虚构保险标的。尽管《保险法》规定的保险标的中没有明确年龄这项内容，但年龄与身体、寿命密切相关。投保人明知被保险人不符合投保条件仍弄虚作假，属故意虚构保险标的。投保人违反了《保险法》和《刑法》第 198 条第 1 款第 1 项“投保人故意虚构保险标的，骗取保险金”的规定，依法构成保险诈骗罪。第二，投保人篡改年龄的行为不属于《保险法》第 32 条规定的年龄误告的范围。第三，本案投保人的恶意欺诈行为已经构成犯罪，应以《刑法》来调整。

律师专线

我国《保险法》第 32 条规定：“投保人申报的被保险人年龄不真实，并且其真实年龄不符合合同约定的年龄限制的，保险人可以解除合同，并按照合同约定退还保险单的现金价值。保险人行使合同解除权，适用本法第十六条第三款、第六款的规定。投保人申报的被保险人年龄不真实，致使投保人支付的保险费少于应付保险费的，保险人有权更正并要求投保人补交保险费，或者在给付保险金时按照实付保险费与应付保险费的比例支付。投保人申报的被保险人年龄不真实，致使投保人支付的保险费多于应付保险费的，保险人应当将多收的保险费退还投保人。”

一般认为，《保险法》第 32 条的立法原意是因过失申报的年龄不真实，并且其真实年龄不符合合同约定的年龄限制的，保险人可以解除合同，但要受自合同成立之日起 2 年的限制。也就是说，因过失致使年龄告知不真实，如果自合同成立之日起已经超过 2 年，保险人不得解除合同，这是法律对保险人应尽的注意义务的规定。所以，对该条文应作限缩解释，即投保人恶意或故意不告知真实年龄，保险人可随时解除合同。

在本案中，投保人通过修改其母亲的户籍档案，达到让其母亲的年龄符合投保条件的做法显然是一种故意不履行如实告知义务的行为，违反了《保险法》第 16 条的规定，保险人有权解除保险合同，不承担赔偿或者给付保险金的责任，并不退还保险费。

法律规范

中华人民共和国保险法

（1995 年 6 月 30 日第八届全国人民代表大会常务委员会第十四次会议通过，2002 年 10 月 28 日第九届全国人民代表大会常务委员会第三十次会议修正，2009 年 2 月 28 日第十一届全国人民代表大会常务委员会第七次会议修订）

第十六条　订立保险合同，保险人就保险标的或者被保险人的有关情况提出询问的，投保人应当如实告知。

投保人故意或者因重大过失未履行前款规定的如实告知义务，足以影响保险人决定是否同意承保或者提高保险费率的，保险人有权解除合同。

前款规定的合同解除权，自保险人知道有解除事由之日起，超过三十日不行使而消灭。自合同成立之日起超过二年的，保险人不得解除合同；发生保险事故的，保险人应当承担赔偿或者给付保险金的责任。

投保人故意不履行如实告知义务的，保险人对于合同解除前发生的保险事故，不承担赔偿或者给付保险金的责任，并不退还保险费。

投保人因重大过失未履行如实告知义务，对保险事故的发生有严重影响的，保险人对于合同解除前发生的保险事故，不承担赔偿或者给付保险金的责任，但应当退还保险费。

保险人在合同订立时已经知道投保人未如实告知的情况的，保险人不得解除合同；发生保险事故的，保险人应当承担赔偿或者给付保险金的责任。

保险事故是指保险合同约定的保险责任范围内的事故。

第三十二条　投保人申报的被保险人年龄不真实，并且其真实年龄不符合合同约定的年龄限制的，保险人可以解除合同，并按照合同约定退还保险单的现金价值。保险人行使合同解除权，适用本法第十六条第三款、第六款的规定。

投保人申报的被保险人年龄不真实，致使投保人支付的保险费少于应付保险费的，保险人有权更正并要求投保人补交保险费，或者在给付保险金时按照实付保险费与应付保险费的比例支付。

投保人申报的被保险人年龄不真实，致使投保人支付的保险费多于应付保险费的，保险人应当将多收的保险费退还投保人。

第一百八十一条　违反本法规定，构成犯罪的，依法追究刑事责任。

中华人民共和国刑法

（1979 年 7 月 1 日第五届全国人民代表大会第二次会议通过，1997 年 3 月 14 日第八届全国人民代表大会第五次会议修订）

第一百九十八条　有下列情形之一，进行保险诈骗活动，数额较大的，处五年以下有期徒刑或者拘役，并处一万元以上十万元以下罚金；数额巨大或者有其他严重情节的，处五年以上十年以下有期徒刑，并处二万元以上二十万元以下罚金；数额特别巨大或者有其他特别严重情节的，处十年以上有期徒刑，并处二万元以上二十万元以下罚金或者没收财产：

（一）投保人故意虚构保险标的，骗取保险金的；

（二）投保人、被保险人或者受益人对发生的保险事故编造虚假的原因或者夸大损失的程度，骗取保险金的；

（三）投保人、被保险人或者受益人编造未曾发生的保险事故，骗取保险金的；

（四）投保人、被保险人故意造成财产损失的保险事故，骗取保险金的；

（五）投保人、受益人故意造成被保险人死亡、伤残或者疾病，骗取保险金的。

有前款第四项、第五项所列行为，同时构成其他犯罪的，依照数罪并罚的规定处罚。

单位犯第一款罪的，对单位判处罚金，并对其直接负责的主管人员和其他直接责任人员，处五年以下有期徒刑或者拘役；数额巨大或者有其他严重情节的，处五年以上十年以下有期徒刑；数额特别巨大或者有其他特别严重情节的，处十年以上有期徒刑。

保险事故的鉴定人、证明人、财产评估人故意提供虚假的证明文件，为他人诈骗提供条件的，以保险诈骗的共犯论处。

专家释惑

关于篡改年龄投保，我们可以分析两个问题。

1. 年龄是否属于保险标的

保险标的是指作为保险对象的财产及其有关利益或者人的寿命和身体。也就是说，针对人身保险合同，保险标的是指人的寿命和身体。那么年龄是否属于保险标的，年龄是否等同于寿命？

从字面上看，年龄与寿命不是一个概念。但《刑法》第198条规定的投保人故意虚构保险标的的“标的”到底指的是什么？由于投保人为其母亲投保的是康宁终身保险，所以保险标的应该是其母亲的寿命和健康。那么年龄与寿命能否分开呢？我们认为应该是无法分开，人的寿命是以年龄作为衡量标准的，离开了年龄，寿命将无从谈起。那么健康与年龄是否密不可分呢？一般情况下，随着年龄的增大，人的健康会逐渐衰退，直至生命的终结。所以，我们认为年龄应该属于保险标的。

2. 篡改年龄是否是故意虚构保险标的

虚构保险标的，是指行为人为骗取保险金，虚构根本不存在的保险对象而与保险人订立保险合同。投保人的母亲在投保时已是77岁高龄，而投保人为了达到投保的目的，通过篡改户籍资料和有关档案材料，将其母亲的年龄改为54岁。很显然，54岁的被保险人是不存在的，她真实年龄是77岁。也就是说，保险标的是不存在的。既然保险标的不存在，通过编造这样的保险标的进行投保，当然构成虚构。